Wissenschaftliche Monographien zum Alten und Neuen Testament

Begründet von
Günther Bornkamm und Gerhard von Rad

In Verbindung mit
Erich Gräßer und Hans-Jürgen Hermisson
herausgegeben von
Ferdinand Hahn und Odil Hannes Steck

47. Band
Volkmar Fritz
Tempel und Zelt

Neukirchener Verlag

Volkmar Fritz

Tempel und Zelt

Studien zum Tempelbau in Israel
und zu dem Zeltheiligtum der Priesterschrift

1977

Neukirchener Verlag

Als Habilitationsschrift auf Empfehlung des Fachbereichs Evangelische Theologie der Johannes-Gutenberg-Universität Mainz gedruckt mit Unterstützung der Deutschen Forschungsgemeinschaft

Umschlaggestaltung: Kurt Wolff, Düsseldorf
Gesamtherstellung: Breklumer Druckerei Manfred Siegel
Printed in Germany – ISBN 3-7887-0480-2

CIP-Kurztitelaufnahme der Deutschen Bibliothek

Fritz, Volkmar
Tempel und Zelt: Studien zum Tempelbau in
Israel u. zu d. Zeltheiligtum d. Priester-
schrift. – 1. Aufl. – Neukirchen-Vluyn:
Neukirchener Verlag, 1977.
(Wissenschaftliche Monographien zum Alten
und Neuen Testament; Bd. 47)
ISBN 3-7887-0480-2

לכרמי

Inhalt

Verzeichnis der Abbildungen

1
Die Sinaierzählung in der Priesterschrift

In der Priesterschrift ist die Geschichte von der Erschaffung der Welt bis zum Tode des Mose neu geschrieben[1]. Der priesterschriftliche Verfasser hat sich dabei im wesentlichen an den vom Jahwisten geschaffenen Aufriß Urgeschichte, Vätererzählung mit Josephsgeschichte, Auszug und Wunder am Meer, Sinai, Wüstenwanderung gehalten[2], doch fehlt im erhaltenen Textbestand eine Landnahmeerzählung. Sollte die Priesterschrift keine Landnahmeerzählung geboten haben, so hat die Notiz vom Tod des Mose Deut 34,1a.7–9 den Abschluß des Werkes gebildet[3]. Das überlieferte Erzählgut ist jedoch völlig neu verfaßt, wobei die eigentlichen Erzählungen stark beschränkt und Überlieferungen außerhalb des Jahwisten neu aufgenommen wurden. Außerdem hat der Verfasser der Priesterschrift einen neuen chronologischen und geographischen Rahmen geschaffen und das gesamte Werk unter eine eigene theologische Konzeption gestellt[4]. Diese besondere Konzeption hat in der Sprache, in der Auswahl der Stoffe, in der Neuinterpretation einzelner Erzählungen und in der Gesamtkomposition ihren Ausdruck gefunden[5].

Ort und Zeit der Entstehung von P sind schwer zu bestimmen, im allgemeinen wird auf die Exilszeit verwiesen[6]. Auf Grund ihrer theologischen Ei-

---

1 Für den Umfang der Priesterschrift vgl. die Analysen von M. *Noth*, Überlieferungsgeschichte des Pentateuch (²1960) S. 17–19 und K. *Elliger*, ThB 32 (1966) S. 174f.

2 Bis auf die Josephsgeschichte ist die Priesterschrift weitgehend lückenlos erhalten, da der Redaktor bei der Zusammenarbeitung von P mit den alten Quellen JE die Priesterschrift als literarischen Rahmen benutzt hat. Zu dem Verhältnis von P zu den alten Quellen des Pentateuch vgl. M. *Noth*, Überlieferungsgeschichte des Pentateuch (²1960) S. 253f.

3 Falls Num 32,2.5.6 . . . 20–23.25–32.33* zur Priesterschrift gehört, wofür Sprachgebrauch und handelnde Personen sprechen (gegen M. *Noth*, Überlieferungsgeschichtliche Studien [²1957] S. 194-199), muß die Frage nach der priesterschriftlichen Landnahmeerzählung neu gestellt werden, da dieses Stück die bevorstehende Einnahme des Westjordanlandes voraussetzt. Der Verzicht auf eine Landnahmeerzählung wird aus der historischen Situation des Verfassers erklärt, für den die Rückkehr in das Land der Väter noch ausstehe, vgl. bes. R. *Kilian* in: Wort und Botschaft (1967) S. 230: »Begreift Pg so die Heimkehr aus dem Exil als eine zweite Landnahme, die jedoch noch nicht vollzogen ist, sondern noch bevorsteht, dann erklärt sich auch der Verzicht in Pg auf die Darstellung der ersten Landnahme.«

4 W. *Brueggemann*, The Kerygma of the Priestly Writers, ZAW 84 (1972) S. 397–413 hat versucht die Segensformel von Gen 1,28 als theologisches Leitmotiv der Priesterschrift zu bestimmen, die Intention des Werkes ist damit jedoch nicht erfaßt.

5 Vgl. bes. die Einzeluntersuchungen zum Stil von R. *Borchert*, Stil und Aufbau der priesterlichen Erzählung, Masch. Diss. Theol. Heidelberg 1956; S. E. *McEvenue*, The Narrative Style of the Priestly Writer, AnBib 50 (1971).

6 K. *Elliger*, Sinn und Ursprung der priesterschriftlichen Geschichtserzählung, Kleine Schriften zum Alten Testament, ThB 32 (1966) S. 174-198; R. *Kilian*, Die Hoffnung auf Heimkehr in der Priesterschrift, BL 7 (1966) S. 39-51; ders., Die Priesterschrift. Hoffnung auf

genart ist sie nach dem deuteronomistischen und vor dem chronistischen Geschichtswerk anzusetzen, doch ist die genaue Festlegung der Entstehungszeit im 6. oder 5. Jh. nicht möglich[7]. Für Babylonien als den Ort der Entstehung spricht vor allem der Ausbau der Väterüberlieferung mit der Erzählung vom Kauf der Höhle Machpela Gen 23[8], da die darin zum Ausdruck gebrachte Anschauung vom rechtmäßigen Erwerb des Landes und vom legitimen Begräbnisplatz am ehesten Probleme spiegelt, die im babylonischen Exil aufkamen.

Das priesterschriftliche Werk wurde von dem Verfasser oder den Verfassern so gestaltet, daß die kultischen Einrichtungen Israel im Verlauf der Geschichte von Gott zukommen.»P zeichnet einen Geschichtsablauf, in dem von Epoche zu Epoche neue Setzungen, Stiftungen und Ordnungen offenbar werden.«[9] Schon die Erschaffung der Welt ist auf den Sabbat hin angelegt, die Schöpfung wurde mit der siebentägigen Woche verbunden (Gen 1,1–2,4 a)[10]. Die Beschneidung, die bei J zum ersten Mal von Zippora, der Frau des Mose, an ihrem Sohn geübt wird (Ex 4,24–26), hat P mit Abraham verbunden (Gen 17)[11]. Die Verheißungen innerhalb des Jahwisten an Noah und Abraham (Gen 8,20–22 und 15) werden von P zu Bundesschlüssen mit der Welt und mit Abraham ausgeweitet. Der Bund mit Abraham zielt auf den Besitz des Landes (Gen 17,8), dieser hat den Bund mit dem Volk am Sinai abgelöst[12]. Die Offenbarung des Jahwenamens an Mose (Ex 6) und die Verbindung des Passah mit dem Auszug (Ex 12,1–20) waren der Priester-

---

Heimkehr, in: Wort und Botschaft (1967) S. 226–243; *P. R. Ackroyd*, Exile and Restauration (1968) S. 84–102; *A. S. Kapelrud*, The Date of the Priestly Code (P), ASTI 3 (1964) S. 58–64. An den Beginn des 4. Jh.s datiert die Priesterschrift nur *J. G. Vink*, The Date and Origin of the Priestly Code in the Old Testament, OTS 15 (1969) S. 1–144. Für die Ergebnisse dieser Arbeit gilt jedoch das Urteil von *N. Lohfink* in: Die Zeit Jesu (1970) S. 40, Anm. 5:»Bei aller Anerkennung einzelner interessanter Beobachtungen und Argumente wird man an dem Gesamturteil nicht vorbeikommen, daß ein großer Teil seiner Argumente allerhöchstens Möglichkeiten aufzeigt und daß eine echte Auseinandersetzung mit der immerhin seit Wellhausen innerhalb des priesterlichen Materials arbeitenden Literarkritik eigentlich nicht stattfindet.«

7   Zur exilischen und frühnachexilischen Zeit vgl. *E. Klamroth*, Die jüdischen Exulanten in Babylonien, BWAT 10 (1912); *E. Janssen*, Juda in der Exilszeit, FRLANT 69 (1956); *P. R. Ackroyd*, Exile and Restauration (1968), S. 17–38.

8   Vgl. dazu *G. Chr. Macholz*, Israel und das Land (Habil. theol. Heidelberg 1969) S. 41–88.

9   *G. von Rad*, Theologie des Alten Testaments I (²1958) S. 232. Vgl. auch *G. von Rad*, BWANT IV, 13 (1934) S. 187f.

10   Zu der Verbindung des Sabbats mit dem Mannawunder in Ex 16 durch die Priesterschrift vgl. *E. Ruprecht*, Stellung und Bedeutung der Erzählung vom Mannawunder (Ex 16) im Aufbau der Priesterschrift, ZAW 86 (1974) S. 269–306. *E. Ruprecht* hat nachgewiesen, daß der Jahwist in Ex 16 keinen Anteil hat; der Sabbat ist somit im erhaltenen Bestand des jahwistischen Werkes nicht erwähnt. Die Ausführungen von *V. Fritz*, Israel in der Wüste (1970) S. 42–48 sind damit hinfällig.

11   Zur Deutung der Beschneidung durch P vgl. *H.-J. Hermisson*, WMANT 19 (1965) S. 64–76.

12   Vgl. dazu *W. Zimmerli*, Sinaibund und Abrahambund. Ein Beitrag zum Verständnis der Priesterschrift, Gottes Offenbarung, ThB 19 (1963) S. 205–216; *A. Eitz*, Studien zum Verhältnis von Priesterschrift und Deuterojesaja (1969) S. 22–28.

schrift allerdings bereits durch die Tradition vorgegeben (vgl. Ex 3*E und Ex 12,21–23.27b.29–30 J), wenngleich die Priesterschrift die Namensoffenbarung Jahwes an Mose nach Ägypten verlegt und mit der Zusage des Landes verbunden hat. Alle entscheidenden kultischen Bestimmungen sind von der Priesterschrift in der Geschichte bis auf Mose abgesichert. Dabei betreffen Beschneidung, Sabbat und Passah solche Bräuche, deren Durchführung nicht notwendigerweise an einen Priester gebunden war, sondern die innerhalb der Familie begangen wurden. Beschneidung und Passah waren bereits vom Jahwisten in der Geschichte des Volkes verankert worden, doch hat P diese Tendenz weiter ausgebaut. In der Urgeschichte, der Vätergeschichte und der Auszugsgeschichte hat der priesterschriftliche Verfasser in Aufnahme und Weiterführung der vorgegebenen Überlieferungen eine konsequente Ausrichtung auf die religiösen Bräuche durchgeführt[13]. Dagegen ist die Sinaierzählung in der Priesterschrift vollständig neu verfaßt worden[14].

Es ist damit zu rechnen, daß der priesterschriftliche Verfasser Ex 18–24 und 32–34 bereits in der vorliegenden Form gekannt hat, doch ist die vorpriesterschriftliche Sinaierzählung ihrerseits wieder das Ergebnis der Zusammenlegung von J und E sowie der Erweiterung durch Einschübe verschiedener Art. Während die Erzählung von der Begegnung am Gottesberg Ex 18 dem Elohisten angehört, besteht Ex 19–24 und 32–34 weitgehend aus solchen Stücken, die nicht einer der alten Quellen zugerechnet werden können. So sind das Bundesbuch Ex 20,22–23,33 und der Dekalog Ex 20,1–17 Sammlungen verschiedener Rechtssätze, die durch Ex 19,25 und 20,18–22 an Ex 19 angeschlossen sind. In Ex 33 liegen verschiedene deuteronomistische Erweiterungen vor[15], aber auch Ex 32 und 34 stellen Einschübe dar, die dem Jahwisten sekundär zugewachsen sind, wie *Lothar Perlitt* gezeigt hat[16]. Damit fällt aber auch Ex 24,12–15a als jahwistisch aus, während der Elohist in Ex 24,1–11 nicht nachgewiesen werden kann; beide Stücke gehen ebenfalls auf deuteronomistische Bearbeitung zurück[17]. In Ex 19

13 Auf die Wüstenüberlieferung braucht in diesem Zusammenhang nicht eingegangen zu werden. Die Priesterschrift hat die Kundschaftergeschichte Num 13.14*J, die auf eine vorjahwistische Landnahmeerzählung des Stammes Kaleb zurückgeht, weiter ausgebaut und mit ihr einen vierzigjährigen Aufenthalt Israels in der Wüste begründet. Dazu wie auch zu Num 20 vgl. *N. Lohfink*, Die Ursünden in der priesterlichen Erzählung, in: Die Zeit Jesu (1970) S. 38–57.

14 Zur vorpriesterschriftlichen Sinaierzählung vgl. *W. Beyerlin*, Herkunft und Geschichte der ältesten Sinaitraditionen (1961); *E. Zenger*, Die Sinaitheophanie. Untersuchungen zum jahwistischen und elohistischen Geschichtswerk (1971); *A. H. J. Gunneweg*, Mose in Midian, ZThK 61 (1964) S. 1–9; *H. Gese*, Bemerkungen zur Sinaitradition, ZAW 79 (1967) S. 137–154. Die Erforschung der Sinaitradition hat bisher kein übereinstimmendes Ergebnis gebracht und ist von einem Abschluß weit entfernt. Im Verlauf der Forschung hat sich die klassische Quellentheorie eher als hinderlich erwiesen, da der Zwang einer Zuordnung zu einer der Quellen den Blick für die literarische Schichtung der Sinaitradition verstellt hat. Eine grundlegend neue Einordnung der verschiedenen nichtquellenhaften Erzähleinheiten innerhalb der Sinaierzählung ist getroffen worden durch die Untersuchung von *L. Perlitt*, Bundestheologie im Alten Testament, WMANT 36 (1969).

15 Vgl. bereits *M. Noth*, ATD 5 (³1965) S. 208.

16 *L. Perlitt*, WMANT 36 (1969) S. 203–232.

17 *L. Perlitt*, WMANT 36 (1969) S. 181–203.

sind V. 3b–9 ein sekundärer Einschub und V. 20–24 eine Erweiterung. Abgesehen von der priesterschriftlichen Itinerarnotiz 19,1.2a zeigt auch der verbleibende Bestand 19,2b.3a.10–19 Spuren einer Überarbeitung, ohne daß jedoch zwei verschiedene Quellen unterschieden werden können. Der Grundbestand liegt vermutlich zumindest in 19,2b.3a.10.11.14.15a. 16aα.b.18 vor [18]. Diese literarische Einheit kann dem Jahwisten zugerechnet werden, sie hat die Theophanie Jahwes am Sinai zum Inhalt. Die jahwistische Erzählung ist nicht nur mit der elohistischen Version Ex 18 zusammengelegt worden, sondern durch Anfügung von Gesetzessammlungen und nichtquellenhaften Erzählungen erweitert worden. Die Verlegung der Gesetzgebung an den Sinai ist somit erst durch nachjahwistische Redaktionen in der Absicht erfolgt, die Offenbarung und Weisung so miteinander zu verbinden, daß die Weisung als Kundgabe Jahwes im Zusammenhang mit seinem Erscheinen verstanden werden muß.

Beim Elohisten endete die Erzählung von der Begegnung zwischen Mose und seinem Schwiegervater am Gottesberg mit Opfer und Kultmahl (Ex 18,1–12); daran schloß eine Erzählung von der Einsetzung von Männern zu Richtern an[19]. Möglicherweise spiegelt Ex 18 noch eine gemeinsame kultische Begehung zwischen israelitischen Stämmen und den Midianitern aus der Zeit vor der Landnahme[20]. Bei E geschieht aber auch die Offenbarung des Gottesnamens an Mose (Ex 3,1.4b*.6.9–14) am Gottesberg, der damit Stätte göttlicher Kundgabe ist. Ex 3* und 18 lassen erkennen, daß der Gottesberg für den Elohisten eine besondere Bedeutung gehabt hat, da an ihm Gott mit Mose geredet hat. Der Gottesberg ist die Stätte des Auszugsbefehls und der Offenbarung des Gottesnamens, er ist denn auch das Ziel des Auszuges (Ex 3,12). Die elohistische Schicht weist somit auf eine frühe Verbindung von Auszugstradition und Gottesbergüberlieferung.
In der jahwistischen Sinaiüberlieferung Ex 19* erscheint Gott vor dem gesamten Volk. Zwar berichtet der Jahwist von der Urgeschichte an über Altarbauten und Opfer und gebraucht den Jahwenamen vom Anfang seines Werkes an, aber erst am Sinai erfolgt die Offenbarung Jahwes vor dem Volk. Dementsprechend erzählt die jahwistische Version von Ex 3 nur die Berufungsgeschichte des Mose, in der er seinen Auftrag erhält. Erst am Sinai erfolgt die Erscheinung Jahwes, auf die sich das Volk durch Waschungen und sexuelle Enthaltsamkeit vorbereiten muß, um die Forderung kultischer Reinheit zu erfüllen[21]. Die Erscheinung Jahwes auf dem Sinai vollzieht sich in Feuer und Rauch. Das Volk kommt zu dem Berg, an dem Jahwe zu seinem

---

18   Die Analyse von Ex 19 kann im Rahmen dieser Arbeit nicht begründet werden. Alle über den feststellbaren Grundbestand hinausgehenden Verse und Versteile lassen sich als Überarbeitungen nachweisen, die einerseits durch die Anfügung von Dekalog und Bundesbuch bedingt sind oder andererseits Jerusalemer Kultbräuche spiegeln.

19   Vgl. dazu R. *Knierim*, Exodus 18 und die Neuordnung der mosaischen Gerichtsbarkeit, ZAW 73 (1961) S. 146–171. Für Ex 18,1–12 wird *Knierim* Recht haben, wenn er mit der Umdeutung einer älteren Tradition in die Bekehrungsgeschichte Jethros rechnet. In Ex 18,13ff sind V. 16b und 20 spätere Zusätze.

20   Zur Lage des Gottesberges im Stammgebiet der Midianiter vgl. H. *Gese*, BZAW 105 (1967) S. 81–94.

21   *Chr. Barth*, Theophanie, Bundschließung und neuer Anfang am dritten Tage, EvTheol 28 (1968) S. 521–533 hat es mit Hinweis auf Am 4,4f und Hos 6,1f wahrscheinlich gemacht, daß

Volk kommt. Für den Jahwisten ist die Theophanie am Sinai ein einmaliges geschichtliches Geschehen, mit dem Jahwe sich dem Volk offenbart hat und wodurch das Volk als Kultgemeinde konstituiert wird[22]. Das setzt die Vorstellung voraus, daß Jahwe mit dem Sinai in besonderer Weise verbunden war und verbunden bleibt. Jahwe ist זה סיני (Ri 5,5) und sofern er nach der Landnahme der Stämme an einen Ort innerhalb des Landes kommt, zieht er vom Sinai oder den dort gelegenen Gebieten herüber (Ri 5,4; Deut 33,2; Hab 3,3)[23]. Da Jahwe am Sinai verhaftet ist, konnte er dem Volk auch nur dort erscheinen. Die Theophanie am Sinai war für den Jahwisten die Offenbarung Jahwes schlechthin. Darum konnte in der nachjahwistischen Redaktion die Sinaitheophanie zum Akt der Willenskundgebung Jahwes ausgebaut werden.

In der priesterschriftlichen Sinaierzählung kommt Jahwe in der Wolke und offenbart sich in seinem כבוד[24], doch spricht er nur mit Mose. Der Bericht ist äußerst knapp, auf die Itinerarnotiz Ex 19,1.2a ist wahrscheinlich der kurze Erscheinungsbericht Ex 24,15b–18 gefolgt. Grundsätzlich erscheint der Sinai als eine Station der Wüstenwanderung unter anderen[25]. Die Priesterschrift hat aber die Sinaierzählung völlig neu gestaltet, nicht mehr die Theophanie oder die Kundgabe von Gesetzen, sondern die Anweisungen Jahwes an Mose für den Bau des Zeltheiligtums und seiner Einrichtung bilden den Mittelpunkt. Zwar war bereits bei J die Theophanie am Sinai ein kultisches Geschehen, das zur Gründung Israels als einer Kultgemeinde führte. In der Priesterschrift wird aber nun der Kult als solcher zum Inhalt der Sinaioffenbarung, indem das Kultgebäude und die Kultgegenstände auf göttliche Anordnung zurückgeführt werden. Nicht mehr die Selbstoffenbarung Jahwes, sondern die Vermittlung des Heiligtums ist der Sinn des Sinaigeschehens. Die Willenskundgebung Jahwes erstreckt sich ausschließlich auf kultische Einrichtungen. Am Sinai erfolgte nach der Auffassung der Priesterschrift nicht nur die Begründung allen Kultes in Israel, sondern mit der Setzung des Kultbaus auch der Beginn der einzig rechtmäßigen Kultausübung.

Der priesterschriftliche Anteil an Lev 1 bis Num 10,10 ist zwar umstritten, doch haben zumindest der Grundbestand von Lev 8–10 und Num 1.2.4 zur Priesterschrift gehört[26], während mit den Opfergesetzen Lev 1–7, den

---

hinter den Vorbereitungen mit der Erlangung der Kultfähigkeit am dritten Tage ein allgemein geübter kultischer Brauch steht.

22 Die Konstituierung Israels als der Kultgemeinde ist somit bereits durch den Jahwisten und nicht erst durch P am Sinai verankert worden.

23 Zu den Theophanieformeln vgl. *J. Jeremias*, Theophanie, WMANT 10 (1965).

24 Vgl. dazu *C. Westermann*, Die Herrlichkeit Gottes in der Priesterschrift, in: Wort-Gebot-Glaube, AThANT 59 (1970) S. 227–249.

25 Bereits *G. Chr. Macholz*, Israel und das Land (Habil. theol. Heidelberg 1969) S. 152 hat darauf hingewiesen, daß »P die Betonung der lokalen Gebundenheit des Sinaigeschehens, wie sie in der Tradition selbstverständlich vorausgesetzt ist, neutralisiert hat«.

26 Für Lev 8–10 vgl. die Analyse von *K. Elliger*, HAT I,4 (1966) S. 104-138. Für Num 1.2.4 ist auf Grund der Analyse von *D. Kellermann*, Die Priesterschrift von Num 1,1 bis 10,10,

Reinheitsgesetzen Lev 11–15 und dem Heiligkeitsgesetz Lev 17–26 ältere Sammlungen vorliegen, die erst nachträglich in die Priesterschrift eingeschaltet worden sind. Der größte Teil der Gesetzessammlungen und des Listenmaterials der Bücher Leviticus und Numeri gehört somit nicht zum ursprünglichen Bestand der Priesterschrift, doch zeigt Lev 8–10*, daß P die Ausübung des Kultes an dem von Jahwe befohlenen Heiligtum erzählt hat. Dementsprechend hat es in der Priesterschrift vor dem Sinai keine Opfer gegeben, deshalb hat die Priesterschrift das Opfer Noahs ebenso unterdrückt wie die Opferhandlungen der Erzväter. Erst am Sinai wurde der Kult eingerichtet, dort hat Israel das erhalten, was ihm neben Sabbat und Beschneidung, Bundesschluß und Passah noch fehlte: den rechtmäßigen Kultbau, an dem Aaron das Opfer vollzieht (Lev 8*.9*).

In Num 2 ist das Zeltheiligtum dann Mittelpunkt des Lagers, um den die zwölf Stämme in Gruppen zu je drei angeordnet sind. Während der אֹהֶל מוֹעֵד von Ex 33,7–11; Num 11* und 12* noch außerhalb des Lagers stand[27], gilt das Volk in der Priesterschrift als kultisch rein, so daß das Zeltheiligtum nicht mehr einen abgesonderten Platz benötigt, sondern das Zentrum der zwölf Stämme bildet. Für die Gesamtheit dieser Stämme hat die Priesterschrift die Bezeichnung עֵדָה eingeführt, die den Begriff עַם ersetzt und das Volk als kultische und rechtliche Gemeinschaft kennzeichnet[28]. Der Aufbruch vom Sinai ist Num 10,11a.12 vermerkt. Bei den weiteren Wüstenwanderungen spielt das Zeltheiligtum dann eigentlich keine Rolle mehr, sondern ist nur noch beiläufig in Num 14,10; 16,18; 20,6 erwähnt.

Die Priesterschrift hat die Sinaierzählung völlig neu gestaltet und entscheidend ausgebaut. Allein die Einrichtung und die Ausübung des Kultes sind Gegenstand des Sinaigeschehens. Mit dem am Sinai offenbarten und gebauten Heiligtum ist der Höhepunkt des priesterschriftlichen Werkes erreicht. Die Stiftung des Heiligtums durch Jahwe am Sinai ist die Mitte der priesterschriftlichen Geschichtserzählung.

Entsprechend der von ihm begründeten Spätdatierung der Priesterschrift hat *Julius Wellhausen* die priesterschriftliche Konzeption des Wüstenheiligtums als eine »Projektion« des Jerusalemer Tempels in die Wüstenzeit angesprochen[29]. Von *Heinrich Holzinger* bis *Martin Noth* sind ihm viele in dieser Beurteilung von Ex 25–27 gefolgt[30]. Neuerdings hat *Manfred Görg*

BZAW 120 (1970) mit folgendem Grundbestand zu rechnen: Num 1,1a.2.3.19b.21b. 23b.25.27b.29b.31b.33b.35b.39b.41b.43b.46; 2,1.2.3a.7a.10a.12a.14a.18a.20a.22a.25a.27a. 29a.34; 4,1–3.22.29.34–48.49b.

27　Vgl. dazu unten Abschnitt 5.2.

28　Vgl. L. *Rost*, Die Vorstufen von Kirche und Synagoge im Alten Testament (²1967).

29　*J. Wellhausen*, Prolegomena zur Geschichte Israels (⁶1905) S. 36. Zur Geschichte der Forschung vor Wellhausen vgl. R. *Schmitt*, Zelt und Lade als Thema alttestamentlicher Wissenschaft (1972) S. 17–48.

30　H. *Holzinger*, KHC II (1900) S. 129; M. *Noth*, ATD 5 (³1965) S. 172; vgl. auch G. *Westphal*, BZAW 15 (1908) S. 120; R. E. *Clements*, God and Temple (1965) S. 111; N. *Poulssen*, SBM 3 (1967) S. 177.

die Auffassung wiederholt, daß die Priesterschrift »eine im Plan Jahwes verankerte Urgestalt des Tempels präsentieren« will und »eine großangelegte Ätiologie des Tempelheiligtums in Jerusalem« versucht hat[31]. Diese Beurteilung des priesterschriftlichen Berichtes durch *Wellhausen* hat *Ernst Sellin* durch den Nachweis eines Zeltheiligtums in vorstaatlicher Zeit zu widerlegen versucht[32]. Auf Grund der Texte Ex 33,1–11; 2. Sam 7,6; Am 5,26; Hos 12,10; 9,5f und Deut 33,12 hält *Sellin* es für bewiesen, »daß Altisrael sich vollständig bestimmt dessen bewußt gewesen ist, in der Zeit der Wüstenwanderung als alle Stämme verbindendes Heiligtum ein tragbares, wertvoll ausgestattetes Zelt besessen zu haben, sowie daß dieses Zelt bis zum salomonischen Tempelbau eine große Rolle in Palästina als eins der Hauptheiligtümer gespielt hat«[33]. Für Ex 25-27 hat *Sellin* angenommen, daß das von P beschriebene Zeltheiligtum zwar keine »historische Größe« sei, ein Zeltheiligtum aber sicher im vorstaatlichen Israel bestanden habe. *Richard Hartmann* hat diese These von einem alten Zeltheiligtum durch religionsgeschichtliches Vergleichsmaterial zu stützen versucht[34]. Während jedoch *Sellin* noch die Zusammengehörigkeit von Zelt und Lade betonte, hat *Hartmann* das Zelt als eine der Lade gegenüber selbständige Kulteinrichtung nachgewiesen[35]. Als eine selbständige kultische Einrichtung haben das Zelt auch *Julian Morgenstern* und *Wilhelm Hertzberg* herausgestellt. Nach *Morgenstern* war das Zelt ein von den Kenitern übernommenes Kultobjekt der Südstämme[36], während *Hertzberg* das Zeltheiligtum in vorstaatlicher Zeit in Gibeon lokalisiert hat[37].

Unter der Voraussetzung einer Trennung von Zelt und Lade hat *Gerhard von Rad* insofern über diese Versuche der Einordnung des priesterschriftlichen Entwurfs hinausgeführt, als er bei seiner Untersuchung von Ex 25ff die Lade mit einbezogen und die priesterschriftliche Interpretation von Zelt und Lade auf dem Hintergrund der sonst über diese Kulteinrichtungen gemachten Aussagen zu verstehen versucht hat[38]. Nach *von Rad* steht die Priesterschrift in der Zelttradition, die Lade wird bei P wie im Deuterono-

---

31 M. *Görg*, BBB 27 (1967) S. 34 (im Original teilweise gesperrt).
32 E. *Sellin*, Das Zelt Jahwes, in: Alttestamentliche Studien R. Kittel dargebracht, BWAT 13 (1913) S. 168–192.
33 E. *Sellin*, BWAT 13 (1913) S. 187.
34 R. *Hartmann*, Zelt und Lade, ZAW 37 (1917/18) S. 209–244.
35 Auf das Problem des Verhältnisses von Zelt und Lade braucht in diesem Zusammenhang nicht eingegangen zu werden, vgl. dazu die forschungsgeschichtliche Darstellung durch R. *Schmitt*, Zelt und Lade als Thema alttestamentlicher Wissenschaft (1972) S. 256–279. Die Auffassung, daß Zelt und Lade ursprünglich nicht zusammengehören, hat sich allgemein durchgesetzt. Dagegen vertreten die Zusammengehörigkeit der Lade mit dem Zelt W. *Beyerlin*, Herkunft und Geschichte der ältesten Sinaitraditionen (1961) S. 119ff und R. *de Vaux*, Das Alte Testament und seine Lebensordnungen II (²1966) S. 114-124; O. *Eißfeldt*, Kultzelt und Tempel, in: Wort und Geschichte, AOAT 18 (1973) S. 51–55.
36 J. *Morgenstern*, The Tent of Meeting, JAOS 38 (1918) S. 125–139.
37 H. W. *Hertzberg*, Mizpa, ZAW 47 (1929) S. 161–196.
38 G. *von Rad*, Zelt und Lade, ThB 8 (³1965) S. 109–129.

mium als Gesetzesbehälter verstanden und in das Zelt eingestellt[39]. Die mit
der Lade ursprünglich verbundene Thronvorstellung sei dabei von der Priesterschrift zurückgewiesen und durch die mit der Zelttradition verbundene
Erscheinungstheologie ersetzt worden[40]. Mit der Aufnahme der Zelttradition habe die Priesterschrift die durch den Tempel manifestierte Wohnvorstellung korrigieren wollen.

Mit dem Fortbestehen alter Zelttraditionen aus der Wüstenzeit in dem
Tempel von Silo und in dem davidischen Zelt von 2. Sam 6,17 rechnet
Frank M. Cross[41]. Das priesterschriftliche Zeltheiligtum spiegelt nach
Cross das von David für die Lade errichtete Zelt, wobei er jedoch eine Ver-
bindung von Elementen der Wüstentradition mit solchen kanaanäischen
bzw. phönizischen Ursprungs annimmt[42]. Die Abhängigkeit des Zeltes der
Priesterschrift von dem Zelt Jahwes in Jerusalem hat auch *Virgil W. Rabe*
vertreten[43].

Mit verschiedenen Zeltheiligtümern in der Zeit vor der Landnahme rechnet
– im Unterschied zu seiner früher vertretenen Auffassung – *Julian Morgen-*
stern[44]. Diese Zeltheiligtümer seien nach *Morgenstern* mit dem Ephod gemeint und hätten zur Aufnahme der Teraphim gedient. Sie seien dann
durch die Tempelbauten nach der Landnahme zurückgedrängt worden,
doch habe noch David ein solches Zeltheiligtum in der Tradition des Ephod
errichtet. Von dem Ephod sei der von Mose angefertigte אהל מועד zu unterscheiden. Der priesterschriftliche Entwurf Ex 25ff soll auf den mosaischen
אהל מועד zurückgehen, der Ex 33,7–11 beschrieben ist und den P mit einer
neuen Deutung als Ort der Begegnung zwischen Jahwe und den Priestern
versehen habe.

In seiner Untersuchung der Lagerordnung in der Priesterschrift hat *Arnulf*
Kuschke nachgewiesen, daß in Ex 25ff zwei verschiedene Vorstellungen
verarbeitet worden sind, indem die Priesterschrift אהל מועד und משכן und
die damit verbundenen Vorstellungen miteinander verschmolzen hat[45].
Dabei rechnet *Kuschke* damit, daß die Beschreibung des Zeltheiligtums auf
ältere Traditionen vom »Zelt der Begegnung« zurückgehe, wie sie sich Ex
33,7–11; Num 11* und 12* finden. Diese Traditionen sollen aus Juda
stammen, so daß die Priesterschrift mit diesem Entwurf den »nie ganz verstummten Protest südisraelitischer Kreise gegen den Tempel« zum Ausdruck gebracht habe[46]. Auch *Menaḥem Haran* hat angenommen, daß die

---

39 *G. von Rad*, ThB 8 ([3]1965) S. 125.
40 *G. von Rad*, ThB 8 ([3]1965) S. 126f.
41 *F. M. Cross*, The Priestly Tabernacle, BAR I (1961) S. 201–228.
42 *F. M. Cross*, BAR I (1961) S. 221f, vgl. dazu kritisch *R. Schmitt*, Zelt und Lade als
Thema alttestamentlicher Wissenschaft (1972) S. 243.
43 *V. W. Rabe*, The Identity of the Priestly Tabernacle, JNES 25 (1966) S. 132–134.
44 *J. Morgenstern*, The Ark, the Ephod, and the Tent of the Meeting, HUCA 17 (1942/43)
S. 153–266 und 18 (1943/44) S. 1–52.
45 *A. Kuschke*, Die Lagervorstellung der priesterschriftlichen Erzählung. Eine überlieferungsgeschichtliche Studie, ZAW 63 (1951) S. 74–105, bes. S. 81–90.
46 *A. Kuschke*, ZAW 63 (1951) S. 88.

Priesterschrift in Ex 25ff alte Traditionen verarbeitet hat. Während er jedoch zunächst eine Verbindung von kultischen und prophetischen Elementen im priesterschriftlichen Entwurf angenommen hat[47], versucht er nun nachzuweisen, daß der priesterschriftliche Bericht auf der »Kultlegende« des Heiligtums von Silo beruhe, die jedoch nach der Wirklichkeit des Jerusalemer Tempels überarbeitet worden sei[48].

Sigo Lehming rechnet ebenfalls mit einer alten Zelttradition, die er in Ex 33,3b.4; 26,7–14.36.37; 36,14–19.37.38; 33,7–11* erhalten findet[49]. Die Träger der Zelttradition sollten die mit dem Urim und Tummim-Orakel verbundenen Priesterschaften von Num 26,58abα gewesen sein. Diese sollen in davidisch-salomonischer Zeit durch die Leviten in ihrer Funktion abgelöst worden sein, mit dem Bau des Tempels sei die Zelttradition verschwunden. Eine örtliche Festlegung der vorjerusalemer Zelttradition hat *Lehming* nicht getroffen, wenngleich er Mizpah erwogen hat. Ebenso nimmt *Terence Fretheim* die Übernahme alter Zelttradition durch die Priesterschrift an, die keineswegs eine Projektion des Tempels in Jerusalem beabsichtigt habe[50]. Träger dieser Überlieferung seien die Aaroniten gewesen, die mit der nach Anatoth verbannten Priesterschaft aus Silo identisch gewesen sein und in Opposition zum Tempel in Jerusalem gestanden haben sollen. *Manfred Görg* schließlich rechnet mit dem Nebeneinander verschiedener Zeltheiligtümer, die unabhängig voneinander bestanden haben sollen, ohne daß ein Zusammenhang der Zelttraditionen angenommen wird[51]. Er unterscheidet neben dem Zeltheiligtum der Priesterschrift, das den Jerusalemer Tempel widerspiegele, das Ladezelt Davids, ein Zelt Jahwes, das in Gibeon lokalisiert wird, und das Zeltheiligtum der elohistischen Tradition, das der Wüstenzeit entstammen und in Silo bewahrt worden sein soll[52].

Der Behauptung, daß in Ex 25–27 die Einrichtungen des Jerusalemer Tempels in die Wüstenzeit zurückverlegt worden seien, stehen die Versuche gegenüber, in dem priesterschriftlichen Entwurf eines Zeltheiligtums die Aufnahme alter Traditionen nachzuweisen. Die widersprüchlichen Thesen zeigen, daß Herkunft und Geschichte der in Ex 25–27 verarbeiteten Traditionen noch keineswegs hinreichend geklärt sind. Ebensowenig ist die von der Priesterschrift mit diesem Entwurf eines Heiligtums verfolgte Intention

---

47 M. *Haran*, The Nature of the »Ohel Moʿedh« in Pentateuchal Sources, JSS 5 (1960) S. 50–65.

48 M. *Haran*, Shiloh and Jerusalem. The Origin of the Priestly Tradition in the Pentateuch, JBL 81 (1962) S. 14–24; vgl. dazu die Kritik bei *R. Schmitt*, Zelt und Lade als Thema alttestamentlicher Wissenschaft (1972) S. 235f.

49 S. *Lehming*, Erwägungen zur Zelttradition, in: Gottes Wort und Gottes Land (1965) S. 110–132.

50 T. E. *Fretheim*, The Priestly Document: Anti-Temple?, VT 18 (1968) S. 313–329.

51 M. *Görg*, Das Zelt der Begegnung. Untersuchung der sakralen Zelttraditionen Altisraels, BBB 27 (1967).

52 Vgl. dazu kritisch *R. Schmitt*, Zelt und Lade als Thema alttestamentlicher Wissenschaft (1972) S. 190–193, der mit Recht betont hat, daß das von David für die Lade errichtete Zelt und das Jahwezelt identisch sind.

genügend herausgearbeitet worden. Deshalb sollen das priesterschriftliche Zeltheiligtum und seine Einrichtung neu untersucht werden.

Die Anordnungen in Ex 25–27 lassen zwar trotz vieler Detailangaben keine umfassende Rekonstruktion des Heiligtums zu, doch sind seine Anlage und Einrichtung hinreichend deutlich[53]. Da der Entwurf eines Heiligtums in der Priesterschrift wegen der notwendigen Spätdatierung dieses Werkes nicht den Ausgangspunkt für den Tempelbau in Israel, sondern allenfalls ein Endstadium markiert, stellt sich die Aufgabe der Bestimmung der traditionsgeschichtlichen Zusammenhänge dieses Entwurfs mit dem Kultbau in Israel. Um die Eigenart der priesterschriftlichen Beschreibung zu erkennen, soll das Zeltheiligtum mit den israelitischen Tempelbauten verglichen werden. Von den Tempeln in Israel in vorexilischer Zeit sind allerdings bisher nur zwei bekannt: der Tempel von Jerusalem aus der Baubeschreibung 1. Kön 6 und 7 und der Tempel von Arad durch die archäologische Forschung. Da einerseits die Beschreibung des Jerusalemer Tempels in vielen Einzelheiten problematisch ist und andererseits von dem in Arad freigelegten Tempel noch keine Gesamtdarstellung vorliegt, sollen vor der Untersuchung des priesterschriftlichen Entwurfs diese beiden Sakralbauten samt ihrer Einrichtung dargestellt und hinsichtlich ihrer Bautradition bestimmt werden (Abschnitte 2 und 3). Dabei soll auch nach den im Kultbau zum Ausdruck gebrachten theologischen Vorstellungen gefragt werden. Unter der gleichen Fragestellung werden auch die nachexilischen Tempel in die Untersuchung einbezogen (Abschnitt 4). Da außerdem die Priesterschrift der Form nach auf die Zeltbauweise zurückgreift, sollen die aus den Texten in Israel und der Umwelt bekannten Zeltheiligtümer ermittelt werden (Abschnitt 5). Auf der Grundlage dieser Vorarbeiten soll dann der Entwurf Ex 25–27 neu untersucht werden, wobei nach der Literarkritik die traditionsgeschichtliche Einordnung des Zeltbaus und seiner Einrichtung versucht werden soll (Abschnitt 6). Erst auf Grund der Einzeluntersuchung kann die theologische Konzeption des priesterschriftlichen Zeltheiligtums erneut erfragt werden.

Die Untersuchung des priesterschriftlichen Zeltheiligtums setzt somit eine Darstellung der altisraelitischen Tempelarchitektur voraus. Erst nach Erhebung der verschiedenen Befunde können die einzelnen Bauten mit dem priesterschriftlichen Entwurf verglichen werden. Um dabei mögliche Unterschiede nicht von vornherein zu verwischen, muß zunächst jeder Kultbau einzeln beschrieben werden, bevor ein Vergleich möglich ist. Da außerdem jeder Tempel seine eigene Geschichte hat und in einer bestimmten Bauform verhaftet ist, zielt die Untersuchung auch auf die Feststellung der verschiedenen Bautraditionen und auf die baugeschichtliche Einordnung der altisraelitischen Tempelarchitektur.

Im Rahmen der Arbeit bleiben diejenigen kultischen Einrichtungen unberücksichtigt, die ent-

---

53 Zur Rekonstruktion vgl. vor allem M. *Haran*, The Priestly Image of the Tabernacle, HUCA 36 (1965) S. 191–226.

weder nicht ein Bauwerk im Sinne des Tempels sind oder deren Interpretation fraglich ist[54]. In Hazor Stratum XI wurde ein Gebäudekomplex der Eisenzeit I angeschnitten, in dem verschiedene Objekte auf eine kultische Funktion weisen[55]. Vollständig ist jedoch nur ein Raum von etwa 5 x 4 m freigelegt, so daß über die Art der gesamten Anlage nichts gesagt werden kann. In Lachisch wurde im Bereich des sog. »solar shrine« ein Raum von etwa 4 x 3 m mit Depositbänken an den Wänden entdeckt, in dem außer Keramik des 10. Jh.s auch ein Räucheraltar und sog. Räucherständer mit Schalen gefunden wurden[56]. Es besteht die Möglichkeit, daß dieser Kultraum Teil eines größeren Baukomplexes gewesen ist, doch kann dieser nur durch weitere Ausgrabungen ermittelt werden. Daß Funde von Kultgegenständen nicht unbedingt auf einen Kultbau weisen, zeigt die Ansammlung verschiedener Kultgeräte einschließlich zweier Räucheraltäre in der Ecke des Hofes innerhalb eines Hauses von Stratum VA in Megiddo[57]. Die Fundlage der Objekte läßt vermuten, daß es in Israel Kultausübung in Privathäusern gegeben hat, ohne daß darüber nähere Einzelheiten bekannt sind. Der Fund von Megiddo warnt somit davor, jeden Raum mit Kultgegenständen als Tempel anzusprechen.

In dieser Arbeit werden nur solche Gebäude als Tempel bezeichnet, die auf Grund ihrer Anlage und ihrer Ausstattung erkennen lassen, daß sie der Kultausübung gedient haben[58]. Der Hauptraum des Tempels wird dabei mit

54 Für die als Masseben angesprochenen Steine innerhalb eines kleinen Bassins in Taanach muß die Möglichkeit einer anderen Interpretation zumindest offen gehalten werden. Eine ähnliche Anlage dieser Art in Lachisch legt die Vermutung nahe, daß es sich dabei um eine Einrichtung zum Reiben des Getreides handelt, vgl. *Y. Aharoni*, Lachish V (1975) Pl. 57 (Locus 19). Deshalb werden die kultisch interpretierten Steineinfassungen auf dem *Tell el-Fār'a* (Nord) und dem *Tell Ta'annek* hier nicht berücksichtigt, vgl. *R. de Vaux*, RB 58 (1951) S. 428 und *P. W. Lapp*, BASOR 173 (1964) S. 26–32, bes. Fig. 12. Selbst wenn die als »cultic structure« interpretierten Räume aus dem 10. Jh. auf dem *Tell Ta'annek* Teile eines Tempels gewesen sein sollten, so sind sie doch in jedem Falle Nebenräume, die keinen Aufschluß über die gesamte Anlage geben, vgl. auch *S. Yeivin*, EI 11 (1973) S. 172f. Das als Tempel angesprochene Gebäude auf dem *Tell el-Fār'a* ist seiner Anlage nach ein Wohnhaus, gegen *R. de Vaux*, RB 64 (1957) S. 574f und Fig. 8. Der »Tempel« von Stratum IV in Megiddo (*H. G. May*, OIP XXVI ⟨1935⟩ S. 4-11 und Pl. I) ist ein Palast, da der Plan keinerlei zentralen Kultraum erkennen läßt, dafür aber Höfe und Räume verschiedener Größe bietet, wie sie den Erfordernissen eines Palastes entsprechen.
55 *Y. Yadin*, Hazor (1972) S. 132–134 mit dem Plan Fig. 29.
56 *Y. Aharoni*, Lachish V (1975) S. 26–32; Pl. 60. Der Raum mit den Kultgefäßen stellt noch keinen Tempel dar, doch besteht kein Anlaß, die kultische Verwendung der in ihm gefundenen Keramik zu bestreiten, gegen *S. Yeivin*, EI 11 (1973) S. 175.
57 *G. Loud*, Megiddo II, OIP LXII (1948) S. 44–46; Fig. 100-102. Zu datieren ist Stratum VA in die erste Hälfte des 10. Jh.s, vgl. *Y. Aharoni*, JNES 31 (1972) S. 308. Der Versuch von *P. Welten*, ZDPV 88 (1972) S. 28f, den gesamten Bau sakral zu deuten, mißachtet die Fundumstände und wird der Anlage dieses Hauses nicht gerecht.
58 Die Chronologie folgt den Daten von *Y. Aharoni*, The Land of the Bible (1967) S. 366-369:

Chalkolithikum		4000-3150
Frühbronzezeit		3150-2150
Mittelbronzezeit	I	2150-1950
	IIA	1950-1750
	IIB	1750-1550
Spätbronzezeit	I	1550-1450
	II	1450-1200
Eisenzeit	I	1200-1000
	II	1000- 587

Cella, ein dieser vorgelagerter Raum als Antecella bezeichnet. Die Absonderung oder Anfügung eines besonderen Raumes an der dem Eingang gegenüberliegenden Seite des Tempelraumes wird Adyton genannt. Falls sich vor
dem Eingang ein besonderer Raum befindet, wird von Vorhalle gesprochen,
gleichgültig, ob diese offen oder geschlossen ist. Zum Tempelgebäude gehören in der Regel ein Hof, in dem der Altar gestanden hat, und Nebengebäude.

Seiner Anlage und Ausführung nach ist der Tempel von anderen Bauten unterschieden. Wie alle Bauten sind auch die Tempelanlagen das Ergebnis einer baugeschichtlichen Entwicklung, dabei ist der Tempel von seinem Ursprung her mit den Formen des Bauens verbunden, die den Bedürfnissen des
Menschen nach einer Behausung entstammen. Jeder Tempel hat darum
nicht nur seine eigene Baugeschichte, sondern auch einen bestimmten Platz
in der Entwicklung der Bauformen. Die Ausbildung der Tempelarchitektur
ist dabei durch die besondere Aufgabe der Behausung Gottes und die Notwendigkeiten der Kultausübung bestimmt. Der Kultbau war somit eng mit
den Vorstellungen von der Anwesenheit der Gottheit am Heiligtum und mit
der Praxis der kultischen Handlungen verbunden. Jeder Tempel kann also
nicht nur auf die Geschichte seiner Bauform, sondern auch auf die in ihm
zum Ausdruck gebrachten Anschauungen von der Gegenwart Gottes und
die Art und Weise der Kultausübung hin befragt werden. Die Erforschung
des altisraelitischen Tempelbaus ist darum ein notwendiger Bestandteil der
Ermittlung der Jahweverehrung.

2
Der Tempel von Jerusalem

2.1
Rekonstruktion

Bau und Ausstattung des Jerusalemer Tempels werden 1. Kön 6 und 7 beschrieben[1]. Nach 6,2.3 war der Tempel 60 Ellen lang, 20 Ellen breit und 30 Ellen hoch[2] und hatte eine Vorhalle über die gesamte Breite des Gebäudes von 10 Ellen Tiefe. Im Innern befand sich an der Rückwand ein דביר genannter Einbau aus Holz, der 20 Ellen in Länge, Breite und Höhe maß (1. Kön 6,15–21), so daß der eigentliche Tempelraum (היכל) noch 40 Ellen lang war[3]. Auch wenn der Debir ein Einbau aus Holz gewesen ist[4], so muß er doch als ein eigener Raum gelten. Der Unterschied in der Höhe des Tempel-

[1] Für den Tempel von Jerusalem wird der von der Forschung erreichte Stand referiert. Zwar ist der Grundriß des salomonischen Baues einigermaßen deutlich, doch herrscht in allen Einzelheiten der Ausführung große Unsicherheit. Die Literatur ist unübersehbar, sie ist gesammelt und verarbeitet von *Th. A. Busink*. Der Tempel von Jerusalem I (1970). Für alle ungelösten Fragen wird auf das Werk von Th. A. Busink verwiesen. Zur Literarkritik von 1. Kön 6.7 vgl. *M. Noth*, BK IX/1 (1968) S. 95-167. In der Beschreibung sind die hebräischen Ausdrücke Hekal und Debir beibehalten. Die Beschreibung beschränkt sich auf den salomonischen Tempel, die weitere Baugeschichte des Jerusalemer Staatsheiligtums bleibt im Rahmen dieser Arbeit unberücksichtigt, da trotz der im Verlauf der Geschichte erfolgten Umbauten an den Abmessungen und der Einteilung des Innenraumes nichts geändert wurde.
[2] Die Höhenangabe schwankt in der Überlieferung. LXX gibt 25 Ellen an und der Paralleltext 2. Chr 3,3 hat für die Höhe überhaupt keine Angabe. Es besteht somit die Möglichkeit, daß die Höhenangabe nicht ursprünglich ist, doch kann eine Abweichung vom masoretischen Text nicht hinreichend begründet werden. Zum Problem der griechischen Überlieferung der Maßangaben vgl. *D. W. Gooding*, Temple Specifications: A Dispute in Logical Arrangement between the MT and the LXX, VT 17 (1967) S. 143-172.
[3] Als Lehnwort stammt היכל aus dem Sumerischen und bedeutet entsprechend dem Akkadischen *ekallu* eigentlich »Palast«, vgl. *W. von Soden*, AHW I (1965) S. 191f. In den biblischen Schriften bezeichnet das Wort den Palast des Königs (1. Kön 21,1; Am 8,3; Prov 30,28 u. ö.) oder die himmlische Wohnung Jahwes (Mi 1,2; Hab 2,20; Ps 11,4; 18,7 = 2. Sam 22,7; 27,4; 29,9; 48,10; 65,5; 68,30; u. ö.), ist aber vorwiegend zur Bezeichnung des Tempels von Jerusalem gebraucht (2. Kön 18,16; 23,4; 24,13; Jes 6,1; Jer 7,4; 24,1 u. ö.). In 1. Kön 6.7 und Ez 41 bezeichnet das Wort jedoch auch den Hauptraum (Cella) des Tempels, vgl. 1. Kön 6,3.5.17.33; 7,21.50 und Ez 41,1.4.15.20.23.25.
[4] Vgl. *H. Schult*, Der Debir im salomonischen Tempel, ZDPV 80 (1964) S. 46-54; *J. Ouellette*, The Solomonic *debir* according to the Hebrew Text of I Kings 6, JBL 89 (1970) S. 338-343. Trotz der Ausführung aus Holz entspricht der Debir dem Adyton. Form und Bedeutung des Debir, die aus der Entwicklung des Langhaustempels zu verstehen sind, machen es unwahrscheinlich, daß dieser »das Substitut für das alte Zeltheiligtum« gewesen ist, wie *Th. A. Busink*, Der Tempel von Jerusalem I (1970) S. 609 angenommen hat. Der Debir ist ein Element des Tempels, das der Notwendigkeit der Absonderung der Jahwesymbole entstammt, und nicht ein ursprünglich selbständiger Schrein, der in den Tempel eingebracht worden ist.

raumes und des Debir läßt darauf schließen, daß der Debir entweder dem
Hekal gegenüber erhöht gewesen ist[5] oder daß sich über dem Debir ein
freier Raum befunden hat[6]. Da einerseits nichts auf ein erhöhtes Adyton
deutet, andererseits jedoch der Debir eindeutig »ein Element der Innenaus-
stattung war«, hat *Martin Noth* wohl Recht mit der Folgerung: »der Innenraum über dem דביר blieb einfach leer«[7].
Für den 1. Kön 6,6–8 beschriebenen Seitenbau hat *Konrad Rupprecht* gezeigt, daß diese Verse literarisch ein Zusatz sind[8]. Der den Tempel umge-
bende Seitenbau ist somit kein ursprünglicher Bestandteil des Tempels gewesen, sondern wohl erst bei den Erneuerungsarbeiten der judäischen Könige angefügt worden. Noch im sog. Verfassungsentwurf des Ezechiel erscheint denn auch der Seitenbau unter den Nachträgen Ez 41,5–11.
Über den Ort der Aufstellung der beiden für die Vorhalle gefertigten Säulen
aus Bronze 1. Kön 7,15–20 macht 7,21f keine eindeutige Angabe[9]. Die Errichtung der Säulen לאלם ההיכל legt die Vermutung nahe, daß sie in der
Vorhalle gestanden haben[10]. Diese Wendung macht die Annahme unwahrscheinlich, daß die beiden Säulen vor der Vorhalle gestanden oder lediglich
den Eingang flankiert haben[11]. Wenngleich die genaue Stellung der Säulen
nicht zu ermitteln ist und auch nicht sicher entschieden werden kann, ob die
Vorhalle offen oder geschlossen gewesen ist[12], so läßt doch die vermutete

---

5 So vor allem *K. Galling*, Das Allerheiligste in Salomos Tempel, JPOS 12 (1932) S. 43–46.
Gegen die Annahme eines erhöhten Debir spricht aber, daß zur Überwindung des Höhen-
unterschiedes zwischen Debir und Hekal eine Treppe notwendig gewesen wäre. Eine solche Treppe ist in den Quellen nirgends erwähnt. Vielmehr setzt 1. Kön 6,16 eine Trennwand
aus Holz zwischen beiden Räumen voraus, vgl. *M. Noth*, BK IX/1 (1968) S. 119. In nachexilischer Zeit trennte ein Vorhang den Debir ab, vgl. 1. Makk 1,23; 4,51.
6 Im zweiten Tempel hat sich über dem Debir ein Raum befunden, der von den Rabbinen
עליית בית קדש הקדשים genannt wird, vgl. bPes 86 a und TosKelim Baba qamma I,7.
7 *M. Noth*, BK IX/1 (1968) S. 121, so auch *Th. A. Busink*, Der Tempel von Jerusalem I
(1970) S. 209.
8 *K. Rupprecht*, Nachrichten von Erweiterung und Renovierung des Tempels in 1. Kön 6,
ZDPV 88 (1972) S. 38–52. Vgl. bereits *K. Galling*, HAT I,7 (1937) Sp. 517. Schon weil der
Umbau kein ursprünglicher Bestandteil des Bauwerks gewesen ist, kann er baugeschichtlich
nicht aus der Kasemattenbauweise stammen, wie *Th. A. Busink*, Der Tempel von Jerusalem I
(1970) S. 611, angenommen hat.
9 Auf die Ausführung der Bronzesäulen braucht hier nicht eingegangen zu werden, vermutlich handelt es sich bei den Säulen um einen mit Bronzeplatten umkleideten Holzkern. Zur Rekonstruktion vgl. *S. Yeivin*, Jachin and Boaz, PEQ 91 (1959) S. 6–22; *Th. A. Busink*, Der
Tempel von Jerusalem I (1970) S. 299–309.
10 Vgl. die ausführliche Erörterung über den Standort der Säulen und die Begründung für
ihre Stellung in der Vorhalle bei *J. Ouellette*, Le vestibule du Temple de Salomon était-il un *bit
hilâni?*, RB 76 (1969) S. 365–378. Der darin getroffenen Ableitung für den Tempel stimme ich
nicht zu, vgl. unten Abschnitt 2.4.
11 Sollten die Säulen vor dem Tempelhaus gestanden haben, muß man auf jeden Fall mit
zwei konstruktiven Säulen innerhalb der Vorhalle rechnen, wie *Th. A. Busink*, Der Tempel
von Jerusalem I (1970) S. 173 bemerkt hat.
12 Noch der Verfassungsentwurf des Ezechiel rechnet im wesentlichen mit einer offenen
Vorhalle (Ez 40,48f), wenngleich die Beschreibung den Ansatz eines Abschlusses auf der Vorderseite erkennen läßt. Vgl. *W. Zimmerli*, BK XIII/1 (1969) S. 1013.

Stellung der Säulen in der Vorhalle darauf schließen, daß diese durch Anten gebildet und dementsprechend offen war, und daß die Säulen zwischen den Anten gestanden haben. Die beiden Säulen tragen die Namen Jachin und Boas, der Symbolismus dieser Benennung ist jedoch ungeklärt[13]. Die Herstellung der Säulen aus Bronze läßt ebensowenig wie die Namengebung darauf schließen, daß diese keine architektonische Funktion mehr gehabt hätten.

Wenngleich die Beschreibung für eine in allen Einzelheiten zweifelsfreie Rekonstruktion des Gebäudes nicht ausreicht[14], so läßt sie doch erkennen, daß der Jerusalemer Tempel ein Langhaus mit Vorhalle gewesen ist. Im Tempelraum war ein besonderer Raum abgeteilt, der allerdings aus Holz errichtet wurde. Da die Säulen vermutlich in der Vorhalle gestanden haben, kann angenommen werden, daß diese eine offene Vorhalle mit den Säulen zwischen den Anten gewesen ist. Der salomonische Kultbau in Jerusalem gehört somit wahrscheinlich zum Typ des Antentempels.

Dem Tempel war ein Hof vorgelagert, über dessen ursprüngliche Ausmaße nichts verlautet, doch können zwei Höfe unterschieden werden (1. Kön 21,5; 23,12). Der innere Hof החצר הפנימית (1. Kön 6,36; 7,12) ist wahrscheinlich mit dem החצר העליון (Jer 36,10) identisch, dieser war dem Tempel direkt vorgelagert, während der החצר הגדולה (1. Kön 7,9.12) den gesamten Bereich des Palastes umgab. Von beiden wiederum ist der החצר התיכנה (2. Kön 20,4 Q) zu unterscheiden, über dessen genaue Lage nichts gesagt werden kann, doch handelt es sich dabei wohl um den zweiten Tempelvorhof. Erst Ezechiel hat in seiner Vision Ez 40,1–37.47–49; 41,1–4 zwischen innerem und äußerem Vorhof getrennt, wobei der innere Vorhof an drei Seiten von dem äußeren umgeben war.

2.2
Ursprung

Der Jerusalemer Tempel ist ein von Salomo errichteter Neubau. Sein genauer Standort ist nicht mehr zu ermitteln, doch hat er nördlich der Davidsstadt im Bereich des Palastes gelegen. Der Wiederaufbau in nachexilischer Zeit an der Stelle des ersten Tempels und der großangelegte Ausbau durch

---

13 Eine Zusammenstellung der Deutungen der Säulen am salomonischen Tempel findet sich bei *Th. A. Busink*, Der Tempel von Jerusalem I (1970) S. 299–317. Die Deutung *Businks* als »Standarten des Tempels« überzeugt aber ebensowenig wie die Erklärungsversuche als Ständer für Räuchergefäße (*W. F. Albright*, Two Cressets from Marisa and the Pillars of Jachin and Boas, BASOR 85 [1942] S. 18-27), Zeichen für die Anwesenheit Jahwes im Tempel (*S. Yeivin*, Jachin and Boaz, PEQ 91 [1959] S. 6-22) oder *dd*-Pfeiler (*W. Kornfeld*, Der Symbolismus der Tempelsäulen, ZAW 74 [1962] S. 50-57). Auch die Namen führen für die Deutung der Säulen nicht weiter. *R. B. Y. Scott*, The Pillars Jachin and Boas, JBL 58 (1939) S. 143-149 hat auf einen möglichen Zusammenhang mit der Königsideologie hingewiesen.

14 Die bisherigen Rekonstruktionsversuche sind zusammengestellt bei *Th. A. Busink*, Der Tempel von Jerusalem I (1970) S. 46-58.

Herodes weisen darauf hin, daß er innerhalb des noch heute von der herodianischen Umfassungsmauer umgebenen Tempelplatzes (*Harām aš-Ša-
rif*) gestanden hat[15], wobei die genaue Lage offen bleiben muß. Keineswegs
ist der Standort des Tempels durch den vom Felsendom überbauten heiligen
Felsen (*eṣ-Ṣaḫra*) markiert, da dieser etwa 13 m von Osten nach Westen und
18 m von Süden nach Norden mißt und somit wegen seiner Größe nicht
durch den Debir umbaut gewesen sein kann[16]. Das salomonische Heiligtum
gehörte nicht zum Typ des umbauten Götterfelsens[17].
Zwar ist der Tempel erst durch Salomo erbaut worden, die Erzählung
2. Sam. 24 berichtet aber von einer kultischen Handlung Davids[18], die nur
im Hinblick auf den späteren Tempelbau ihren Sinn gewinnt. Diese Erzählung vom Kauf eines bestimmten Platzes und dem Bau eines Altars durch
David zielt auf die Legitimierung eines bestimmten Ortes zur Kultausübung. Zwar nimmt der Tempelbaubericht in keiner Weise auf diesen Vorgang Bezug, die Kulthandlung Davids weist aber darauf hin, daß der von
ihm gekaufte Dreschplatz des Arauna als Stätte der Kultausübung begründet werden soll und darum der spätere Standort des Tempels sein wird.

Das Kapitel 2. Sam 24 steht innerhalb der Nachträge zu den Samuelbüchern 2. Sam 21–24, mit
denen die Erzählung von der Thronnachfolge Davids unterbrochen ist. Ein Zusammenhang des
Kapitels mit 2. Sam 21 besteht nicht, wie Werner Fuß mit Recht betont hat[19]. Die Erzählung
vom Altarbau Davids gehört zu dem Sondergut, das in Jerusalem tradiert wurde. Der Verlauf
der Erzählung zeigt mehrere Sprünge und Unstimmigkeiten, die auf eine längere Überlieferungsgeschichte und auf die redaktionelle Bearbeitung des Textes schließen lassen[20]. Auf einen
Einschub geht die Beschreibung des Weges in V. 5–7 zurück, da diese Verse zwar sachlich rich-
tig den Umfang des davidischen Reiches beschreiben, aber keineswegs eine angemessene Ge-
bietsumschreibung für eine Volkszählung sind. Der Umfang des von der Zählung und der dar-

15   Die Ostseite der Umfassungsmauer stammt wahrscheinlich bereits aus vorherodianischer
Zeit, vgl. dazu M. *Dunand*, Byblos, Sidon, Jérusalem. Monuments apparentés des temps
Achémenides, SVT 17 (1969) S. 64–70; K. *Kenyon*, New Evidence on Solomon's Temple,
MUSJ 46 (1970/71) S. 139–149.
16   Der sog. heilige Felsen ist erst durch die Omaijaden als Konkurrenz zu der Kaʿba in Mekka
zu besonderer Bedeutung erhoben und mit dem noch heute bestehenden Bau des Felsendomes
umgeben worden. Die These von H. *Schmidt*, Der heilige Fels in Jerusalem (1933), dieser Felsen sei vom Debir umbaut gewesen, muß damit aufgegeben werden. *Th. A. Busink*, Der Tempel von Jerusalem I (1970) S. 12–20 hat mit Recht angenommen, daß der Felsen in der Königszeit frei sichtbar gestanden hat. Der Fels scheidet damit auch als Ort des Brandopferaltars aus,
als der er im Gefolge von R. *Kittel*, BWAT 1 (1908) S. 1–96 häufig gedeutet worden ist. Zur
Erweiterung des Tempelplatzes in omaijadischer Zeit, wodurch der Felsen in die Mitte des Ḥa-
rām rückte, und der Verbindung des Felsens mit der Himmelsreise Mohammeds vgl. E. *Vogt*,
Vom Tempel zum Felsendom, Biblica 55 (1974) S. 23-64.
17   Gegen M. *Noth*, BK IX/1 (1968) S. 109, wobei *Noth* wegen der Größe des Felsens damit
rechnen mußte, daß dieser »nur in die Unterbauten eingeschlossen war«.
18   Vgl. dazu W. *Fuß*, II Samuel 24, ZAW 74 (1962) S. 145–164.
19   W. *Fuß*, ZAW 74 (1962) S. 146-148 gegen H. W. *Hertzberg*, ATD 10 (⁴1968) S. 339.
20   Auf die Textkritik in 2. Sam 24 braucht hier nicht eingegangen zu werden, da LXX und
1. Chr 21 den vorliegenden Text weitgehend voraussetzen, vgl. W. *Fuß*, ZAW 74 (1962)
S. 149–154.

auf folgenden Strafe betroffenen Gebietes war ursprünglich einfach mit »von Dan bis Beerseba« angegeben (V. 2 und 15). Die geographischen Angaben in V. 5-7 bemühen sich denn auch in diesem vorgegebenen Rahmen zu bleiben, wollen aber den Einschluß des Ostjordanlandes belegen. Eine Unstimmigkeit liegt mit V. 10 und 17 vor, in denen David direkt zu Jahwe redet. Diese direkte Hinwendung Davids an Jahwe steht im Widerspruch dazu, daß sonst der Seher Gad als Vermittler des Jahwewillens auftritt (V. 11b–14.18). Da Gad in V. 18 das entscheidende Wort spricht, ist seine Vermittlung als ein notwendiger Bestandteil der Erzählung anzusehen. Die Verse 10 und 17 sind somit Nachträge, die sachlich Äußerungen bringen, die entweder verfrüht ein Sündenbekenntnis Davids vorwegnehmen (V. 10) oder verspätet eine Ersatzleistung anbieten (V. 17). Sachlich verspätet kommt auch V. 16, da die Plage in V. 15 als beendet vorausgesetzt wird. Die Erscheinung des Engels in Jerusalem hat den Grund, die Tenne des Arauna als den Ort für einen Altarbau zu legitimieren. Eine Lücke liegt zwischen V. 11a und 11b vor, da die Aussage von V. 11a keine Fortsetzung findet. Hinter V. 11a ist somit ein Textverlust anzunehmen. Ohne die redaktionellen Erweiterungen umfaßt die Erzählung vom Altarbau Davids somit 2. Sam 24,1-4.8.9.11a . . . 11b-15.18-25.

Der Altarbau Davids ist dadurch bedingt, daß eine nicht näher genannte Plage mit seiner Errichtung beendet wird. In 2. Sam 24,21 und 25 wird das Aufhören dieser Plage ausdrücklich festgestellt. Dagegen wird in V. 15 die Pest als zeitlich begrenzt und als bereits abgeschlossen vorausgesetzt. Mit V. 15 ist also eigentlich die Erzählung von der Volkszählung und ihrer Folge zu Ende, V. 18 setzt denn auch neu ein. In 2. Sam 24 können somit zwei verschiedene Traditionen unterschieden werden: die Geschichte einer Volkszählung und ihrer Folge und die Erzählung vom Altarbau auf dem Dreschplatz des Arauna[21]. Der Zusammenhang zwischen beiden ist durch das Motiv der Pest als Folge des Zensus gegeben. 2. Sam 24,18–25 liegt somit eine ursprünglich selbständige Überlieferung zugrunde, die einen bestimmten Platz bei Jerusalem als rechtmäßigen Besitz der Davididen bestätigte und diesen Ort als Stätte der Jahweverehrung legitimierte. Die Erzählung vom Altarbau Davids hat also von Anfang an die Tendenz, die Kultausübung an einem bestimmten Ort bei Jerusalem zu begründen. Großer Nachdruck liegt dabei auf der Feststellung, daß David den Ort für 50 Schekel Silber rechtmäßig zum Eigentum erworben hat. Ob dabei die Bezeichnung גרן »Dreschplatz« eine jebusitische Kultstätte umschreibt, ist nicht mehr festzustellen[22], das Wort gibt keinen Hinweis auf eine kultische Verwendung des Platzes[23].

---

21 W. *Fuß*, ZAW 74 (1962) S. 160-163 hat dagegen zwischen einer Altar-Ätiologie, der er als Urform 2. Sam 24,2.4b.8.15ab.17*.18.19*.25 zuweist, und einer Kulthöhen-Ätiologie unterschieden. Diese künstliche Trennung von Altar und Kultplatz ist jedoch verfehlt, da der Altar gerade an dem Erscheinungsort des מלאך gebaut werden soll. Abgesehen davon, daß 2. Sam 24,16 literarisch sekundär ist, soll die Gestalt des מלאך keine weitere Ätiologie bringen, sondern die Wahl des Dreschplatzes des Arauna zum Altarbau begründen.

22 Vor allem *G. W. Ahlström*, VT 11 (1961) S. 115-117 hat die These vertreten, daß גרן in 2. Sam 24 die Bezeichnung eines jebusitischen Kultplatzes sei.

23 Zum Sprachgebrauch vgl. *J. Gray*, The *Goren* at the City Gate: Justice and the Royal Office in the Ugaritic Text Aqht, PEQ (1953) S. 118-123. Das Wort גרן kann auch einen offenen Platz bezeichnen. Das Wort »Tenne« ist insofern irreführend, da der gemeine Dreschplatz in keinem Fall Teil eines Hauses war.

Wenngleich die Erzählung den Altar als Neuschöpfung Davids ausgibt, so kann doch die Möglichkeit nicht ausgeschlossen werden, daß David »den Altar nur übernommen« hat[24]. Dann wäre 2. Sam 24,18ff die Begründung für den israelitischen Opferdienst an einer ehemals jebusitischen Kultstätte. Für diese These spricht allerdings nur, daß vorisraelitische Kultstätten auch sonst durch einen Altarbau legitimiert werden. Abraham hat Jahwe in Sichem (Gen 12,6 a.7 J), in Bethel (Gen 12,8 J) und in Mamre (Gen 13,18 J) einen Altar gebaut. Isaak hat das gleiche in Beerseba getan (Gen 26,25 J). Nach E hat Jakob Jahwe einen Altar bei Sichem (Gen 33,18–20) und in Bethel (Gen 35,1–8) errichtet. Die kurze Notiz vom Altarbau Moses Ex 17,15 ist nur lose an die Erzählung Ex 17,8–13 J angehängt und nicht lokalisiert, so daß über den Ort nichts gesagt werden kann. Auf Josua geht ein Altar auf dem Ebal zurück (Jos 8,30), der Altar in Ophra wurde von Gideon erstellt (Ri 6,24ff). Samuel hat in seinem Heimatort Rama einen Altar errichtet (1. Sam 7,17), und noch von Saul wird ein Altarbau 1.˙Sam 14,35 mitgeteilt. David steht also mit seinem Altarbau in Jerusalem in einer langen Reihe von Vorgängern. Die starke Betonung des rechtmäßigen Erwerbs des Dreschplatzes durch David schließt die Annahme aus, daß der Ort dieses Altares bereits eine jebusitische Kultstätte gewesen sei.

Als handelnde Personen treten in 2. Sam 24 nur Gad und Arauna neben David auf. Gad gibt V. 18 den entscheidenden Befehl zum Altarbau, Arauna ist der Besitzer des ausersehenen Platzes. Gad ist aus 1. Sam 22,5 bekannt, tritt aber nach der Erhebung Davids zum König nicht mehr auf[25]. Die Rolle Gads entspricht derjenigen Nathans in 2. Sam 7. Arauna ist sonst nicht mehr erwähnt, der Name trägt für das Verständnis der Erzählung nichts aus[26]. Als Personenname ist Arauna sonst nicht belegt, die Gleichstellung mit dem Gott Uruwana, der in dem Vertrag zwischen Suppiluliuma und Kurtiwaza in der Götterliste erscheint[27], ist unsicher. Aus der Wendung הכל נתן ארונה המלך למלך (2. Sam 24,23a) kann nicht geschlossen werden, daß Arauna der letzte König des jebusitischen Jerusalem gewesen sei[28], da an dieser Stelle eine Textverderbnis vorliegt.

Über die Lage des Platzes wird keine Angabe gemacht, doch wird er außerhalb der Stadt gelegen haben[29]. Weitere Einzelheiten über den Altar werden nicht mitgeteilt, eine Beteiligung von Priestern ist nicht erwähnt. Das Angebot Araunas, Rinder und Wagen für das Opfer zur Verfügung zu stellen, entspricht der Verwendung der Zugtiere und des Wagens bei der Rückkehr der Lade auf dem Feld Josuas nahe Beth Schemesch (1. Sam 6,14). Die Auf-

---

24 W. *Fuß*, ZAW 74 (1962) S. 163.
25 Zur Rolle Gads vgl. H. *Haag*, Gad und Nathan, in: Archäologie und Altes Testament (1970) S. 135–143.
26 H. B. *Rosén*, Arawna – Nom hittite?, VT 5 (1955) S. 318–320 hat darauf hingewiesen, daß ארונה dem hethitischen *a-raw-wan-ni* mit der Bedeutung »libre«, »aristocrate« entspricht.
27 ANET S. 206.
28 So S. *Yeivin*, VT 3 (1953) S. 149; G. W. *Ahlström*, VT 11 (1961) S. 117f.
29 A. W. *Marget*, גרן נכון in 2. Sam 6₆, JBL 39 (1920) S. 70–76.

nahme dieses Motivs und das Fehlen konkreter Einzelheiten sprechen dafür, daß der Erzählung vom Altarbau Davids keine geschichtlichen Gegebenheiten zugrunde liegen[30]. Ihre Entstehung verdankt sie der ätiologischen Absicht, den Dreschplatz des Arauna als rechtmäßig von David gekauften Platz und als einen durch den Altarbau legitimierten Ort der Kultausübung hinzustellen.

Die Tendenz der Erzählung macht es wahrscheinlich, daß 2. Sam 24 auf die Legitimation des Tempelplatzes zielt[31]. Der Ort des Tempelbaus durch Salomo war eine Stelle ohne jede Tradition, die Wahl des Tempelplatzes bedurfte deshalb einer Begründung, die mit der Erzählung vom Altarbau Davids auf dem Dreschplatz des Arauna gegeben wurde[32]. 2. Sam 24 ist somit eine Kultlegende, die den Notwendigkeiten der salomonischen Epoche entsprungen ist[33], für den Standort des Tempels eine Legitimation als Stätte der Jahweverehrung zu schaffen.

Bereits *Karl Budde* hat darauf hingewiesen, daß 2. Sam 24 »ein Seitenstück zu den Geschichten der Gründung einer Anzahl von Heiligtümern durch die Patriarchen« bildet[34]. Die Erzählungen von der Errichtung eines Altars oder über andere kultische Handlungen sollen die bereits in vorstaatlicher Zeit bestehenden Kultstätten legitimieren[35]. Abraham hat in Sichem, bei Bethel und in Mamre einen Altar errichtet (Gen 12,7.8; 13,3.4.18 J). In Beerseba hat Abraham nach der elohistischen Tradition (Gen 21,33) eine Tamariske gepflanzt, wobei die Wendung ויקרא שם בשם יהוה אל עולם auf die Übernahme einer Kultstätte des El Olam hinweist[36]. Vom Elohisten wird Jakob ebenfalls mit Beerseba in Verbindung gebracht (Gen 46,1b–4). Nach jahwistischer Überlieferung hat Isaak in Beerseba einen Altar gebaut (Gen 26,23–25). Vom Elohisten wird die Massebe in Bethel auf Jakob zurückgeführt (Gen 28,18; 35,14), doch hat Jakob nach E auch die Altäre in Sichem und in Lus bei Bethel errichtet (Gen 33,18–20; 35,7). Auch für Bethel ist Gen 31,7 und 35,7 E die Lokalgottheit als El Bethel genannt, was auf die

---

30 Eine andere Auffassung vertritt M. *Noth*, BK IX/1 (1968) S. 108 mit der Annahme, die Erzählung 2. Sam 24 habe »vermutlich die geschichtlich wohl richtige Tatsache im Auge, daß diese Altargründung für den salomonischen Tempelbau wichtig wurde«.
31 So bereits K. *Budde*, KHC VIII (1902) S. 326; H. *Hertzberg*, ATD 10 (⁴1968) S. 339. Dagegen hat nur W. *Fuß*, ZAW 74 (1962) S. 161 Einspruch erhoben, doch hat er dabei übersehen, daß Heiligtümer auch sonst durch einen Altarbau legitimiert werden. Das notwendige Schweigen des Verfassers von 1. Sam 24 über den späteren Tempel ist kein Grund, den Zusammenhang zwischen dem Altarbau Davids und dem Tempelbau Salomos zu leugnen.
32 Ein ähnlicher Versuch der Legitimation Jerusalems als Kultort liegt auch mit der Identifikation des Ortes von Isaaks Nichtopferung mit dem Tempelberg durch Einfügung von המריה in Gen 22 vor, vgl. R. *Kilian*, Isaaks Opferung, SBS 44 (1970) S. 32–36. In 2. Chr 3,1 wird der Tempelberg dann ausdrücklich מוריה genannt.
33 Vgl. W. *Fuß*, ZAW 74 (1962) S. 163f.
34 K. *Budde*, KHC VIII (1902) S. 327.
35 Vgl. dazu für Beerseba W. *Zimmerli*, Geschichte und Tradition von Beerseba im alten Testament (Diss. Göttingen 1932), für Bethel C. A. *Keller*, ZAW 67 (1955) S. 162–168, für Sichem C. A. *Keller*, ZAW 67 (1955) S. 143–154.
36 Vgl. dazu O. *Eißfeldt*, Kleine Schriften IV (1968) S. 196f.

Übernahme einer vorisraelitischen Kultstätte bei Bethel schließen läßt, an der der Gott Bethel verehrt worden ist[37].
Die Erzväter erscheinen somit als Gründer zahlreicher Kultstätten. In Bethel und Beerseba wurden mit Massebe und Tamariske vorisraelitische Kulteinrichtungen übernommen. Die jeweilige lokale El-Gottheit, die als Manifestation Els, des obersten Gottes im kanaanäischen Pantheon, gelten muß, wurde mit Jahwe identifiziert[38]. Aber auch für Sichem und Mamre ist mit vorisraelitischen Kultstätten zu rechnen. Mit der Zurückführung der Kulte auf Abraham, Isaak oder Jakob wurden neue Kulttraditionen geschaffen, mit denen die Heiligtümer als Stätten rechtmäßiger Jahweverehrung erwiesen werden konnten.
Zwischen jahwistischer und elohistischer Überlieferung bestehen dabei grundlegende Unterschiede. Der Jahwist berichtet ausschließlich von Altarbauten, während der Elohist mit dem heiligen Baum in Beerseba und der Massebe in Bethel vorisraelitische Kulteinrichtungen benennt. Der Elohist hat Abraham und Jakob mit Beerseba in Verbindung gebracht, während dieser Ort beim Jahwisten mit Isaak verknüpft ist. Andererseits hat der Jahwist Abraham mit Bethel und Sichem in Beziehung gesetzt und alle mit Jakob verbundenen Heiligtumstraditionen unterdrückt. Der Jahwist zeigt somit das Bestreben, auch die nordisraelitischen Heiligtümer auf südpalästinensische Patriarchen zurückzuführen, während bei E Jakob als der Begründer aller Heiligtümer gilt.
Während somit die alten Heiligtümer von Beerseba, Mamre, Bethel und Sichem durch kultische Handlungen der Erzväter legitimiert waren, fehlte für Jerusalem jede Kulttradition aus vorstaatlicher Zeit. Eine solche liegt erst mit der Erzählung vom Altarbau Davids vor, in der nicht nur der Platz des Tempels als rechtmäßig erworbener Besitz der Davididen ausgewiesen, sondern dieser Ort durch den Altarbau Davids zur einzig möglichen Stätte des Tempels bestimmt wird. In Anlehnung an die Erzählungen von Kulthandlungen der Erzväter wurde somit für den Jerusalemer Tempel eine eigene Kultlegende geschaffen, um den Neubau im Bereich des Palastes zu rechtfertigen.

2.3
Die Kulteinrichtungen

Von den für den Tempel hergestellten Gegenständen sind das eherne Meer und die Kessel samt ihren Gestellen in 1. Kön 7,23–26 und 27–39 unter den Bronzearbeiten für den Tempel ausführlich beschrieben. Dagegen werden Altar, Tisch und Leuchter samt dem übrigen Zubehör 1. Kön 7,48–50 le-

---

37 Bethel ist als Name eines Gottes endgültig nachgewiesen durch *O. Eißfeldt*, Der Gott Bethel, Kleine Schriften I (1962) S. 206–233 und *J. Ph. Hyatt*, The Deity Bethel and the Old Testament, JAOS 59 (1939) S. 81–98.
38 Vgl. dazu *O. Eißfeldt*, El und Jahwe, Kleine Schriften III (1966) S. 386–397.

diglich aufgezählt. Zu der Ausstattung des Tempels gehören aber auch die beiden Keruben, deren Anfertigung 1. Kön 6,23–28 unter den Holzarbeiten mitgeteilt ist. Diejenigen Teile der »Einrichtung«, die auf Grund der Beschreibungen näher bestimmt werden können, sollen kurz dargestellt werden[39], da sie ein wesentlicher Bestandteil des Tempels und für den Kult unerläßlich gewesen sind.

2.3.1
Die Keruben

Die Keruben waren aus Holz gefertigt und mit Blattgold überzogen, sie haben im Debir gestanden (1. Kön 6,23–28). In Reliefform geschnitzte Keruben gehörten zum Schmuck des Tempelraumes wie der Türen (1. Kön 6,29.32.35). Das Wort ist wahrscheinlich aus dem Akkadischen entlehnt, wo *kuribu* ein Wesen bezeichnet, das als Vermittler zwischen den Göttern untereinander sowie zwischen Göttern und Menschen fungiert[40]. Dieser der Götterwelt zugehörige Mittler wurde zunächst in Menschengestalt dargestellt, dann mit Flügeln versehen und erscheint schließlich als Mischwesen mit Tierleib und Menschenkopf[41]. Abbildungen und Darstellungen von geflügelten Mischwesen sind in allen altorientalischen Kulturen weit verbreitet. Plastiken von Mischwesen finden sich vor allem an Eingängen von Tempeln und Palästen in der Rolle des Wächters[42], können aber auch in der Cella aufgestellt werden[43], außerdem erscheinen sie als Träger des Thrones[44]. Sie sind Teil des Hofstaates der Götter.

Mit der Anbringung von Keruben auf den Wänden und den Türen des salomonischen Tempels und mit der Aufstellung von Keruben im Debir wird somit auf ein weitverbreitetes altorientalisches Motiv zurückgegriffen[45].

39 Zu Tisch und Leuchter vgl. unten Abschnitte 6.2.2 und 6.4.2.
40 Belege bei *E. Dhorme*, Les Chérubins I. Le nom, RB 35 (1926) S. 328–339; vgl. auch *F. Köcher*, Der babylonische Göttertypentext, MIO 1 (1953) S. 57–107.
41 Vgl. die Materialsammlungen *L. H. Vincent*, Le Chérubins II. Le concept plastique, RB 35 (1926) S. 340-358 und 481-495; *A. Dessene*, Le Shinx. Etude iconographique I (1957); *R. de Vaux*, Les chérubins et l'arche d'alliance les sphinx gardiens et les trones divins dans l'ancient orient, MUSJ 37 (1960/61) S. 91–124. Auf eine ausführliche Zusammenstellung und Behandlung der altorientalischen Kerubendarstellung wird hier verzichtet, da die Bedeutung der Keruben im Debir des Tempels nur aus den alttestamentlichen Aussagen erschlossen werden kann.
42 Beispiele bei *J. Maier*, Vom Kultus zur Gnosis (1964) S. 69f; *Th. A. Busink*, Der Tempel von Jerusalem I (1970) S. 270f.
43 Asarhaddon hat Keruben neben Darstellungen anderer Wesen in der Cella des neuerbauten Tempels für den Gott Assur aufgestellt, Text bei *R. Borger*, AfO Beiheft 9 (1956) S. 87.
44 Vgl. die Throndarstellungen auf dem Ahiram-Sarkophag aus Byblos und den Elfenbeinschnitzereien von Megiddo abgebildet in ANEP Nr. 332 und 458.
45 Vgl. *R. de Vaux*, MUSJ 37 (1960/61) S. 113. Die Übernahme dieser altorientalischen Mischwesen ist auch für Samaria durch die Elfenbeinschnitzereien belegt, die dort gefunden wurden, *J. W. Crowfoot* and *G. M. Crowfoot*, Early Ivories from Samaria (1938) Pl. IV–VII. Die These von *O. Eißfeldt*, Kleine Schriften III (1966) S. 118 und 424 und *R. E. Clements*, God and Temple (1965) S. 34, daß bereits im Tempel von Silo Keruben gestanden hätten, entbehrt der textlichen Grundlage und bleibt darum bloße Vermutung.

Aussehen und Bedeutung der Kerubendarstellungen im Jerusalemer Tempel sind dabei nicht mehr vollständig zu erschließen. Als Dekoration an Wänden und Türen können sie die Bedeutung von Wächtern des Heiligtums gehabt haben[46]. In jedem Fall gehören sie zum Hofstaat Jahwes, auch wenn sie als solche nicht erwähnt sind.
Für die beiden plastischen Keruben im Debir legen die Größe und die Angabe in 1. Kön 6,24, daß sie ihre Flügel quer zur Achse des Tempels ausspannen, die Annahme nahe, daß es sich um aufrecht stehende und damit um menschengestaltige Mischwesen gehandelt hat[47]. Außerdem setzen die Bemerkungen in 2. Chr 3,13, die über den Text von 1. Kön 6 hinausgehen, voraus, daß die Keruben keine Tiergestalt hatten[48]. Die Deutung der Keruben im Debir muß davon ausgehen, daß diese in keinem ursprünglichen Zusammenhang mit der Lade gestanden haben[49]. Gegen eine apotropäische Funktion spricht der Ort ihrer Aufstellung im ohnehin unzugänglichen Debir. Die Erwähnung der Keruben als Wächter des Weges zum Baum des Lebens in der jahwistischen Schöpfungsgeschichte Gen 3,24 scheidet darum für die Erklärung der Keruben im Debir aus. Innerhalb einer Theophanieschilderung findet sich Ps 18,11 = 2. Sam 22,11 die Vorstellung, daß Jahwe auf den Keruben fahrend daherkommt:

»Er fuhr auf dem Kerub fliegend daher und schwebte auf des Sturmes Flügeln.«[50]

Nach den Aussagen von Deut 33,26; Jes 19,1; Ps 68,34 und 104,3 fährt Jahwe auf den Wolken[51]. Wie die Wolken können die Keruben als Träger der Gottheit bei der Theophanie gelten. Eine vergleichbare Vorstellung bieten die ugaritischen Texte mit der Bezeichnung von Baal als *rkb ʿrpt* »Wolkenfahrer«[52]. Die Vorstellung, daß der Gott auf einem Wagen daherfährt, zeigt die Gottesbezeichnung *rkb ʾl* »Streitwagenfahrer des El« in den Inschriften aus Zincirli[53].

---

46 So *A. S. Kapelrud*, JAOS 70 (1950) S. 153–155; *Th. A. Busink*, Der Tempel von Jerusalem I (1970) S. 270.
47 So *L. H. Vincent*, RB 35 (1926) S. 489; *J. A. Scott*, The Pattern of the Tabernacle (Diss. Pennsylvania 1965) S. 192–196; *M. Noth*, BK IX/1 (1968) S. 122–124; *Th. A. Busink*, Der Tempel von Jerusalem I (1970) S. 268f und 285f. Anders jedoch *J. Maier*, Vom Kultus zu Gnosis (1964) S. 64–73.
48 Die Abbildung einer menschengestaltigen Kerube findet sich in Israel auf einem Messergriff von Knochen aus Stratum VI (Anfang 8. Jh.) in Hazor, vgl. *Y. Yadin*, Hazor I (1958) Pl. CL und CLI.
49 Dagegen haben die Keruben als Wächter der Lade verstanden *M. Noth*, BK IX/1 (1968) S. 124; *O. Eißfeldt*, Kleine Schriften III (1966) S. 117.
50 Übersetzung von *H.-J. Kraus*, BK XV (³1966) S. 136.
51 Wie *S. Mowinckel*, VT 12 (1962) S. 278–298 nachgewiesen hat, bedeutet רכב nicht »reiten« sondern »fahren«.
52 Belege bei *A. S. Kapelrud*, Baal in the Ras Shamra Texts (1952) S. 61f.
53 KAI 24,16; 25,4.5/6; 214,2.3.11.18; 215,22; 216,5; 217, 7/8. רכב אל ist nach Ausweis der Inschriften der »Herr der Dynastie« und Schutzgott von Samʿal. Die Frage, welches der den Inschriften beigegebenen Symbole dem Gott *rkb ʾl* zuzuordnen ist, kann in diesem Zusammenhang offen bleiben, vgl. dazu *R. D. Barnett*, The Gods of Zinjirli, in: Compte Rendu de

Unter Übernahme von Vorstellungen aus der kanaanäischen Umwelt können auch im alten Israel Wolken wie Keruben als Träger Jahwes gegolten haben[54]. Die Aufstellung der Keruben im Debir hat zu der Vorstellung geführt, daß Jahwe auf den Keruben thront (Ps 80,2; 99,1; 2. Kön 19,15 = Jes 37,16; vgl. Jer 6,1; Ez 9,3). Da sie jedoch als menschengestaltig anzunehmen sind, kann aus der Wendung יֹשֵׁב הַכְּרֻבִים nicht geschlossen werden, daß die Keruben ursprünglich Thronträger gewesen seien[55]. In der Vision Ezechiels bilden dann die Keruben den Thronwagen Jahwes (Ez 1 und 10). Die Keruben erscheinen somit in den biblischen Texten als himmlische Wesen, die Jahwe bei seinem Kommen als Reittiere oder Gefährt dienten. Die Keruben im Debir des salomonischen Tempels können durchaus im Zusammenhang mit der Vorstellung von ihnen als Träger der Gottheit dort aufgestellt worden sein. Dann repräsentieren die Keruben aber Jahwe insofern, als sie in ihrer Trägerfunktion seine Anwesenheit im Tempel bezeugen[56].

2.3.2
Die Altäre

Der Altar gehörte zur Ausstattung eines jeden Tempels[57]. »Ohne Altar war kein Kult denkbar; er war wichtiger als der ganze Tempel und bildete dessen notwendigsten Bestandteil.«[58] Um so mehr überrascht es, daß die Altäre des salomonischen Tempels nicht näher in dem Baubericht beschrieben werden. Die beiläufige Erwähnung vor allem des Altars im Hof könnte darauf hinweisen, daß der salomonische Bau bei seiner Errichtung stärker als Wohnstätte Jahwes denn als Opferstätte aufgefaßt worden ist.
Ein Altar aus Holz ist 1. Kön 6,20b.21 unter den Holzarbeiten für den Tempel erwähnt[59]. Zwar wird Zedernholz als Material für diesen Altar angege-

l'onzième rencontre Assyriologique international (1964) S. 59–87; Y. *Yadin*, Symbols of Deities at Zinjirli, Carthage and Hazor, in: Near Eastern Archaeology in the Twentieth Century (1970) S. 199-231.
54 Vgl. *R. E. Clements*, God and Temple (1965) S. 31. Wie weit die Vorstellung von einem Tier als Träger der Gottheit verbreitet war, zeigen die Abbildungen von auf Tieren stehenden Göttern in allen altorientalischen Kulturen, vgl. ANEP Nr. 486.500.522.534.537.
55 Gegen *M. Haran*, IEJ 9 (1959) S. 38; *J. Maier*, Vom Kultus zur Gnosis (1964) S. 73; *O. Eißfeldt*, Kleine Schriften III (1966) S. 116-119. Eine völlig sichere Entscheidung ist jedoch auf Grund der überlieferten Texte nicht zu treffen.
56 Vgl. *E. Klamroth*, Lade und Tempel (o. J.) S. 13.
57 Die bei Ausgrabungen gefundenen Altäre und die Abbildungen von Altären auf Reliefs und Siegeln aus dem alten Orient sind zusammengestellt bei *K. Galling*, Der Altar in den Kulturen des alten Orient (1925). Zum Altargesetz vgl. *D. Conrad*, Studien zum Altargesetz Ex 20: 24-26, Diss. theol. Marburg 1968. Das seit der Abhandlung von *K. Galling* in Ausgrabungen entdeckte Material hat *D. Conrad*, ebd., S. 58–84 zusammengestellt. Die im Alten Testament genannten Altäre sind untersucht von *G. B. Gray*, Sacrifice in the Old Testament (1925) S. 114-147; *H. M. Wiener*, The Altars of the Old Testament (1927).
58 *J. de Groot*, BWAT II, 6 (1928) S. 2.
59 Der Text von 1. Kön 6,20f kann nach LXX wiederhergestellt werden, vgl. *M. Noth*, BK IX/1 (1968) S. 101. Danach ist statt וַיְצַף ein וַיַּעַשׂ zu lesen und V. 21 bis auf לִפְנֵי הַדְּבִיר וַיְצַפֵּהוּ זָהָב zu streichen.

ben, und es wird erwähnt, daß er mit Gold überzogen gewesen sei. Weitere Einzelheiten werden jedoch außer dem Standort vor dem Debir nicht mitgeteilt. *Martin Noth* hat vermutet, daß es sich bei diesem Altar sachlich um den Schaubrottisch handelt[60]. Dagegen ist jedoch einzuwenden, daß der Tisch in 1. Kön 7,48 ausdrücklich neben dem vergoldeten Altar genannt ist. Selbst wenn in 1. Kön 7,48 ein Zusatz vorliegen sollte[61], so muß das Nebeneinander der beiden Gegenstände doch sachlich vorgegeben gewesen sein. Der mit Gold überzogene Altar von 1. Kön 6,20 und 7,48 ist somit ein Räucheraltar innerhalb des Tempels[62].

Der Altar im Hof vor dem Tempel wird nur 1. Kön 8,64 מזבח נחשת genannt[63], sonst heißt er einfach מזבח (1. Kön 8,31) oder מזבח יהוה (1. Kön 8,22.54). In 1. Kön 9,25 ist von dem מזבח אשר בנה ליהוה die Rede, womit wohl der מזבח נחשת gemeint ist. Ein aus Steinen errichteter Altar ist im Hof des salomonischen Tempels aus den Quellen nicht zu belegen. Erst zur Zeit des Königs Ahas wird an Stelle des Bronzealtars ein Steinaltar errichtet, der מזבח נחשת verbleibt jedoch im Tempelhof (2. Kön 16,10–16)[64]. Das Nebeneinander von zwei Altären, wie es sich dadurch ergeben hat, kann jedoch für die salomonische Zeit nicht nachgewiesen werden[65]. Der Bronzealtar war bis Ahas der Brandopferaltar des Jerusalemer Tempels.

Im Zusammenhang mit dem Bericht über die Metallarbeiten für den Tempel bietet 2. Chr 4,1 eine Notiz von der Herstellung des מזבח נחשת mit den Angaben der Maße: je 20 Ellen für die Länge und Breite und 10 Ellen für die Höhe. Diese Angabe erscheint sachlich zwischen den Nachrichten über die Säulen und über das sog. eherne Meer und müßte in dem Bericht 1. Kön 7 zwischen V. 22 und 23 gestanden haben. *Wilhelm Rudolph* hat denn auch angenommen, daß mit 2. Chr 4,1 die ursprüngliche Notiz von der Herstellung des מזבח נחשת vorliege, die nach 1. Kön 7,22 durch Homoioarkton ausgefallen sei[66]. Die in 2. Chr 4,1 genannten Maße entsprechen jedoch dem Altar aus unbehauenen Steinen in nachexilischer Zeit[67]. Auf Grund

---

60 M. *Noth*, BK IX/1 (1968) S. 122.

61 M. *Noth*, BK IX/1 (1968) S. 166.

62 Vgl. M. *Löhr*, Das Räucheropfer im Alten Testament (1927) S. 23f und 35; R. *de Langhe*, L'autel d'or du temple de Jérusalem, Biblica 40 (1959) S. 476-494. Das Vorhandensein eines Räucheraltars im salomonischen Tempel hat bestritten E. G. C. F. *Atchley*, A History of the Use of Incense in Divine Worship (1909) S. 34.

63 M. *Noth*, BK IX/1 (1968) S. 191 hält 1. Kön 8;64 für einen durch die 1. Kön 8,63 genannte hohe Zahl der Opfer bedingten Zusatz, dennoch ist an der Richtigkeit der sachlichen Angaben nicht zu zweifeln.

64 Der Chronist hat die Nachricht 2. Kön 16,10–16 vom Umbau des Altars durch Ahas unterdrückt und durch die Bemerkung von der Gottlosigkeit dieses Königs (2. Chr 28,22f) ersetzt.

65 Das Bestehen von zwei Altären im Hof des salomonischen Tempels hat nachzuweisen versucht J. *de Groot*, Die Altäre des salomonischen Tempelhofes, BWANT II,6 (1924), vgl. dagegen bereits H. M. *Wiener*, The Altars of the Old Testament (1927) S. 31f; W. *McKane*, ZAW 71 (1959) S. 262.

66 W. *Rudolph*, HAT I,21 (1955) S. 207, vgl. H. M. *Wiener*, a. a. O., S. 14f.

67 Angabe bei Josephus, Ap. I, § 198. Vgl. R. *Kittel*, BWAT 1 (1908) S. 53. Der in Ez

dieser Übereinstimmung kann vermutet werden, daß in 2. Chr 4,1 ein Zusatz vorliegt, mit dem die Maße des nachexilischen Steinaltars auf den Altar aus Bronze übertragen wurden.

In 2. Chr 6,13 findet sich eine weitere Notiz, die in den Königsbüchern keine Entsprechung hat. Danach hat Salomo den כיור mit den Maßen 5 x 5 Ellen bei einer Höhe von 3 Ellen als Postament für das Gebet bei der Einweihung des Tempels anfertigen lassen. Diese Nachricht steht im Anschluß an die Bemerkung, daß Salomo vor dem Altar Jahwes gebetet hat (2. Chr 6,12 = 1. Kön 8,22). Die Nachricht 2. Chr 6,13 ist somit ein Zusatz des Chronisten zur Erklärung des Standortes Salomos beim Gebet. Das geht auch aus der Wiederholung von ויפרש כפיו hervor. Ungewöhnlich ist auch die Verwendung des Wortes כיור, das 1. Kön 7,30.38.43 das Wasserbecken bezeichnet, 2. Chr 6,13 aber eine Plattform meinen muß. Der Gebrauch dieses Wortes in diesem Sinne ist sonst nicht zu belegen. Auffallend bleibt jedoch die Übereinstimmung der Maßangaben in 2. Chr 6,13 mit denen in Ex 27,1. Die Zahlenangaben an beiden Stellen brauchen nicht auf Zufall zu beruhen[68]. Nun hatte der Chronist in 2. Chr 4,1 die Maße des nachexilischen Brandopferaltars auf den von Salomo errichteten מזבח נחשת übertragen. In 2. Chr 6,13 könnten deshalb die ursprünglichen Maße des מזבח נחשת stekken[69].

Da ein Umbau des Altars im Hof des Tempels mit der Verrückung des מזבח נחשת durch Ahas in 2. Kön 16,10–16 ausdrücklich erwähnt ist, kann angenommen werden, daß der von Salomo errichtete Altar aus Bronze nicht gerade besonders groß gewesen ist und leicht zu bewegen war. Die Maßangaben in 2. Chr 6,1 können somit durchaus die Maße des Brandopferaltars im salomonischen Tempel bis zur Zeit des Ahas gewesen sein, zumal Ahas den מזבח נחשת umgesetzt hat, um für die gewünschte Erneuerung und Vergrößerung des Brandopferaltars den notwendigen Platz zu gewinnen.

2.3.3
Kesselwagen und Meer

Der Text der Beschreibung der Kesselwagen (מכנה) 1. Kön 7,27–39 ist in fast allen Einzelheiten schwer verständlich. Wenngleich eine Rekonstruktion dieses Kultgerätes aus den schriftlichen Angaben nicht möglich ist, so haben doch verschiedene Funde auf Zypern eine Vorstellung von diesem

43,13–17 beschriebene Altar im Vorhof ist stufenförmig und hat die Abmessungen von 16 x 16 Ellen im unteren und 12 x 12 Ellen im oberen Absatz. Eine Erklärung der Differenz zu den Maßangaben des Josephus ist nicht möglich, doch ist der Altar in nachexilischer Zeit umgebaut worden, vgl. Middot III,1b, wodurch er weiter vergrößert worden ist. Der Altar des herodianischen Tempels wird in Middot III,1–3 und von Josephus, Bell. V, § 225 verschieden beschrieben, doch braucht auf die Unterschiede hier nicht eingegangen zu werden. Wahrscheinlich ist mit einer weiteren Vergrößerung des Altars in herodianischer Zeit zu rechnen.

68 Gegen *W. Rudolph*, HAT I,21 (1955) S. 213.
69 Vgl. bereits *K. Galling*, Der Altar in den Kulturen des alten Orient (1925) S. 69, Anm. 3.

Gerät ermöglicht[70]. Es handelte sich dabei um ein aus Bronze gefertigtes Gestell auf Rädern, auf das ein Becken (כיור) gesetzt werden konnte[71]. An den Seiten des Gestells befanden sich Darstellungen von Löwen, Rindern und Keruben. Über die Bestimmung vermerkt 2. Chr 4,6, daß sie zum Waschen der für das Brandopfer bestimmten Opferstücke gedient hätten, sie hatten somit eine Funktion im Opferkult, in dem Wasser das Mittel für kultische Reinigung war. Bereits Ahas hat die Kesselwagen außer Gebrauch gesetzt (2. Kön 16,17), möglicherweise wurden die Tierdarstellungen als dem Jahwekult nicht gemäß empfunden. Ob die Kesselwagen in der mykenischen oder der phönikischen Kultur ihren Ursprung haben[72], ist vorläufig nicht zu entscheiden, jedenfalls scheinen sie durch die Vermittlung der Phöniker in den palästinensischen Raum gebracht worden zu sein[73]. Das 1. Kön 7,23–26 beschriebene Meer (ים) war ein Becken aus Bronze, das auf 12 Rindern stand. Für die Rinder ist das Material, aus dem sie gefertigt waren, nicht erwähnt, doch werden sie als Postament für das Becken nicht aus Bronze, sondern aus Stein gewesen sein. Aus Stein gearbeitete Tierdarstellungen als Träger von Säulen oder Götterbildern finden sich auch in der Umwelt Israels[74]. Ob mit der Übernahme der Rinder als Träger einer Kulteinrichtung auch außerisraelitische Vorstellungen über ihre Funktion übernommen worden sind, entzieht sich unserer Kenntnis. Ihre Entfernung durch Ahas (2. Kön 16,17) kann auf eine »Reinigung« des Tempels von dem Jahwekult fremden Kultgegenständen zurückgehen. Entsprechend seiner Größe war das Bronzebecken »der Wasserbehälter des Tempels«[75], mit dem ursprünglich wohl keine symbolische Bedeutung verknüpft gewesen ist[76]. Mit Kesselwagen und Meer haben Kultgeräte und Motive der Umwelt Israels Eingang in den Tempel von Jerusalem gefunden. Eingegliedert in den Jahwekult haben sie kaum eine eigenständige Bedeutung besessen. Wie der Bau die Übernahme einer außerisraelitischen Bauform und die Keruben das

---

70　A. *Furtwängler*, Ueber ein auf Cypern gefundenes Bronzegerät. Ein Beitrag zur Erklärung der Kultgeräte des salomonischen Tempels, SBAW 1899 II (1900) S. 411–433. Die weiteren Fundstücke sind zusammengestellt bei *H. W. Catling*, Cypriot Bronzework in the Mycenaean World (1964) S. 203–211 und Pl. 33–36.

71　Zur Rekonstruktion vgl. *M. Noth*, BK IX/1 (1968) S. 156–160; *Th. A. Busink*, Der Tempel von Jerusalem I (1970) S. 338–348 mit kritischer Verarbeitung der älteren Literatur: *B. Stade*, Die Kesselwagen des salomonischen Tempels I Kö. 7,27–39, ZAW 21 (1901) S. 145–190; *R. Kittel*, BWAT 1 (1908) S. 189–242; *G. Richter*, Die Kesselwagen des salomonischen Tempels, ZDPV 41 (1918) S. 1–34.

72　An phönikischen Ursprung denkt *Th. A. Busink*, Der Tempel von Jerusalem I (1970) S. 350, doch bleibt die Annahme ohne Begründung.

73　Vgl. das Fundstück aus Megiddo Stratum VA (10. Jh.) bei *H. G. May*, OIP XXVI (1935) S. 19f und Pl. XVIII = ANEP Nr. 587.

74　Vgl. als Beispiele die Säulenbasen ANEP Nr. 648 und *R. C. Haines*, OIP CXV (1971) Pl. 80.

75　*Th. A. Busink*, Der Tempel von Jerusalem I (1970) S. 336.

76　Gegen *R. Kittel*, BWAT 1 (1908) S. 237 (Darstellung des Ozeans), *K. Galling*, HAT I,1 (1937) Sp. 342 (Abbild des Urmeeres), *M. Noth*, BK IX/1 (1968) S. 162 (kosmische Macht des Ozeans).

Eindringen nichtisraelitischer Vorstellungen zeigen, so stammen auch die
für den Opferkult notwendigen Geräte aus Israels Umwelt, sind aber zumindest teilweise den Änderungen des Ahas zum Opfer gefallen.

2.4
Einordnung

Ausgangspunkt für die baugeschichtliche Einordnung des Jerusalemer
Tempels kann nur seine Langräumigkeit sein. Die in dem Baubericht betonte Gliederung in Vorhalle, Hekal und Debir hat als Merkmal für den
Vergleich zurückzutreten, da die Unterteilung des Tempelraumes beim
Tempel von Jerusalem durch einen Einbau aus Holz erfolgt ist und somit
kein Element der Steinarchitektur darstellt[77]. Der Einbau des Debir ist aus
der Notwendigkeit bestimmt, für Jahwe einen besonderen Raum zu schaffen: der hölzerne Schrein an der Rückwand des Baus war Jahwes unzugäng-
liche Wohnung im Tempel. Der Debir allein ist die eigentliche Gotteswohnung, während der Hekal den Kultraum darstellt[78].
Der Debir war »ein Inventarstück des Tempels«[79], doch kann in ihm kaum
»ein Substitut des alten Zeltheiligtums« gesehen werden[80], da das Zeltheiligtum gerade nicht als Gotteswohnung aufgefaßt worden ist[81]. Die Bestimmung des Debir als Gotteswohnung schließt seine Ableitung aus dem
Zeltbau gerade aus. Der Debir entspricht dem Adyton, auch wenn er kein
Element der Steinarchitektur war und in ihm kein Kultbild zur Aufstellung
gekommen ist. Die Konzeption dieses Raumes ist bedingt durch die Bildlosigkeit Jahwes, nur die in ihm stehenden Keruben zeigen die Gegenwart Gottes an. Der Bedeutung des Debirs entsprechend wird er dann als קדש
הקדשים interpretiert, vgl. 1. Kön 6,16; 7,50; 8,6.
Die Ableitung des salomonischen Tempels ist dadurch erschwert, daß die
genaue Form der Vorhalle nicht bekannt ist. Seine baugeschichtliche Einordnung kann nur durch einen Vergleich mit den Tempelbauten der Umwelt erfolgen. Wie die Tempel Ägyptens so scheiden auch die Tempelbauten
der Kulturen des Zweistromlandes für den Vergleich aus, da sie keine Verbindung zu dem salomonischen Neubau erkennen lassen[82]. Die südmesopo-

---

77 Gegen *K. Möhlenbrink*, BWANT IV,7 (1932) S. 85–103. Doch hat bereits *K. Möhlenbrink* mit Recht festgestellt: »eine Dreiteilung des Kultgebäudes liegt bei entwickelteren Kultbauten nahe genug« (S. 103). *Th. A. Busink*, Der Tempel von Jerusalem I (1970) S. 581 hat
denn auch bereits hervorgehoben, daß die Dreiteilung »sekundär entstanden (ist), durch Errichtung eines hölzernes (sic) Adyton in einer zweiteiligen Anlage«.
78 Darauf hat vor allem *Th. A .Busink*, Der Tempel von Jerusalem I (1970) S. 588 und 610
hingewiesen.
79 So *H. Schult*, ZDPV 80 (1964) S. 48.
80 So *Th. A. Busink*, Der Tempel von Jerusalem I (1970) S. 602.
81 Vgl. dazu unten Abschnitt 5.1.
82 Für Ägypten vgl. *J. Vandier*, Manuel d'Archéologie Egyptienne II (1955) S. 555–971. Für
den mesopotamischen Raum vgl. *W. Andrae*, Das Gotteshaus und die Urformen des Bauens
im Alten Orient (1930); *E. Heinrich*, Die Stellung der Uruktempel in der Baugeschichte, ZA

tamischen Typen Hofhaustempel und Breitraumtempel kommen als Vor-
bilder nicht in Betracht, aber auch der im Herdhaustempel wurzelnde assy-
rische Knickachstempel mit dem Altar im Innenraum stellt einen eigenen
Typ dar, der baugeschichtlich von dem Langhaustempel unabhängig ist.
Langhäuser mit Vorhalle und dem Eingang in der Längsachse sind im mesopotamischen Raum erst im 1. Jt. heimisch geworden. Nur die Tempel der
Schichten IX und VIII in Tepe Gaura aus der Zeit vor dem 3. Jt. sowie der
Innin-Tempel in Uruk aus der Mitte des 2. Jt.s lassen sich auf die Bauform
des Megaron zurückführen; diese Tempelanlagen nehmen jedoch eine Sonderstellung ein und gehen auf fremde Einflüsse zurück[83].
Die Herkunft aus dem phönikischen Tempelbau kann nicht erwogen werden, da phönikische Kultbauten aus der Zeit vor dem 10. Jh. bisher nicht
bekannt sind. Aus der Nachricht über die Hilfe phönikischer Handwerker
beim Bau (1. Kön 5,32) kann nicht geschlossen werden, »daß Plan und Aufbau des Tempels nach phönikischem Vorbild gestaltet waren«[84]. Doch ist
der fremde Einfluß in der Anlage wie in der Ausführung des Jerusalemer
Tempels wohl auf die Vermittlung durch die Phönikier zurückzuführen.
Von den philistäischen Tempeln ist bisher mit dem Tempel vom *Tell Qasile*
nur ein Beispiel bekannt. Dieser ist ein etwa 14,5 x 8 m großes Langhaus,
das sich in Vorhalle und Cella gliedert[85]. Der Eingang in die Vorhalle befand
sich in der nördlichen Längsseite, so daß der Eingang in die Cella in der östlichen Schmalseite nur durch eine Drehung um 90° zu erreichen war. Die
Cella mit den Innenmaßen von 7,20 x 5,65 m ist durch Abtrennung eines
1,35 m breiten Raumes an der Westseite unterteilt. Gegen diese Trenn-
mauer ist eine Plattform gebaut, die über Stufen zu erreichen ist. In der
Cella befinden sich zwei runde Basen für die Deckenstützen, eine von ihnen
liegt unter den Treppenstufen, Vorraum und Cella haben Bänke zum Ab-

---

49 (1950) S. 21-44; *H. J. Lenzen*, Mesopotamische Tempelanlagen von der Frühzeit bis zum
II. Jahrtausend, ZA 55 (1955) S. 1-36. Auf die Entwicklung im 1. Jt. braucht hier nicht eingegangen zu werden. *K. Möhlenbrink*, Der Tempel Salomos, BWANT IV,7 (1932) hat auf
Grund formaler Übereinstimmung den Jerusalemer Tempel aus dem assyrischen Tempelbau
ableiten wollen. Dagegen spricht aber, daß für die beiden Typen des assyrischen Knickachs-
tempels und des »syrischen« Langhaustempels ein je verschiedener Ursprung anzunehmen ist.
Vgl. auch die Überlegungen bei *Th. A. Busink*, Der Tempel von Jerusalem I (1970)
S. 576-582.
83   Vgl. dazu *B. Hrouda*, Die »Megaron«-Bauten in Vorderasien, Anatolia 14 (1970 ⟨1972⟩)
S. 1-14; *K. Jaritz*, Mesopotamische Megara als kassitischer Import, Zeitschrift für Etnologie
83 (1958) S. 110–117. Erst am Ende des 2. Jt.s findet sich mit dem Doppeltempel für Anu und
Adad in Assur der Typ des Langhaustempels in der assyrischen Kultur, vgl. *W. Andrae*, Der
Anu-Adad-Tempel in Assur, WVDOG 10 (1909).
84   So bereits *Th. A. Busink*, Der Tempel von Jerusalem I (1970) S. 583. Der in Byblos aus
dem 3. Jt. und damit der vorphönikischen Epoche freigelegte Reschef-Tempel hat nur eine
kleine kapellenartige Cella von etwa 4 x 4 m, die innerhalb eines größeren Baukomplexes steht
und an die sich zwei weitere Cellen anlehnen. Wegen seiner geringen Größe scheidet dieser
Bau für den hier geführten Vergleich aus, obwohl er der Form nach dem Antentempel entspricht. Plan bei *Th. A. Busink*, ebd., S. 442, Abb. 122.
85   *A. Mazar*, IEJ 23 (1973) S. 66–69 mit dem Plan Fig. 1.

stellen der Opfergaben entlang den Wänden. Zu datieren ist das Heiligtum in das 11. Jh. (Stratum X). Im Süden war der Tempel an ein größeres Gebäude angebaut, während sich im Osten und Norden ein offener Hof anschloß. Der Tempel ist typologisch ein Langhaus mit Vorhalle, doch liegt der Eingang in die Vorhalle an der Längsseite, so daß der Typ des Knickachstempels vorliegt. Der an der Rückwand abgetrennte Raum war kein Adyton, sondern diente zur Aufnahme der Kultgefäße. Mit Ausnahme des Merkmals der Langräumigkeit bietet dieser Tempel keine Vergleichsmöglichkeiten mit dem Tempel von Jerusalem, wie bereits A. *Mazar* betont hat[86].

Für die Frage nach der Herkunft des salomonischen Tempels können allein die Langhaustempel des 2. Jt.s im palästinensisch-syrischen Bereich herangezogen werden[87]. Unter den bronzezeitlichen Tempeln in Palästina findet sich jedoch keine direkte Parallele, da diese entweder einfache Langhäuser ohne Vorhalle sind oder aber eine andere Gestaltung der Eingangsfront aufweisen. Ein einräumiger Langraum war der Kultbau in der Oberstadt von Hazor (Abb. 1)[88]. Dieser Tempel maß 16,2 x 11,6 m, wobei die Cella die Innenmaße von 11 x 6 m hatte. An ihrer Rückseite befand sich ein Podest, das allerdings nicht über die gesamte Breite des Gebäudes ging. Der Eingang lag im Nordosten. Der Bau ist während der Mittelbronze IIB-Zeit errichtet und nach seiner Zerstörung erneut in der Spätbronze I-Zeit benutzt worden. Möglicherweise stand er in der Nähe des Palastes. Ein Langraum war auch der Nordtempel aus Stratum V in Beth Sean, der während des 11. Jh.s bis zur Übernahme der Stadt durch die Israeliten bestanden hat[89]. Der mit einem kleinen Vorbau geschützte Eingang befand sich an der Ecke der Breitseite.

Der Tempel in Sichem gehört zu dem Typ des Migdal-Tempels, bei dem der Eingang von zwei Türmen flankiert wird (Abb. 2)[90]. Für den 26,3 x 21,2 m großen Bau sind zwei Benutzungsphasen zu unterscheiden, er wurde in der Mittelbronze IIB-Zeit errichtet und war nach einer Unterbrechung in der

---

86 A. *Mazar*, BA 36 (1973) S. 45. Der Tempel hat im palästinensischen Raum keine direkte Parallele, wie weit er sich auf Grund der Übereinstimmung mit Elementen der Tempel von Lachisch, Beth Sean und Mykene einordnen läßt, kann vorläufig offen bleiben. Zum Tempel aus dem 13. Jh. in Mykene vgl. W. *Taylor*, New Light on Mycenaean Religion, Antiquity 44 (1970) S. 270-279.

87 Alle Tempelbauten, die nicht Langhäuser sind, bleiben in diesem Zusammenhang unberücksichtigt. Das gesamte Vergleichsmaterial aus Palästina und Syrien ist zusammengestellt bei *Th. A. Busink*, Der Tempel von Jerusalem I (1970) S. 353-565. Vgl. auch G. H. R. *Wright*, Pre-Israelite Temples in the Land of Canaan, PEQ 103 (1971) S. 17-32.

88 Y. *Yadin*, Hazor (1972) S. 102-104 mit Fig. 26.

89 A. *Rowe*, The Four Canaanite Temples of Beth-Shan I (1940) Pl. III. Der Plan des Südtempels ist nicht klar und bleibt hier unberücksichtigt.

90 E. *Sellin*, ZDPV 49 (1926) S. 309-311 und Taf. 33; ders., ZDPV 50 (1927) S. 206f und Taf. 11.12.22; ders., ZDPV 64 (1941) S. 18-20; G. E. *Wright*, Shechem (1965) S. 80-102. Die von G. E. *Wright* als Tempel 2 angesprochenen Mauern gehören zu dem bereits von E. *Sellin* freigelegten Vierraumhaus, mit dem der Tempel in der Eisenzeit II überbaut gewesen ist.

Siedlungsgeschichte während der Spätbronze II-Zeit in Benutzung. In seiner Cella von 13,5 x 11,5 m standen zwei Reihen von je drei Säulen, an der Rückseite befand sich ein Podest. In den Türmen zu beiden Seiten des im Südosten gelegenen Eingangs führten Treppen zum Tempeldach.

Ein Langhaus mit Vorhalle war der Tempel 2048 in Megiddo in seinen beiden ersten Bauphasen der Strata X und IX (Abb. 3)[91]. Seine Ausmaße betrugen etwa 21,5 x 16,5 m, die Cella maß etwa 11,5 x 9,6 m. In den Strata VIII, VIIB und VIIA wurde die Vorhalle in zwei den Eingang flankierende Türme und der Bau damit zum Migdal-Tempel umgebaut (Abb. 4). Mit Ausnahme von Stratum VIIB befand sich eine Nische an der Rückwand, in Stratum VIIB wurde ein Podest im hinteren Teil des Gebäudes errichtet. Nische wie Podest haben zur Aufstellung des Kultbildes gedient. Der Tempel hat von der Mittelbronze IIB-Zeit bis in die frühe Eisenzeit bestanden.

Diese Tempel in Megiddo, Sichem und Hazor belegen, daß Langraumtempel in den bronzezeitlichen Stadtkulturen des 2. Jt.s neben anderen Tempeltypen bis in die frühe Eisenzeit bestanden haben. Der Tempel in Hazor hatte allerdings keine Vorhalle, und die Migdal-Tempel zeigen eine eigene Entwicklung in der Ausgestaltung der Eingangsfront. Die Abtrennung eines Adyton ist im kanaanäischen Kultbau aber nicht erfolgt[92].

Durch das Merkmal der Langräumigkeit ist der salomonische Tempel mit dem kanaanäischen Tempelbau verbunden, ohne daß eine direkte Abhängigkeit nachweisbar ist. Trotz dieser formalen Übereinstimmung liegt in keinem der kanaanäischen Tempel eine direkte Parallele zum Jerusalemer Kultbau vor. Allenfalls dem Tempel von Megiddo in den Strata X und IX mit einer dem Langhaus vorgelagerten Vorhalle (Abb. 3) könnte der Tempel von Jerusalem entsprochen haben, falls dieser eine geschlossene Vorhalle gehabt haben sollte[93], was aber wegen der vermuteten Säulenstellung zwischen den Anten unwahrscheinlich ist. Allein der Typ des Antentempels kann somit für die Ableitung des Jerusalemer Tempels herangezogen werden.

Die neueren Ausgrabungen haben ergeben, daß der Langhaustempel mit

---

91 Zur Stratigraphie des Tempels 2048 vgl. *C. Epstein*, An Interpretation of the Megiddo Sacred Area During Middle Bronze II, IEJ 15 (1965) S. 204–221. *C. Epstein* hat nachgewiesen, daß dieser Tempel bereits in den Strata IX und X bestanden hat. Die Ansetzung des Tempels bereits in den Strata XI und XII hat *A. Kempinski* mit Recht zurückgewiesen, vgl. dazu und für den Plan des Tempels in Strata X und IX *I. Dunayevski* and *A. Kempinski*, ZDPV 89 (1973) S. 180–184 mit Fig. 14–18. Für den Plan der Strata VIII und VII s. *G. Loud*, Megiddo II, OIP LXII (1948) S. 102–105 und Fig. 247.

92 Die Ausbildung eines erhöhten Adyton bei den Tempeln der Strata VII und VI in Beth Sean ist unter ägyptischem Einfluß erfolgt und hat den kanaanäischen Tempelbau gerade nicht beeinflußt, vgl. *A. Rowe*, The Four Canaanite Temples of Beth-Shan I (1940). *A. Rowe* hat bereits auf die Übereinstimmung dieser Tempel in der Anlage mit den Grabkapellen vom *Tell el-ʿAmārna* hingewiesen und die bauliche Abhängigkeit wahrscheinlich gemacht.

93 Die gleiche Vorhalle findet sich auch an dem Tempel von Stratum VII auf dem *Tell ʿAṭšāne*, doch hat dieser Bau eine Breitraumcella gehabt, vgl. *C. L. Woolley*, Alalakh (1955) Fig. 35.

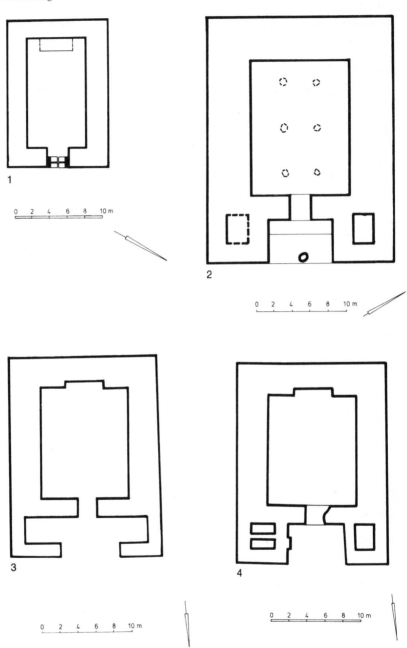

Abb. 1. Der Tempel in der Oberstadt von Hazor

Abb. 2. Der Migdal-Tempel von Sichem

Abb. 3. Rekonstruktion des Tempels 2048 in Megiddo Stratum X

Abb. 4. Tempel 2048 in Megiddo Stratum VIII

Anten im 2. Jt. in Syrien weit verbreitet gewesen ist; Tempel dieser Art
sind auf dem *Tell Mardiḫ* und auf dem *Tell Munbāqa* freigelegt worden[94].
Mit dem Dagan-Tempel in Mari findet sich die Form des Antentempels aber
noch am mittleren Euphrat, dieser hat jedoch nicht frei gestanden, sondern
war an die Zikkurat angebaut[95]. Im Inneren waren hinter dem Podest für
das Götterbild zwei Räume abgeteilt, in der Vorhalle haben sich Einrichtungen für Opferdarbietungen befunden.

Der Tempel D auf dem *Tell Mardiḫ* hatte eine etwa 12,5 x 7 m große Cella,
der eine Antecella von etwa 3 x 7 m und eine Vorhalle vorgelagert waren
(Abb. 5)[96]. Der Bau war etwa 28 m lang, die gesamte Breite ist noch nicht
ermittelt. In der Rückwand der Cella wurde eine Kultstele mit einer Opferplatte gefunden. Der Tempel war nach Norden orientiert, er hat während
der mittleren Bronzezeit II von etwa 1900 bis um 1600 v.Chr. bestanden.

Die beiden etwa 33 m voneinander entfernt liegenden Tempel auf dem *Tell
Munbāqa* am mittleren Euphrat stehen noch an der Oberfläche an (Abb. 6
und 7)[97]. Deswegen waren alle Einrichtungen und Objekte, die einmal zu
dem Bau gehört haben, zerstört und verschwunden. Ihre kultische Interpretation ergibt sich jedoch eindeutig aus den unter beiden Bauwerken gefundenen Tempelbauten. Beide Tempel haben eine langräumige Cella, eine
breiträumige Antecella und eine Vorhalle, sie sind jedoch unterschiedlich
groß. Bauwerk 1 (Abb. 6) mißt etwa 25 x 13 m, die Cella hat die Innenmaße von etwa 12 x 7,5 m und die Vorcella von 3 x 7,5 m. Dagegen ist
Steinbau 2 (Abb. 7) etwa 33 x 15 m groß mit den Innenmaßen von etwa
17 x 8,5 für die Cella und 5 x 8,5 m für die Vorcella. Beide Tempel sind
nach Nordwesten orientiert, ihre Datierung innerhalb des 2. Jt.s ist noch
nicht endgültig festgelegt.

Die Tempel auf dem *Tell Mardiḫ* und dem *Tell Munbāqa* sind Antentempel,
die sich von dem Tempel in Jerusalem aber dadurch unterscheiden, daß sie

---

94   Zwei weitere Antentempel aus der späten Bronzezeit sind bei den Grabungen in Emar
freigelegt worden, doch konnten diese nicht mehr in die Untersuchung einbezogen werden,
vgl. für den Plan *J. Margueron*, Syria 52 (1975) S. 62 und Fig. 3
95   *A. Parrot*, Syria 19 (1938) S. 22f, Fig. 13. Das Gebäude IV in Hamath kommt, auch wenn
es ein Tempel gewesen sein sollte (vgl. *D. Ussishkin*, Buildings IV in Hamath and the Temples
of Solomo and Tell Tayanat, IEJ 16 ⟨1966⟩ S. 104–110) nicht zum Vergleich in Frage, da es
sich in Adyton, Cella und Vorcella gliedert, wobei die Räume jeweils breiträumig sind.
96   *M. Floriani Squarciapino*, in: Missione Archeologica Italiana in Siria 1966 (1967)
S. 63–77, Fig. 6. Der Plan läßt erkennen, daß Tempel D mindestens zwei Bauphasen gehabt
hat, ohne daß diese in der vorliegenden Veröffentlichung getrennt werden können. Mit Tempel B hat auf dem *Tell Mardiḫ* außerdem ein einfacher Langraumtempel ohne Vorhalle von
etwa 14 x 10,5 m mit einer Cella von etwa 7 x 4,5 m gestanden, vgl. *M. Liverani*, in: Missione Archeologica Italiana in Siria 1965 (1966) S. 31–58, Fig. 3. Er entspricht in der Anlage
dem Tempel in der Oberstadt von Hazor (Abb. 1). Wie im palästinensischen Raum finden sich
auch in Syrien Langraumtempel verschiedener Ausprägung. Zu den beiden Phasen des Tempels D vgl. jetzt *P. Matthiae*, Unité et développement du temple dans la Syrie du Bronze Moy-
en, in: Le temple et le culte (1975) S. 43–72.
97   *D. Machule/Th. Rode*, MDOG 106 (1974) S. 11ff; *W. Orthmann*, MDOG 106 (1974)
S. 58–79.

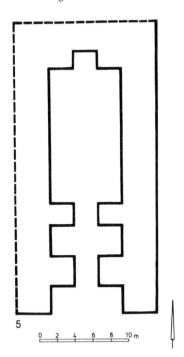

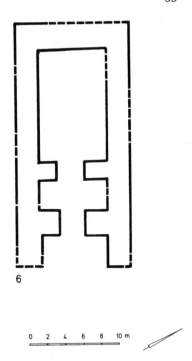

Abb. 5. Der Antentempel auf dem *Tell Mardiḫ*
Abb. 6. Bauwerk 1 auf dem *Tell Munbāqa*

eine Antecella gehabt haben. Trotz dieses Unterschiedes belegen sie die feste
Ausprägung dieses Tempeltyps in Nordsyrien im 2. Jt. In diesem Gebiet
läßt sich der Antentempel ohne Antecella auf dem *Tell Ḫuēra* bis in das
3. Jt. zurückverfolgen[98]. Baugeschichtlich geht der Antentempel wahrscheinlich auf den Bautyp des Megaron zurück, der als Wohnhaus und Palast vom 4. Jt. an sowohl in Anatolien wie auch im Bereich der Ägäis weit
verbreitet gewesen ist[99]. Wahrscheinlich ist die Bauform im 3. Jt. aus Anatolien in den nordsyrischen Raum eingedrungen, wo sie ausschließlich im
Kultbau Verwendung gefunden hat. Inwieweit der Langhaustempel der kanaanäischen Kultur des 2. Jt.s im palästinensischen Bereich ebenfalls von

98 A. *Moortgart*, Tell Chuēra in Nordost-Syrien. Vorläufiger Bericht über die dritte Grabungskampagne 1960 (1962) Plan II und III. Zur Baugeschichte des kleinen Antentempels vgl.
A. *Moortgart*, Tell Chuēra in Nordost-Syrien, Vorläufiger Bericht über die fünfte Grabungskampagne 1964 (1967) S. 8–38.
99 Der Nachweis für den baugeschichtlichen Zusammenhang von Antentempel und Megaron kann hier nicht geführt werden. Vgl. die Zusammenstellung des Materials durch R. *Naumann*, Architektur Kleinasiens (²1971) S. 336–354 und 483–486; B. *Hrouda*, Die »Megaron«-Bauten in Vorderasien, Anatolia 14 (1970 ⟨1972⟩) S. 1–14. Für den ägäischen Raum vgl.
S. *Sinos*, Die vorklassischen Hausformen in der Ägäis (1971).

dem syrischen Antentempel abhängig ist, bedarf weiterer Untersuchung.
Die Tempel vom *Tell Mardiḫ* und *Tell Munbāqa* repräsentieren eine frühe
Form des von *Albrecht Alt* postulierten syrischen Tempeltyps[100], der bis in
die römische Zeit nachgewirkt hat.
Zum Typ des Antentempels gehört auch der Tempel vom *Tell Taʿyīnāt*
(Abb. 8), der häufig zum Vergleich mit dem Tempel von Jerusalem herangezogen worden ist und ohne Zweifel die nächste Parallele zu diesem dar-
stellt. Allerdings stammt dieser Tempel aus dem 8. Jh., so daß er nicht das
»Vorbild« für den Jerusalemer Bau gewesen sein kann. Der Tempel vom
Tell Taʿyīnāt war ein Langhaus mit Anten von etwa 25 x 12 m, wobei zwischen den Anten zwei Säulen mit liegenden Doppellöwen als Basis gestanden haben[101]. Das Innere war in Adyton und Cella gegliedert, doch sind
beide mit einem Durchgang von 4,5 m Breite miteinander verbunden. Im
Adyton befand sich ein Postament für eine Götterstatue[102], und im Durchgang zur Cella lag eine Opferplatte. Der Tempel hat direkt neben dem Palast
an dessen Südseite gestanden und war nach Osten orientiert.
Der Tempel vom *Tell Taʿyīnāt* stellt eindeutig eine Weiterentwicklung des
Antentempels aus dem 2. Jt. dar. Die Anten wurden weiter vorgezogen, die
Antecella ist verschwunden. Zwischen den Anten stehen zwei Säulen, vor
dem Eingang befindet sich eine Treppe über die gesamte Breite des Gebäudes. In der Cella ist ein Adyton abgeteilt, womit eine Dreiräumigkeit des
Gebäudes erreicht ist.
Eine ähnliche Entwicklung aus dem syrischen Tempelbau der Bronzezeit
kann auch beim salomonischen Tempel vorliegen. Die Übereinstimmung
mit den syrischen Tempeln ist jedenfalls so groß, daß für den Tempel von
Jerusalem angenommen werden kann, daß er auf den syrischen Tempeltyp
zurückgeht. Die Vermittlung dieser Bauform ist wahrscheinlich durch die
Phönizier, die Tempel und Palast gebaut haben, erfolgt.
Seiner Anlage nach wurde der Tempel von Jerusalem also gerade nicht in Israel entwickelt, sondern aus der Bautradition der Umwelt übernommen.
Der Jerusalemer Tempel steht in der Tradition des Antentempels, der in
Nordsyrien seine Ausprägung erhalten hat. Die Entwicklung dieses Tem-
peltyps läßt eindeutig erkennen, daß die Antecella aufgegeben und in dem
Kultraum ein Adyton abgetrennt wurde. Die bereits von *Albrecht Alt* hypo-
thetisch erschlossene Ableitung des salomonischen Tempels aus dem syrischen Tempeltyp hat damit ihre nachträgliche Bestätigung erfahren. Der sa-

---

100 A. *Alt*, Verbreitung und Herkunft des syrischen Tempeltypus, Kleine Schriften II
(1953) S. 100–115, danach A. *Kuschke*, Der Tempel Salomos und der »syrische Tempeltypus«, BZAW 105 (1967) S. 124–132.
101 R. C. *Haines*, Excavations in the Plain of Antioch II, OIP XCV (1971) S. 53–55,
Pl. 80–82 und 103.
102 R. C .*Haines*, OIP XCV (1971) S. 55 nennt diesen Einbau aus Lehmziegeln zwar einen
Altar, doch läßt die gesamte Anlage des Gebäudes auf die Aufstellung eines Götterbildes
schließen, das nur an dieser Stelle im Adyton gestanden haben kann. Dieses Podest ist die Vor-
stufe für das erhöhte Adyton der syrischen Tempel in römischer Zeit.

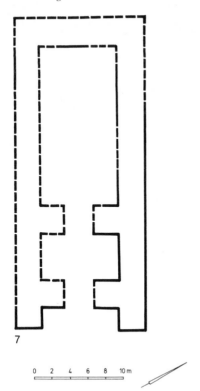

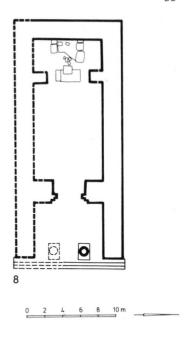

Abb. 7. Steinbau 2 auf dem *Tell Munbāqa*
Abb. 8. Der Tempel vom *Tell Ta'yīnāt*

lomonische Tempel repräsentiert somit eine außerisraelitische Bauform, er ist baugeschichtlich ein Novum in Israel, wie insbesondere der Tempel von Arad zeigt.

2.5
Bedeutung

Der Tempel von Jerusalem hat in Israel insofern eine Sonderstellung eingenommen, als er ein königliches Heiligtum in unmittelbarer Nähe des Palastes gewesen ist. Damit war er von allen anderen Heiligtümern des Landes unterschieden, er unterstand der Aufsicht durch den König, und an ihm brachten die Davididen selber Opfer dar. Dennoch war er nicht nur eine «Palastkapelle», sondern von Anfang an auch Reichstempel[103]. Vor allem die Erhebung der Heiligtümer von Bethel und Dan zu Reichstempeln des Reiches Israel durch Jerobeam I. weist darauf hin, daß auch der salomoni-

103 Vgl. *L. H. Vincent*, Le caractère du temple salomonien, in: Mélanges Bibliques A. Robert (1957) S. 137–148; *Th. A. Busink*, Der Tempel von Jerusalem I (1970) S. 618–646.

sche Tempel seit seiner Gründung ein Heiligtum von nationaler Bedeutung
unter königlicher Aufsicht gewesen ist.

Aus der bevorzugten Stellung des Tempels von Jerusalem hat sich während
der Königszeit eine Spannung zu den älteren Kultstätten im Lande ergeben[104], obwohl diese weiterhin unabhängig von Jerusalem geblieben sind.
Zwar waren die verschiedenen Heiligtümer durch eigene alte Kulttraditionen legitimiert, die Übertragung der politischen Gewalt auf das Königtum
und dessen ideologische Absicherung durch die Königsideologie, sowie die
Bedeutung Jerusalems als der Hauptstadt des Reiches haben dem Jerusalemer Tempel von Anfang an eine besondere Bedeutung verliehen. Weiterhin
wurde der Tempel durch die Vorstellung von der Wohnung Jahwes theologisch abgesichert. Bereits der Tempelweihspruch 1. Kön 8,12f[105] kenn-
zeichnete den salomonischen Bau als die Stätte, an der Jahwe selber wohnte:

»›Der Sonne hat ihren Platz angewiesen im Himmel‹ Jahwe,
er hat erklärt im Wolkendunkel wohnen zu wollen.
So habe ich denn wirklich gebaut ein Herrschafts-Haus für dich,
eine Stätte deines Thrones für alle Zeiten.«

Der salomonische Tempel ist Jahwes Palast auf Erden, er ist damit Zeichen
des Königtums Gottes und sichtbarer Ausdruck für die Ausübung seiner
Herrschaft[106]. Durch den Tempel wurde Jerusalem zur Stadt und zum
Wohnsitz Jahwes, vgl. Ps 101,8 und Jes 8,18; mit dem Tempel war Jerusalem die einzige Stadt, in deren Mitte Jahwe gegenwärtig ist[107]. Die Anwesenheit Jahwes machte Jerusalem zur »Gottesstadt« (Ps 46,5f; 48,2f; 87,3),
von der schließlich gesagt wird, daß Jahwe sie selber gegründet habe, vgl. Ps
87,1b.5b.

Als Ort der ständigen Gegenwart Jahwes war der Jerusalemer Tempel von
allen Heiligtümern des Landes unterschieden. Als Reichstempel wurde er

104 Vgl. dazu Th. Oestreicher, Reichstempel und Ortsheiligtümer in Israel (1930);
K. D. Schunck, Zentralheiligtum, Grenzheiligtum und ›Höhenheiligtum‹ in Israel, Numen 18
(1971) S. 132–140.
105 Vgl. dazu A. van den Born, Zum Tempelweihespruch (1KG VIII 12f), OTS 14 (1965)
S. 235–244; M. Metzger, Himmlische und irdische Wohnstatt Jahwes, UF 2 (1970)
S. 139–158; G. Westphal, BZAW 15 15 (1908) S. 118–214. Der Text folgt der Übersetzung
von M. Noth, BK IX/1 (1968) S. 168 mit der Begründung der Rückübersetzung der ersten
Zeile aus LXX auf S. 172.
106 Vgl. dazu W. H. Schmidt, BZAW 80 (²1966) S. 68–70.
107 Die Erwählung des Zion als Wohnstätte durch Jahwe ist vor allem in der Zionstheologie
der Psalmen ausgebildet worden. Auch wenn die Zionslieder Ps 46; 48; 76 erst in nachexilischer Zeit entstanden sein sollten, wie G. Wanke, Die Zionstheologie der Korachiten, BZAW
97 (1966) nachzuweisen versucht hat, so reichen die darin zum Ausdruck gebrachten theologischen Vorstellungen über die Besonderheit des Tempels und Jerusalems doch bis in die Königszeit zurück. Zur Entstehung und Geschichte der Zionstradition vgl. H. Schmid, Jahwe und die
Kulttradition von Jerusalem, ZAW 67 (1955) S. 168–197; G. Fohrer, Zion-Jerusalem im Alten Testament, BZAW 115 (1969) S. 195–241; J. Schreiner, Sion-Jerusalem. Jahwes Königssitz, StANT 7 (1963); N. W. Porteous, Jerusalem-Zion; The growth of a Symbol, in: Verbannung und Heimkehr (1961) S. 235–252; J. J. M. Roberts, The Davidic Origin of the Zion Tradition, JBL 92 (1973) S. 329–344.

der kultische Mittelpunkt des Staates wie des Volkes. Diese Hervorhebung des Tempels hat den Anspruch Jerusalems als des einzig legitimen Kultortes begründet und zu der Auffassung von dem Jerusalemer Tempel als dem Zentralheiligtum geführt. Die Anschauung von Jerusalem als dem zentralen Kultort und dem dortigen Tempel als der zentralen Kultstätte bedingte notwendigerweise die Bekämpfung der übrigen Kultstätten im Lande und das Ende zahlreicher Heiligtümer im Verlauf der Königszeit. Seit der Seßhaftwerdung der israelitischen Stämme im Kulturland haben an verschiedenen Orten Heiligtümer bestanden. In der Jeftageschichte läßt sich aus der Wendung לפני יהוה במצפה (Ri 11,11) auf eine Kultstätte in Mizpeh in Gilead schließen, über die Näheres jedoch nicht auszumachen ist[108]. Für Bethel weisen die Opfer auf einen Altar und damit auf ein Heiligtum hin (Ri 20,26)[109]. Der Tempel von Silo (*Ḥirbet Sēlūn*) wird 1. Sam 1,9; 3,3 ausdrücklich היכל genannt, dieser wurde zu einem unbekannten Zeitpunkt zerstört (Jer 7,12.14; 26,6.9; Ps 78,60)[110]. Auf Grund der Überlieferungen ist auch in Sichem[111], Dan (*Tell el-Qāḍi*)[112], Gilgal[113], Nob[114], Ophra[115] und Mizpah in Benjamin (*Tell en-Naṣbeh*)[116] mit israelitischen

108 Die Lage von Mizpeh ist nicht sicher zu bestimmen. *M. Noth*, ZDPV 73 (1957) S. 35f hat mit guten Gründen *el-Mišrefe* nördlich von *Ḥirbet Ǧel'ad* vorgeschlagen. Ob Hos 5,1 dieses Mizpeh gemeint ist, kann nicht entschieden werden.

109 Zur Geschichte von Bethel vgl. *K. Galling*, ZDPV 67 (1945) S. 26–43.

110 Die Ausgrabungen auf der *Ḥirbet Sēlūn* haben den Tempel nicht lokalisieren können. Die Erwähnungen von Silo in Jer 7 und 26 können nicht auf eine Zerstörung des Ortes durch die Philister um 1050 v. Chr. bezogen werden, die Ausgrabung läßt eine Unterbrechung der Besiedlung zu dieser Zeit nicht erkennen, vgl. *M.-L. Buhl* and *S. Holm-Nielsen*, Shiloh (1969) S. 58f. Zur Bedeutung von Silo für die Vermittlung altisraelitischer Tradition vgl. *O. Eißfeldt*, Silo und Jerusalem, Kleine Schriften III (1966) S. 417–425; *M. Noth*, Samuel und Silo, Aufsätze zur biblischen Landes- und Altertumskunde I (1971) S. 148–156. Die Thesen von *M. A. Cohen*, The Role of the Shilonite Priesthood in the United Monarchy of Ancient Israel, HUCA 36 (1965) S. 59–98 zur politischen Aktivität der Priester von Silo können in diesem Zusammenhang nicht näher untersucht werden.

111 Jos 24,26. Vgl. *A. Alt*, Die Wallfahrt von Sichem nach Bethel, Kleine Schriften I (1953) S. 79–88. Der Ri 9,46 erwähnte Tempel des Baal Berith ist ein kanaanäisches Heiligtum gewesen.

112 Ri 17.18; vgl. dazu *M. Noth*, Der Hintergrund von Richter 17–18, Aufsätze zur biblischen Landes- und Altertumskunde I (1971) S. 133–147.

113 Jos 3–5; 1. Sam 11,15. Zu Gilgal vgl. *K. Galling*, ZDPV 66 (1943) S. 141–155 und 67 (1945) S. 21–25; *C. A. Keller*, ZAW 68 (1956) S. 85–94. Die Lage von Gilgal ist nicht bekannt, doch wird es im Umkreis von *Ḥirbet el-Mefǧir* gelegen haben, vgl. die Ortslagensuche von *J. Muilenburg*, The Site of Ancient Gilgal, BASOR 140 (1955) S. 11–27; *O. Bächli*, Zur Lage des alten Gilgal, ZDPV 83 (1967) S. 64–71; *B. M. Bennett*, The Search for Israelite Gilgal, PEQ 104 (1972) S. 111–122.

114 1. Sam 21,2–10; 22,6–23. Die Lage von Nob ist noch nicht ermittelt, auf Grund der Erwähnung in Jes 10,32 muß der Ort nördlich von Jerusalem gesucht werden. Alle bisherigen Vorschläge sind zusammengestellt von *E. E. Voigt*, The Site ob Nob, JPOS 3 (1923) S. 79–87.

115 Ri 6,11–32; vgl. zu Ophra *C. A. Keller*, ZAW 67 (1955) S. 154–162; *E. Kutsch*, Gideons Berufung und Altarbau Jdc 6,11–24; ThLZ 81 (1956) S. 75–84; *P. Kübel*, Epiphanie und Altarbau, ZAW 83 (1971) S. 225–230.

116 Ri 20.21; 1. Sam 7. Zur Geschichte von Mizpah vgl. *J. Muilenburg*, in: *C. C. McCown*, Tell en-Naṣbeh I (1947) S. 3–49.

Heiligtümern in vorköniglicher Zeit zu rechnen. In der Väterüberlieferung
werden verschiedene Kultstätten auf Kulthandlungen der Erzväter zurückgeführt. Wenngleich diese Kultlegenden nicht auf historische Ereignisse
zurückgehen, so lassen sie doch in ihrem Bestreben, Kultstätten durch die
Erzväter zu begründen, erkennen, daß bereits in vorköniglicher Zeit an diesen Orten Heiligtümer bestanden haben, die möglicherweise sogar aus der
kanaanäischen Epoche übernommen worden sind[117]. Außer den ohnehin
aus den Texten zu erschließenden Tempeln in Sichem und Bethel sind auch
in Mamre und Beerseba auf diese Weise legitimierte Heiligtümer anzunehmen.

Eine zentrale Bedeutung läßt sich für kein einziges der Heiligtümer in vorstaatlicher Zeit nachweisen[118]. Das Fehlen eines zentralen Kultortes und das
Nebeneinander der verschiedenen Stammesheiligtümer machen die Annahme eines Zusammenschlusses der Stämme um ein zentrales Heiligtum
zu einem sakralen Stämmebund unwahrscheinlich[119]. Die Stämme haben
auch in kultischer Hinsicht weitgehend ihr Eigenleben geführt. Nur beim
Jahwekrieg haben sich gelegentlich mehrere Stämme zu gemeinsamen Ak-
tionen verbündet und bei der anschließenden Siegesfeier am Heiligtum war
die Gesamtheit der Stämme eingeladen[120]. Wenngleich über die Art und
Weise des Zusammenlebens der Stämme nichts bekannt ist[121], so war doch
die Verehrung Jahwes an den verschiedenen Heiligtümern des Landes allen
gemeinsam.

Die meisten der Heiligtümer aus vorstaatlicher Zeit haben auch nach der
Staatenbildung weiter bestanden. Nur für Silo ist die Zerstörung ausdrück-

---

117 Für die Stellenangaben und die verschiedenen Tendenzen in Jahwist und Elohist vgl.
oben unter Abschnitt 2.2.

118 Vgl. die mit negativem Ergebnis durchgeführten Prüfungen von *W. H. Irwin*, Le sanctuaire israélite avant l'établissement de la monarchie, RB 72 (1965) S. 161–184 und
A. D. H. Mayes, VT 23 (1973) S. 157–161.

119 Die Annahme eines sakralen Stämmebundes durch *M. Noth*, Das System der zwölf
Stämme Israels (²1966) ist zurückgewiesen worden durch *G. Fohrer*, Altes Testament – »Amphiktyonie« und »Bund«, Studien zur alttestamentlichen Theologie und Geschichte
(1949–1966), BZAW 115 (1969) S. 84–119 und *R. de Vaux*, La thèse de l'»Amphictyonie Israélite«, HThR 64 (1971) S. 415–436. – *S. Herrmann*, Autonome Entwicklungen in den Königreichen Israel und Juda, SVT 17 (1969) S. 139–158 hat wahrscheinlich gemacht, »daß dieses
Zwölfstämmesystem von Juda her entwickelt und unter dem Eindruck der davidischen Groß-
reichbildung differenziert und fixiert worden ist« (S. 152). Dagegen hält *R. Smend*, Zur Frage
der altisraelitischen Amphiktyonie, EvTheol 31 (1971) S. 623–630 an dem Bestehen des
Zwölfstämmebundes bereits in vorstaatlicher Zeit mit Zentralheiligtum und Richteramt fest,
wenngleich er eine Modifizierung der These von *M. Noth* zugesteht. Zur möglichen Herkunft
des Systems vgl. *H. Weippert*, Das geographische System der Stämme Israels, VT 23 (1973)
S. 76–89.

120 Ri 4.5, vgl. dazu *A. Weiser*, Das Deboralied, ZAW 71 (1959) S. 67–97.

121 In welcher Form sich die Zusammengehörigkeit der Stämme manifestiert hat, bedarf er-
neuter Untersuchung, vgl. *R. Smend*, Jahwekrieg und Stämmebund, RFLANT 84, ²1966;
K.-H. Bernhardt, Nomadentum und Ackerbaukultur in der frühstaatlichen Zeit Altisraels, in:
Das Verhältnis von Bodenbauern und Viehzüchtern in historischer Sicht (1968) S. 31–40;
A. D. H. Mayes, Israel in the Pre-Monarchy Period, VT 23 (1973) S. 151–170.

lich erwähnt, ohne daß diese zeitlich festgelegt werden kann, vgl. Jer 7,12.14; 26,6.9; Ps 78,60. Bethel und Dan waren von Jerobeam bei der Abspaltung der Nordstämme zu Reichsheiligtümern des Staates Israel erhoben worden (1. Kön 12,26-32), um einen von Jerusalem unabhängigen Staatskult zu begründen. Hosea hat gegen die Heiligtümer von Gilgal und Bethel polemisiert (Hos 4,15; 10,5; 12,12). Die Kultstätten in Bethel, Gilgal, Beerseba und Dan werden noch von Amos genannt (Am 4,4; 5,5; 8,14). Das Nebeneinander einer Vielzahl von Heiligtümern ist erst durch die Kultreformen des Hiskia und des Josia eingeschränkt worden. Zwar sind die einzelnen Maßnahmen der beiden Könige nicht mehr zu ermitteln, doch haben sie neben der Reinigung des Tempels vom Fremdkult wohl auch die Zentralisation des Kultes am Jerusalemer Tempel zum Ziel gehabt. Die Maßnahmen Hiskias werden im Anschluß an die deuteronomistische Beurteilungsnotiz in 2. Kön 18,4 genannt. Von den aufgeführten Handlungen wird die Entfernung des נחשתן genannten Schlangenbildes aus dem Tempel von Jerusalem ein historischer Vorgang gewesen sein[122]. Dagegen ist das Entfernen der Höhenheiligtümer, das Zerbrechen der Masseben und das Verbrennen der Ascheren eine zu allgemeine Angabe, als daß daraus konkrete Rückschlüsse gezogen werden könnten[123]. Die Grabungen in Arad und auf dem *Tell es-Seba*ᶜ haben aber gezeigt, daß die dort vorhandenen Tempel gegen Ende des 8. Jh.s zerstört und nicht weiter benutzt worden sind[124]. Wenngleich sich ein Zusammenhang mit den Maßnahmen Hiskias nicht nachweisen läßt, so belegt die Abschaffung der Landheiligtümer doch die Zentralisierungsbestrebung bereits in dieser Zeit.

Auch die von Josia durchgeführten Maßnahmen betreffen hauptsächlich den Tempel von Jerusalem und die Kultstätten in der unmittelbaren Umgebung der Stadt (2. Kön 22.23)[125]. Nur 2. Kön 23,8a berichtet allgemein von den im ganzen Land getroffenen Maßnahmen: »Er brachte alle Priester aus den Städten Judas (nach Jerusalem) und verunreinigte die Höhen, auf denen die Priester geopfert hatten von Geba bis Beerseba.« Dabei kann es sich aber um eine erst durch den Verfasser des deuteronomistischen Geschichtswer-

---

122 Zur sog. ehernen Schlange, deren Anfertigung Num 21, 4b–9 J auf Mose zurückgeführt wird, vgl. *K. R. Joines,* The Bronze Serpent in the Israelite Cult, JBL 87 (1968) S. 245–256.
123 Mit einer Bedeutung der Maßnahmen Hiskias für die sog. Reform des Josia rechnen *V. Maag,* Erwägungen zur deuteronomistischen Kultzentralisation, VT 6 (1956) S. 10–18; *E. Nicholson,* The Centralisation of the Cult in Deuteronomy, VT 13 (1963) S. 380–389. Auf das Moment der politischen Unabhängigkeitsbestrebung bei der Abschaffung der Fremdkulte hat *M. Weinfeld,* Cult Centralisation in Israel in the Light of a Neo-Babylonian Analogy, JNES 23 (1964) S. 202–212 hingewiesen.
124 Für Arad vgl. unten Abschnitt 3.1, für den *Tell es-Seba*ᶜ vgl. *Y. Aharoni,* Tel Aviv 2 (1975) S. 162f.
125 Zu den 2. Kön 22.23 berichteten Ereignissen vgl. die Erwägungen und Auseinandersetzungen bei *M. Kegel,* Die Kultus-Reformation des Josia (1919); *F. Horst,* Die Kultusreform des Königs Josia, ZDMG 77 (1923) S. 220–238; *O. Procksch,* König Josia, Festgabe für Theodor Zahn (1928) S. 19–53; *A. Jepsen,* Die Reform des Josia, Festschrift Friedrich Baumgärtel (1959) S. 97–108.

kes vorgenommene Ausweitung der Reformhandlungen auf Juda handeln.
Nur die Zerstörung des Heiligtums von Bethel wird 2. Kön 23,15 ausdrücklich erwähnt und ist wohl schwerlich »erfunden«, während die Fortsetzung
dieser Notiz in 2. Kön 23,16-18 deuteronomistisch ist[126].
Der Grundgedanke der josianischen Reform ist die Reinheit und Ausschließlichkeit des Jahwekultes in Jerusalem. Ob Josia die Zentralisation des
Kultes in Jersualem durch Aufhebung aller Landheiligtümer völlig durchgeführt hat, ist vorläufig nicht feststellbar. Der Anspruch Jerusalems als einzig legitimer Kultstätte wird im Deuteronomium durch eine Erwählungs-
theologie begründet, doch ist die Frage nach dem Zusammenhang zwischen
der josianischen Reform und dem deuteronomischen Gesetz noch ungeklärt. Die Gleichsetzung der 2. Kön 22.23 ספר התורה und ספר ברית genannten Schrift mit dem Grundbestand des Deuteronomiums ist dabei keineswegs ein gesichertes Ergebnis der Forschung[127]. Selbst wenn das »Ur-
deuteronomium« die vor Josia gebrachte Urkunde gewesen sein sollte, muß
die Frage offen bleiben, ob nicht erst der Verfasser des deuteronomistischen
Geschichtswerkes den Bericht 2. Kön 22.23 so gestaltet hat, daß Josia als
Vollstrecker der im Deuteronomium erhobenen Forderungen erscheint.
Nachweisen läßt sich die Abschaffung *aller* Heiligtümer außerhalb Jerusalems durch Josia nicht, wenngleich der Ausbau der einzigartigen Stellung
Jerusalems deutlich ist. Die Sonderstellung Jerusalems war politisch und
theologisch begründet[128]. Politisch hatte Jerusalem als Hauptstadt und Königssitz eine Vorrangstellung unter den Städten Judas. Theologisch konnte
Jahwe als der eine Gott nur an einem Orte wohnen[129]. Völlig durchgesetzt
worden ist die in Deut 12 erhobene Forderung von der einen Kultstätte auch
nicht in nachexilischer Zeit, wie die Tempelbauten außerhalb Jerusalems in
persischer und hellenistischer Zeit zeigen[130].

---

126   M. Noth, Überlieferungsgeschichtliche Studien (²1957) S. 81. Vgl. auch H. W. Wolff,
Das Ende des Heiligtums in Bethel, in: Archäologie und Altes Testament (1970) S. 287–298.
127   Der Stand der Forschung ist mit Aufzählung der älteren Literatur kritisch referiert bei
N. Lohfink, Die Bundesurkunde des Königs Josia, Biblica 44 (1963) S. 261–288 und 461–498,
eine Übersicht gibt O. Kaiser, Einleitung in das Alte Testament (1969) S. 106–109. Vgl. jetzt
auch J. Lindblom, Erwägungen zur Herkunft der josianischen Tempelurkunde (1971). Auf die
Frage nach Alter und Herkunft des Deuteronomiums braucht hier nicht eingegangen zu werden.
128   Vgl. dazu A. Bentzen, Die josianische Reform und ihre Voraussetzungen (1926).
129   Vgl. F. Dumermuth, Zur deuteronomischen Kulttheologie und ihren Voraussetzungen,
ZAW (1958) S. 59–98.
130   Zu den Tempelbauten außerhalb Jerusalems in persischer und hellenistischer Zeit vgl.
unten Abschnitt 4.

3
Der Tempel von Arad

3.1
Fundumstände und historische Einordnung

Die Ausgrabungen auf dem *Tell ʿArād* in den Jahren 1962–1967 haben eine eisenzeitliche Festung freigelegt, die von der Zeit Salomos bis kurz vor der ersten Eroberung Jerusalems durch Nebukadnezar im Jahre 598 bestanden hat[1]. Insgesamt sind für diese Festung 6 Strata zu unterscheiden[2]. Die älteste Festung von Stratum XI wurde wahrscheinlich von Salomo errichtet und durch Schoschenk zerstört[3]. Stratum X hat während des 9. Jh.s bestanden, während die Strata IX und VIII in das 8. Jh. zu datieren sind. Die Strata VII und VI schließlich umfassen das 7. Jh. Die Festung ist wahrscheinlich um 600 durch die Edomiter zerstört worden, jedenfalls läßt das Ostrakon 6005/1 erkennen, daß ein Angriff der Edomiter auf die Festung Ramat Negeb (*Ḥirbet Gazze*) südöstlich von Arad bevorsteht[4]. Bei diesem Vorstoß der Edomiter scheint auch Arad erobert worden zu sein.

In der nordwestlichen Ecke der Festung hat während der Strata XI bis VIII ein Tempel bestanden[5]. Der Tempel wurde am Ende der 2. Kampagne 1963

1 Vorläufige Grabungsberichte liegen bisher nur für die beiden ersten Kampagnen vor: *Y. Aharoni – R. Amiran*, Excavations at Tel Arad. Preliminary Report on the First Season, 1962, IEJ 14 (1964) S. 131–147; *Y. Aharoni*, Excavations at Tel Arad. Preliminary Report on the Second Season, 1963, IEJ 17 (1967) S. 233–249. Für die drei weiteren Kampagnen vergleiche die Kurzberichte von *Y. Aharoni* in IEJ 14 (1964) S. 280–283; 15 (1965) S. 249–251; 16 (1966) S. 152; 17 (1967) S. 270–272. Eine Zusammenfassung der Ergebnisse bieten *R. Amiran – Y. Aharoni*, Arad – A Biblical City in Southern Palestine, Archaeology 17 (1964) S. 43–53; *dies.*, Ancient Arad, The Israel Museum, Jerusalem, Catalogue 32 (1967); *Y. Aharoni*, Arad: Its Inscriptions and Temple, BA 31 (1968) S. 2–32; *ders.*, The Israelite Sanctuary at Arad, in: New Directions in Biblical Archaeology (1969) S. 25–39.
2 Die von *Y. Yadin*, A Note on the Stratigraphy of Arad, IEJ 15 (1965) S. 180 vorgetragenen Bedenken gegen die Stratigraphie von Arad entbehren der Grundlage.
3 Zur Erwähnung von Arad in der Schoschenkliste vgl. *V. Fritz*, Arad in der biblischen Überlieferung und in der Liste Schoschenks I., ZDPV 82 (1966), S. 331–342.
4 Text des Ostrakon bei *Y. Aharoni*, BASOR 197 (1970) S. 17–20; zur Identifikation von Ramat Negeb vgl. *Y. Aharoni*, ebd., S. 22–25.
5 Gegenüber den Vorberichten hat sich die Stratigraphie insofern geändert, als nun feststeht, daß die Überbauung des Tempelbereichs bereits in Stratum VII erfolgt ist. Der von *Y. Aharoni*, BA 31 (1968) S. 26 angenommene Zusammenhang des Endes des Tempels durch die Anlage der Kasemattenmauer von Stratum VI mit der Kultreform des Josia wird damit hinfällig und braucht hier nicht weiter erörtert zu werden. Festzustellen bleibt jedoch, daß die Kultausübung bereits in Stratum VIII während des 8. Hälfte des 8. Jh.s dahingehend eine Einschränkung erfahren hat, daß der Altar nicht wieder errichtet worden ist. Der Verzicht auf den Wiederaufbau des Tempels in Stratum VII ist sicher nicht ohne entsprechende Weisung aus Jerusalem erfolgt, da Arad eine königliche Festung gewesen ist, die letztlich dem Befehl des Königs unterstand, wie etwa das Ostrakon 6005/1 zeigt.

entdeckt und in den folgenden Kampagnen vollständig ausgegraben.
Wenngleich der endgültige Ausgrabungsbericht noch nicht vorliegt, so hat
Yohanan Aharoni doch eine kurze Beschreibung des Tempels gegeben und
vorläufige Pläne für die Strata XI und X veröffentlicht[6]. Anlage und Ausstattung des Tempels von Arad sind damit für die beiden ersten Bauphasen
soweit bekannt, daß seine Einordnung in die Tempelbautraditionen und die
Bestimmung seiner Bedeutung für die Geschichte des Kultes in Israel versucht werden können.

3.2
Beschreibung

3.2.1
Stratum XI

In der ursprünglichen Bauphase (Abb. 9) liegt der Eingang zum Tempel ungefähr in der Mitte der östlichen Begrenzungsmauer und führt in den Hof.
Dieser mißt etwa 10,5 x 9 m und weist eine Pflasterung aus kleinen unbehauenen Steinen auf. In seiner Mitte steht der Altar, von dem nur eine Lage
Kalksteine erhalten ist. An der freiliegenden südlichen Kante mißt der Altar
2 m. An der Ostseite des Hofes führt eine Türöffnung in einen Breitraum
von 9 x 2,70 m. Dem Eingang gegenüber liegt eine Nische, die über drei
Stufen aus dem Breitraum zu erreichen ist. Die Nische mißt 0,5 x 0,75 m
und stößt direkt an die Kasemattenmauer der salomonischen Festung an.
Die westliche Begrenzungswand des Tempels ist nördlich der Nische durchbrochen, so daß westlich des Breitraumes und nördlich der Nische ein weiterer kleiner Raum zugänglich ist. Südlich des Hofes wie des Breitraumes befindet sich ein weiterer langgestreckter Raum, über dessen Unterteilung
nichts gesagt werden kann, da der südliche Teil des Baukomplexes beim Ein-
sturz der darunter liegenden Zisternen weggebrochen ist.
In Stratum XI umfaßte der Tempel somit einen Hof mit Altar, den Tempelraum mit einer erhöhten Nische und Nebenräumen westlich des Breitraumes sowie südlich des Hofes. Der Tempel stößt im Westen direkt an die Kasemattenmauer an, läßt aber im Norden Platz für einen Durchgang zwischen der Begrenzungsmauer des Hofes und der Kasemattenmauer. Der
Anlage nach handelt es sich um einen Breitraumtempel mit vorgelagertem
Hof über die gesamte Breite des Tempelraumes und Nebenräumen.
Sowohl für den eigentlichen Tempelraum als auch für den Altar hat *Yohanan Aharoni* die Abmessung nach dem Ellenmaß nachweisen können[7].

---

6 Die Pläne finden sich BA 31 (1968) S. 18, Fig. 12 und S. 23, Fig. 15. Der Plan *R. Amiran –*
Y. Aharoni, Ancient Arad (1967) S. 27, Fig. 19 ist für die Eingangsfront nach BA 31 (1968)
S. 23, Fig. 15 zu berichtigen. Die Pläne der Strata IX und VIII haben mir in Lichtpausen vorge-
legen, wofür ich Herrn Prof. Dr. Y. Aharoni ebenso danke wie für die Möglichkeit, während
der Kampagnen 1965 und 1967 der Ausgrabungen auf dem *Tell 'Arād* die Areale im Bereich des
Tempels zu leiten und zahlreiche Einzelfragen mit ihm zu besprechen.
7 *Y. Aharoni*, BA 31 (1968) S. 24. Zum Ellenmaß und den verschiedenen Standards vgl.
R. B. Y. Scott, The Hebrew Cubit, JBL 77 (1958) S. 205–214.

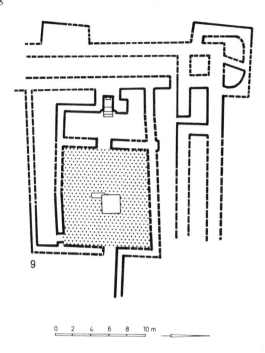

Abb. 9. Der Tempel von Arad Stratum XI

Unter Zugrundelegung des Standards der Elle nach dem alten Maß von 0,445 m mißt der Innenraum 6 x 20 Ellen und der Altar 4,5 x 4,5 Ellen[8]. Die Breite des Hofes entspricht der Breite des Tempelraumes, seine Länge beträgt 23,5 Ellen.

Trotz verschiedener Veränderungen in der Gestaltung des Eingangs und der Abtrennung von Nebenräumen sind die Tempel der Strata X, IX und VIII nach dem gleichen Plan errichtet. Da die Tempel der weiteren Strata in der Gesamtkonzeption an dem von Stratum XI orientiert sind, werden für die Strata X bis VIII vor allem die Unterschiede gegenüber Stratum XI beschrieben.

3.2.2
Stratum X

Der Tempel von Stratum X (Abb. 10) ist besonders gut erhalten und erlaubt die Feststellung weiterer Einzelheiten über den Bau von Stratum XI hinaus. Der Eingang ist an die südöstliche Ecke des Hofes gerückt, diese Verlegung des Zugangs steht wahrscheinlich mit der Verlegung des Stadttores in Zusammenhang[9]. Der Hof ist gegenüber Stratum XI verkleinert, da an der Nordseite ein Teil für Nebenräume abgetrennt worden ist. Der Altar ist ge-

8 *Y. Aharoni* gibt für den Altar allerdings das abgerundete Maß von 5 Ellen an.
9 *Y. Aharoni*, IEJ 17 (1967), S. 271 und BA 31 (1968) S. 19.

genüber Stratum XI um 40 cm nach Norden versetzt, er stößt direkt an die Nebenräume an. Westlich des Altars befindet sich ein weiterer kleiner Raum.

Der Teil des Altars von Stratum XI, der nicht von dem Altar in Stratum X überbaut ist, bildet einen Absatz an der Südseite, die Reste des Altars von Stratum XI waren in diesem Stratum noch sichtbar, drei der bei seinem Bau verwendeten Steine ragten über das Niveau der Pflasterung des Hofes hinaus. Der Altar mißt 2,30 m im Quadrat, seine Höhe kann nicht sicher bestimmt werden, da mit der Möglichkeit gerechnet werden muß, daß der Altar auch in Stratum IX benutzt und aus diesem Grunde erhöht worden ist. Der Altar ist aus unbehauenen Steinen und Mörtel errichtet, doch waren die beiden Seiten, die nicht an Mauern stießen, verputzt. Auf der Oberfläche ist ein großer flacher Flintstein eingelassen, der von zwei aus Mörtel geformten Rillen umzogen ist[10]. Dieser Befund der Ausgestaltung stammt jedoch möglicherweise aus Stratum IX.

Der Vergleich der beiden Altäre von Stratum XI und X zeigt, daß der Altar von Stratum X mit 2,30 m im Quadrat um 30 cm größer ist als derjenige von Stratum XI. Aber auch der Tempelraum ist vergrößert. Zwar ist seine Länge unverändert geblieben, in der Breite wurde er jedoch nach Norden hin auf 10,5 m verlängert. Eingang und Nische liegen damit nicht mehr in der Mitte der Breitseite. *Yohanan Aharoni* hat gezeigt, daß diese Vergrößerung des Tempelraumes wie diejenige des Altars mit der Änderung des Standards der Elle von etwa 44,5 cm auf etwa 52 cm in Verbindung zu bringen ist[11]. Die Vergrößerungen des Tempelraumes in seiner Breite und des Altars entsprechen der Vergrößerung des Ellenmaßes um ein Sechstel. Beim Bau des Tempels wurde somit sorgfältig auf die Einhaltung des Breitenmaßes von 20 Ellen geachtet, während für den Altar das Maß von 4,5 Ellen beibehalten wurde. Da die Länge des Raumes durch die Mauern von Stratum XI vorgegeben war, die in Stratum X wiederverwendet wurden, sind an den Ecken zur Nische Aussparungen vorgenommen worden, um auch für die Länge wenigstens an zwei Meßpunkten nach dem veränderten Standard des Längenmaßes die notwendige Abmessung von 6 Ellen zu erhalten. Aber auch der Hof ist verlängert. Seine Erstreckung von Osten nach Westen beträgt 12,20 m, was wiederum 23,5 Ellen nach dem größeren Standard ergibt. In der östlichen Hälfte des Hofes wurde unter der Pflasterung das Skelett eines Schafes ohne Kopf zusammen mit drei kleinen Gefäßen gefunden. Hierbei handelt es sich wohl um ein Bauopfer.

---

10 Vgl. das Foto BA 31 (1968) S. 21, Fig. 14.
11 *Y. Aharoni*, BA 31 (1968) S. 24. Den Beleg für die Änderung des Standards der Elle bietet Ez 40,5, wonach die neue Elle um eine Handbreit größer als die alte ist. Da die Handbreit ein Sechstel der Elle beträgt, verhält sich die alte zur neuen Elle wie 6 zu 7. Entsprechend verhalten sich die Maße von Stratum XI zu denen von Stratum X bei der Breite 9 zu 10,5 m, beim Hof 10,5 zu 12,2 m und beim Altar 2 zu 2,3 m. Die Berechnung der Maße des Altars durch *Y. Aharoni* auf 5 Ellen muß allerdings auf 4,5 Ellen korrigiert werden. Der Hof wurde von *Y. Aharoni* nicht nach dem Ellenmaß berechnet.

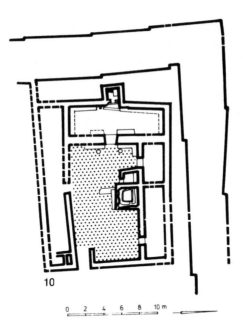

Abb. 10. Der Tempel von Arad Stratum X

Vor dem Eingang zum Breitraum finden sich zwei Säulenbasen, die wahrscheinlich eine Überdachung vor dem Eingang trugen. An den Wänden des Tempelraumes ziehen sich Bänke entlang, die zum Abstellen der Opferschalen dienten. Auf der zweiten Stufe zur Nische wurden zwei kleine Räucheraltäre aus Kalkstein gefunden. Zwar waren sie sorgfältig unter die Stufen von Stratum IX gelegt[12], in Stratum X haben sie aber wohl aufrecht auf der obersten Stufe vor der Nische gestanden[13]. Auf dem Fußboden der Nische fand sich eine Kultstele, die in Stratum X sicher ebenfalls aufrecht gestanden hat[14]. Diese Stele ist etwa 90 cm hoch und zeigt Spuren von roter Bemalung, sie ist sorgfältig geglättet, ihr oberer Teil ist abgerundet.

3.2.3
Strata IX und VIII

In Stratum IX ist der Tempelraum durch die Errichtung einer neuen Mauer an der Ostseite auf die Breite von 3,15 m gebracht worden. Dieser Teil des

---

12 Vgl. das Foto IEJ 17 (1967) Pl. 46B.
13 Vgl. die Fotos IEJ 17 (1967) Pl. 47 und BA 31 (1968) S. 20, Fig. 13.
14 Y. *Aharoni*, IEJ 17 (1967) S. 248 weist diese Stele Stratum IX zu und rechnet damit, daß ein in die Rückwand der Nische vermauerter Flintstein in Stratum X als Stele gedient hat. Dagegen ist die in Sturzlage gefundene Stele Stratum X zuzuweisen, da sie auf dem Fußboden der Nische dieses Stratums gelegen hat. Die in der Rückwand vermauerte Stele ist in Stratum X nicht sichtbar gewesen, da sie vom Wandverputz überdeckt war. Deshalb ist sie Stratum XI zuzuweisen.

Breitraumes entspricht damit einer Abmessung von 6 Ellen nach dem größeren Standard. Nische und Eingang sind an der gleichen Stelle verblieben. Der Hof ist den früheren Strata gegenüber verkleinert, da zu beiden Seiten des zentral gelegenen Eingangs Nebenräume errichtet wurden. Die südöstliche Ecke des Hofes wurde von einem Wasserbecken eingenommen. In dieser Form hat der Tempel auch in Stratum VIII bestanden, doch wurden Altar und Wasserbecken überbaut. Außerdem ist der Hof im Osten von den angrenzenden Gebäuden weiter zugebaut worden.

3.2.4
Zusammenfassung

Der Tempel von Arad hat somit von etwa der Mitte des 10. bis zum Ende des 8. Jh.s bestanden. Er ist ein Breitraumtempel mit vorgelagertem Hof und Nebenräumen. Die Vergrößerung des eigentlichen Tempelraumes in den Strata X und IX gegenüber Stratum XI ist durch die Änderung des Standards der Elle bedingt. Diese Anpassung des Baues an die Maßeinheit der sog. königlichen Elle zeigt das Bestreben, die Abmessung von 6 x 20 Ellen für den Tempelraum unter allen Umständen beizubehalten. Die Nische blieb jedoch seit Stratum XI unverändert. Im Unterschied zum Tempelraum bestand für den Hof offensichtlich keine Notwendigkeit, bestimmte Maße einzuhalten, da dieser von Stratum zu Stratum größere Veränderungen erfahren hat. Der Altar blieb zwar an der gleichen Stelle, rückte aber durch Änderungen in der Anlage der Nebenräume aus der Mitte des Hofes an seinen nördlichen Rand; in Stratum VIII war er nicht mehr in Gebrauch. Auch der Eingang in den Hof wechselt von Stratum zu Stratum, führt aber stets durch die östliche Umfassungsmauer. Trotz der für die verschiedenen Strata feststellbaren baulichen Veränderungen ist die Konzeption des Heiligtums durch die Jahrhunderte beibehalten worden. Die bei der Gründung im 10. Jh. festgelegte Bauform des Tempels ist bei allen notwendig gewordenen Neubauten bis zum Ende des 8. Jh.s erhalten geblieben.

3.3
Die Kulteinrichtungen

Innerhalb des Tempels waren die Kleinfunde äußerst gering[15]. Aus Stratum X stammen eine steinerne Opferplatte, zwei Teller mit je zwei eingeritzten Zeichen, einige Opferschalen und ein sog. Räuchergefäß bestehend aus einer Schale mit Ständer[16]. Die beiden Teller und die Schalen stammen aus dem Bereich des Altars und haben zur Darbringung von Opfergaben gedient. Die auf den beiden Tellern eingeritzten Zeichen entsprechen den alt-

---

15   Die Kleinfunde sind kurz aufgezählt bei Y. *Aharoni*, BA 31 (1968) S. 11–21 und in: New Directions in Biblical Archaeology (1969) S. 32.

16   Das Räuchergefäß ist abgebildet in: New Directions in Biblical Archaeology (1969) Ill. 52.

hebräischen Buchstaben *q* und *k*. Das erste von ihnen hat Y. *Aharoni* als *qdš* gedeutet[17], es könnte aber auch die Abkürzung für *qrbn* sein[18], das zweite Zeichen ist ebenfalls wohl eine Abkürzung oder ein Symbol. Auch das sog. Räuchergefäß ist zur Darbringung von vegetarischen Opfern verwendet worden, wobei damit zu rechnen ist, daß auf die Opfergabe Weihrauch gestreut und verbrannt wurde[19]. Aus Stratum IX stammt ein kleiner Bronzelöwe, dessen Bedeutung jedoch nicht klar ist. Sonst waren Tempel und Hof weitgehend leer von Funden, wahrscheinlich wurde das Inventar bei Gefahr an anderer Stelle in Sicherheit gebracht.

Nur das Stratum X bietet ein einigermaßen geschlossenes Bild von den kultischen Einrichtungen. Der gute Erhaltungszustand dieses Stratums läßt auf eine plötzliche Zerstörung um 800 schließen. Die Deutung der Kulteinrichtungen bleibt deshalb auf Stratum X beschränkt. Als Kulteinrichtungen können dabei nur der Altar, die beiden Räucheraltäre und die Masseben gelten.

3.3.1
Der Altar

Wenngleich nicht zu entscheiden ist, ob die verwendeten Steine Findlinge oder Bruchsteine sind, so ist der Altar doch aus unbehauenen Steinen erbaut. Ein Aufgang zum Altar fehlt. Bereits *Diethelm Conrad* hat darauf hingewiesen, daß der Altar im Tempel von Arad in Übereinstimmung mit dem Altargesetz in Ex 20,24–26 steht[20]. Die Beibehaltung der Maße von 4,5 Ellen im Quadrat in den Strata XI und X trotz der Änderung des Ellenstandards zeigt, daß bei dem Bau des Altars bestimmt Vorschriften eingehalten wurden.

Ein Altar aus behauenen Steinen wurde bei den Ausgrabungen auf dem *Tell es-Seba^c* gefunden[21]. Dieser stand jedoch nicht mehr *in situ*, da der zu dem Altar gehörende Tempel im 8. Jh. zerstört und abgeräumt worden ist[21a], sondern die einzelnen Blöcke fanden sich in einer Mauer der Vorratshäuser

---

17 Y. *Aharoni*, BA 31 (1968) S. 20.
18 Prof. Dr. Aharoni mündlich.
19 Eine zusammenfassende Bearbeitung der sog. Räuchergefäße fehlt, der Kontext, in dem sie auftreten, läßt ihren kultischen Gebrauch jedoch eindeutig erkennen. Auf eine Sammlung des Materials muß hier verzichtet werden, sie sind in allen altorientalischen Kulturen weit verbreitet. Vgl. die Bemerkungen bei *K. Wigand*, Bonner Jahrbücher 122 (1912) S. 24–27; *H. G. May*, Material Remains of the Megiddo Cult, OIP XXVI (1935) S. 20–23.
20 *D. Conrad*, Studien zum Altargesetz Ex 20: 24–26 (Diss. theol. Marburg 1968) S. 40f.
21 Y. *Aharoni*, Tel Aviv 2 (1975) S. 154–156 und die Rekonstruktion Pl. 33,2; ders., The Horned Altar of Beer-sheba, BA 37 (1974) S. 2–6.
21a Gegenüber diesem Versuch von Y. *Aharoni*, Das Fehlen eines Tempels auf dem *Tell es-Seba^c* zu erklären, hat Y. *Yadin*, Beer-sheba: The High Place Destroyed by King Josiah, BA SOR 222 (1976) S. 5–17 den Altar in dem neben dem Stadttor gelegenen Haus 430 unterbringen und dieses als במה deuten wollen. Dagegen sprechen jedoch Anlage und Bauausführung dieses Hauses: dem Plan nach entspricht es den Wohnhäusern, wie sie vor allem an der Westseite der Stadt freigelegt worden sind, vgl. *I. Beit Arieh*, The western quarter, in: Y. *Aharoni*,

von Stratum II verbaut. Diese waren sorgfältig bearbeitet, die Ecksteine trugen »Hörner«, d. h. nach oben spitz zulaufende Erhebungen. Da die ursprüngliche Lage der Steine zueinander nicht mehr feststellbar ist, kann über die Ausmaße dieses Altars nichts gesagt werden.

Wie im alten Orient gehörte auch im alten Israel ein Altar im Hof grundsätzlich zur Ausstattung eines Tempels[22]. Für den Tempel von Jerusalem ist der Altar im Hof 1. Kön 8,22.31.54.64; 9,25 genannt[23]. Dieser מזבח נחשת war jedoch eine Konstruktion aus Metall, erst Ahas hat ihn durch einen Steinaltar ersetzt 2. Kön 16,10–16. Aber auch in den Tempelanlagen von Silo und Bethel hat ein Altar gestanden, vgl. 1. Sam 2,28.33 und 1. Kön 13,1–5.32. Die Errichtung eines Altars kann geradezu die Gründung eines Heiligtums anzeigen, jedenfalls werden verschiedene Heiligtümer ausdrücklich durch einen Altarbau seitens der Erzväter legitimiert, vgl. Gen 12,7 J; 13,18 J; 26,25 J; 33,20 E. Das Opfer auf dem Altar war das Zentrum des israelitischen Tempelkultes[24]. Der Altar weist den Tempel von Arad als vollgültiges und selbständiges Heiligtum aus.

3.3.2
Die Kultstele

Die Kultstele von Stratum X hat entsprechend ihrem Fundort ursprünglich aufrecht in der Nische des Tempels gestanden. Die in der Rückwand der Nische vermauerte Stele gehörte wahrscheinlich zum Tempel von Stratum XI. Weitere Steine dieser Art wurden im Bereich des Hofes gefunden, ohne daß der ursprüngliche Standort noch zu ermitteln ist.

Kultstelen sind aus der Umwelt Israels in zahlreichen Beispielen bekannt[25]. In Gezer haben im Bereich des »High Place« 10 Stelen in einer Reihe gestanden[26]. Die 8 erhaltenen Steine sind zwischen 1,70 m und 3,30 m hoch. Die

---

Beer-sheba I (1973) S. 31–37 mit Plate 94. Nach seiner Anlage ist Haus 430 keine Kultstätte, sondern ein Wohnhaus. Gegen eine kultische Bestimmung des Hauses sprechen aber auch die von Y. *Yadin* herangezogenen Einzelheiten: Der Kanal entwässerte den Hof, und die Treppe schließlich führte auf das nicht erhaltene Dach. Außerdem verweisen die in ihm gemachten Funde auf die Benutzung als Wohnhaus. – Der Versuch *Yadins*, Stratum II in die Zeit Josias zu datieren, scheitert daran, daß die für das Ende der Königszeit charakteristischen Keramiktypen auf dem *Tell es-Seba'* gerade fehlen. Deshalb ist an der Chronologie des Ausgräbers festzuhalten.

22 Vgl. dazu die Materialsammlung K. *Galling*, Der Altar in den Kulturen des alten Orients (1925).

23 Zu den Altären im salomonischen Tempel, vgl. oben Abschnitt 2.3.2.

24 Auf Opferarten und Opferpraxis kann hier nicht eingegangen werden. Die auf dem Altar dargebrachten Opfer sind in den Opfergesetzen Lev 1–7 zusammengestellt. Vgl. dazu K. *Elliger*, HAT I,4 (1966) S. 26–103; R. *Rendtorff*, Studien zur Geschichte des Opfers im alten Israel, WMANT 24 (1967).

25 Das Material ist zusammengestellt bei E. *Stockton*, Stones at Worship, AJBA 1 (1970) S. 58–81; C. F. *Graesser*, Standing Stones in Ancient Palestine, BA 35 (1972) S. 34-63; vgl. auch K. Galling, HAT I,1 (1937) Sp. 368–371.

26 R. A. St. *Macalister*, The Excavation of Gezer II (1912) S. 381–406. R. A. St. *Macalister*,

Nachgrabung hat ergeben, daß sie alle gleichzeitig in der Mittelbronzezeit IIB errichtet worden sind[27]. Das Fehlen von weiteren Kulteinrichtungen im Bereich dieser Stelenreihe läßt darauf schließen, daß sie Personen oder Personengruppen repräsentieren, doch ist die Deutung auf göttliche Wesen nicht auszuschließen. Da der Stein die Kraft dessen, den er darstellt, versinnbildlicht, handelt es sich bei den Stelen eher um die Repräsentation von mächtigen Einzelpersonen wie verstorbenen Herrschern[28] als um die Selbstdarstellung verschiedener Stämme[29], falls sie nicht überhaupt Gottheiten darstellen.

In Sichem war der Eingang zu dem Migdal-Tempel von zwei Stelen flankiert, eine weitere Stele hat in einigem Abstand vor dem Eingang gestanden[30]. Die Stellung der Steine vor dem Tempel macht es wahrscheinlich, daß sie im Zusammenhang mit dem Tempelkult gedeutet werden müssen und deshalb wohl Gottheiten oder göttliche Wesen repräsentieren. Zusammen mit einigen kleineren Stelen wurde eine Stele vor dem spätbronzezeitlichen Langhaustempel von Hazor gefunden mit einer davor stehenden Opferschale *in situ*[31]. Der Ort der Aufstellung legt für diesen Stein die Deutung nahe, daß es sich um die Repräsentation einer Gottheit handelt, die im Kult des Tempels eine Rolle spielte. Innerhalb des Kultraumes hat eine Stele im mittelbronzezeitlichen Tempel vom *Tell Mardiḫ* gestanden[32]. Diese war aus Basalt gefertigt, ihre Vorderfront und die Seiten waren poliert, vor dem Stein war eine Opferplatte in den Boden eingelassen. Die Stele repräsentierte wahrscheinlich die Gottheit des Heiligtums.

In Hazor wurden in einer Nische an der Rückwand des »shrine« genannten Breitraumes von 4,5 m Breite und etwa 3 m Länge zehn Stelen entdeckt[33]. Diese Stelen gehören zur jüngeren Bauphase des Gebäudes (Stratum IA) und sind in das 13. Jh. zu datieren. Ihre Höhe schwankt zwischen 22 und 65 cm. Vor der Stelenreihe befand sich eine Steinplatte zur Darbringung von Opfern. Im Zusammenhang mit ihnen waren eine männliche Sitzstatue und ein Löwenorthostat plaziert. Die zentrale Stele trägt das Relief zweier Hände unter Mondsichel und Sonnenscheibe. Dieses Relief mit den ausge-

---

ebd., S. 402 und 405 hat aus Mangel an anderen Interpretationshinweisen die von ihm freigelegten Kinderbegräbnisse im Bereich des »High Place« mit den Stelen in Verbindung gebracht. Doch kann nicht erwiesen werden, daß es sich bei diesen Begräbnissen um Kinderopfer handelt. Die Kinderbegräbnisse scheinen in keinem ursprünglichen Zusammenhang mit der Stelenreihe zu stehen, vgl. C. F. Graesser, BA 35 (1972) S. 57.

27 *A. M. Furshpan*, BA 34 (1971) S. 120–124.

28 So K. *Galling*, HAT I,1 (1937) Sp. 370f.

29 *A. M. Furshpan*, BA 34 (1971) S. 123f will wegen ihrer gleichzeitigen Errichtung die Stelenreihe als eine Art Bundesheiligtum interpretieren, doch gibt es dafür bisher keine Parallelen.

30 E. *Sellin*, Die Masseben des El-Berit in Sichem, ZDPV 51 (1928) S. 119–123, Taf. 8–12; vgl. G. E. *Wright*, Shechem (1965) S. 82–87.

31 Y. *Yadin*, Hazor (1972) S. 104 und Pl. XIVb. Die genaue Position geht aus dem Plan Fig. 26 auf S. 103 leider nicht hervor.

32 Missione Archeologica Italiana in Siria 1965 (1966) Tav. XIX.

33 Y. *Yadin*, Hazor I (1958) S. 83–90, Photos Pl. XXVII–XXXI, Plan Pl. CLXXXI.

streckten Händen eines Menschen, die Sitzstatue und die Zahl der Stelen weisen darauf hin, daß die Stelen Verstorbene repräsentieren. Der Raum, in dem die Stelen stehen, ist darum als »funerary shrine« zu deuten[34]. Die außerhalb des »shrine« gefundenen 17 weiteren Stelen haben wahrscheinlich in früheren Bauphasen des »shrine« gestanden[35]. Die Bedeutung der Stelen ist nach der Weise und dem Ort ihrer Aufstellung zu unterscheiden[36]. Die Stelen im »shrine« von Hazor repräsentieren Verstorbene. Reihen solcher Totenstelen sind auch aus Ägypten, Assur und dem vorislamischen Arabien bekannt[37]. Der aufgerichtete Stein hat somit in den verschiedenen Kulturen zur Repräsentation des Toten gedient. Im Horizont magischen Denkens soll möglicherweise die Seele oder der Geist des Toten an den Stein gebunden werden.

Die Stelen vor den Tempeln in Sichem und Hazor dagegen müssen im Zusammenhang mit dem Tempelkult gedeutet werden. Sie repräsentieren wahrscheinlich göttliche Wesen, deren Kraft an den Stein gebunden und durch den Stein wirksam ist. Innerhalb des Kultgebäudes repräsentiert die Stele die Gottheit des betreffenden Heiligtums, wie der Tempel auf dem *Tell Mardiḫ* zeigt. Im Zusammenhang mit Kultgebäuden sind Stelen somit zur Darstellung der Gottheit verwendet worden. Dementsprechend finden sich vor ihnen Einrichtungen zur Darbringung von Opfern. Der Stein wird zur Repräsentation der Gottheit verwendet, da die Kraft des Numinosen in ihm in besonderer Weise wohnt[38].

Im Hebräischen wird die Kultstele מצבה genannt. Dieses Wort bezeichnet

---

34 So zuerst *W. F. Albright*, SVT 4 (1957) S. 253, danach mit umfänglichem Nachweis und eingehender Begründung *K. Galling*, Erwägungen zum Stelenheiligtum in Hazor, ZDPV 75 (1959) S. 1–13. *Y. Yadin*, Symbols of Deities at Zinjirli, Chartage and Hazor, in: Near Eastern Archaeology in the Twentieth Century (1970) S. 199–231 versteht Sichel und Scheibe als Zeichen des Baal Hamman. Dementsprechend hat er den »shrine« als Tempel dieses Gottes angesprochen. *Y. Yadin* verkennt mit dieser Einordnung grundlegende religionsgeschichtliche Zusammenhänge. Die Sichel ist stets Zeichen des Mondgottes, vgl. *R. D. Barnett*, in: Compte rendu de l'onzième rencontre Assyriologique internationale (1964) S. 75f. Die beiden Hände repräsentieren einen Menschen und nicht eine weitere Gottheit, vgl. dazu *N. M. Sarna*, The Chirotonic Motif on the Lachish Altar, in: *Y. Aharoni*, Lachish V (1975) S. 44–46. Außerdem hat *Y. Yadin* die übrigen im »shrine« gefundenen Stelen bei seiner Interpretation unberücksichtigt gelassen. Gegenüber der Deutung durch *Y. Yadin* ist an derjenigen von *K. Galling* festzuhalten.

35 *Y. Yadin*, Hazor II (1960) S. 97.

36 Ob in dem kleinen Heiligtum der mittleren Bronzezeit in Qatna Stelen oder Kultstatuen gestanden haben, ist nicht mehr auszumachen, vgl. *R. Comte du Mesnil du Buisson*, Le site archéologique de Mishrifé – Qatna (1935) S. 104–111. – Die Obelisken am sog. Obeliskentempel in Byblos aus der mittleren Bronzezeit bleiben hier unberücksichtigt, da sie eindeutig auf ägyptischen Einfluß zurückgehen, vgl. *E. J. Wein* und *R. Opificius*, 7000 Jahre Byblos (1963) S. 21–24.

37 Vgl. *J. Vandier*, Manuel d'archéologie Egyptienne I (1952) S. 724–774 und II (1954) S. 389–534. *W. Andrae*, Die Stelenreihen in Assur, WVDOG 24 (1913); *D. Kirkbride*, Ancient Arabian Ancestor Idols, Archaeology 22 (1969) S. 116–121 und 188–195; *R. L. Cleveland*, An Ancient South Arabian Necropolis (1955) S. 44–85, Pl. 70–77.

38 Vgl. *G. Beer*, Steinverehrung bei den Israeliten (1921).

zwar allgemein den pfeilerartig zugehauenen und aufgerichteten Stein, der als Grenzstein[39], Grabstele[40] oder Gedächtnisstele[41] verwendet worden ist, es ist jedoch in der Königszeit zum *terminus technicus* für die im kultischen Bereich verwendete Stele geworden[42]. Die Massebe ist Gegenstand kultischer Handlungen, so salbt Jakob die Massebe, die er in Bethel errichtet hat (Gen 28,18.22; 31,3 E). In Hos 3,4 ist die Massebe ausdrücklich unter den kultischen Einrichtungen erwähnt. Das Deuteronomium[43] und das deuteronomistische Geschichtswerk[44] haben die Masseben als Jahwe nicht gemäße Kultobjekte verurteilt. Aus der Ablehnung ist aber zu entnehmen, daß Masseben im alten Israel lange anerkannt sowie weit verbreitet gewesen sein müssen, erst mit Hosea setzt die Polemik gegen die Masseben ein (Hos 10,1f, vgl. Mi 5,12). Die Massebe gehört somit in Israel zum alten Bestand der Kultobjekte.

Trotz der weiten Verbreitung von Stelen braucht nicht damit gerechnet zu werden, daß Israel die Massebe einfach aus der kanaanäischen Umwelt übernommen hat. Wie die Stelen in dem semitischen Heiligtum und der midianitischen Kultstätte im Bereich der Kupferindustrie von Timna zeigen, gehörten zugerichtete und aufgerichtete Steine zur Ausstattung der Tempel bei den Stämmen, die im 13. und 12. Jh. an der Gewinnung und Verhüttung des Kupfers in der südlichen Arabah beteiligt waren[45]. Die israelitischen Stämme werden somit wohl bereits in ihrer nomadischen Vergangenheit Stelen zur Repräsentation der Gottheit verwendet und solche Steine auch im Kulturland aufgestellt haben. Auf die Übernahme einer kanaanäischen Kultstele weist lediglich die Erzählung von der Salbung einer Massebe in Bethel durch Jakob (Gen 28,18; 35,14 E). Eine im 10. Jh. errichtete Massebe ist im Bereich des »solar shrine« von Lachisch nachgewiesen, doch ist der Gebäudekomplex, in dem sie gestanden hat, noch nicht hinreichend bekannt[46]. Die Aufstellung einer Massebe in der erhöhten Nische des Tempels von Arad läßt nur die Deutung zu, daß diese Massebe Jahwe repräsentierte. Der in Pfeilerform mit abgerundeter Spitze bearbeitete und bemalte Stein ist somit eine Darstellung Jahwes, die jedoch bildlos ist[47]. Die

---

39 Gen 31,45; 33,20; Jos 24,26.

40 Gen 23,20; 35,14.20; 2. Sam 18,18.

41 2. Sam 18,18.

42 Gegen die Auffassung von פגר Lev, 26,30; Ez 43,7.9 als Bezeichnung für die Grabstele durch B. *Neiman*, PGR: A Canaanite Cult-Object in the Old Testament, JBL 67 (1948) S. 55–60 hat *J. H. Ebach*, PGR = (Toten)-Opfer?, UF 3 (1971) S. 365–368 die Bedeutung »Opfer« nachgewiesen.

43 Deut 7,5; 12,3; 16,22; vgl. Ex 23,24; 34,13; Lev 26,1.

44 Vgl. 1. Kön 14,23; 2. Kön 3,2; 10,26f; 17,10; 18,4; 23,14.

45 B. *Rothenberg*, Timna (1973) S. 118-120 mit Taf. 110.114 und S. 161–165 mit Taf. XI. 69.

46 Y. *Aharoni*, Lachish V (1975) S. 26-32.

47 Die Massebe ist eine bildlose Gottesdarstellung, die nicht im Widerspruch zum Bilderverbot des Alten Testaments steht, da die Bildlosigkeit des Jahwekultes gewahrt ist. Vgl. zum Problemkreis Gottesbild und Bilderverbot R. H. *Pfeiffer*, Images of Jahweh, JBL 45 (1926) S. 211–222; *H. Th. Obbink*, Jahwebilder, ZAW 47 (1929) S. 264–274; *K.-H. Bernhardt*, Gott

Massebe markiert die Gegenwart Jahwes, sie ist darum an erhöhter Stelle in einem besonders gestalteten Teil des Tempels aufgestellt[48].

3.3.3
Die Räucheraltäre

Auf der obersten Stufe zur Nische haben in Stratum X zwei Räucheraltäre gestanden und den Zugang zu ihr flankiert[49]. Die beiden Räucheraltäre sind 51 cm und 30 cm hoch, weichen also in der Größe voneinander ab. Sie haben die Form quadratischer Säulen, ihre Seiten sind sorgfältig geglättet, das Oberteil ist durch eine umlaufende Rille von dem übrigen Teil abgesetzt. Das Oberteil weist eine Vertiefung auf, in der Reste von Räucherwerk erhalten geblieben sind[50]. Das auf diesen Altären angezündete Räucheropfer wurde vor der Massebe und damit vor Jahwe dargebracht.

Räucheraltäre sind auch sonst aus dem alten Israel bekannt[51]. Die sechs Altäre aus Megiddo stammen zwar zum Teil aus dem Bereich des »sacred area« genannten Bezirk, über Fundumstände und Kontext wird jedoch nichts mitgeteilt, so daß über ihren ursprünglichen Standort nichts gesagt werden kann[52]. Im Unterschied zu den Altären von Arad weisen sie mit einer Ausnahme (M 5154) Hörner an den vier Ecken auf, sie entstammen dem 10. bis 8. Jh. Zwei weitere Altäre dieses Typs stammen aus den eisenzeitlichen Schichten von Sichem[53], sie wurden in Wohnhäusern gefunden. Der zweite von ihnen lag in einem Kontext von 6 sog. Räucherständern, die auf eine private Opferstätte hinweisen. Ein weiteres Exemplar mit Hörnern stammt vom *Tell Qedes*[54].

In Megiddo wurden in der südwestlichen Ecke der Eingangshalle eines verhältnismäßig großen Hauses in Stratum VA zwei Räucheraltäre mit Hörnern zusammen mit anderen Kultgeräten gefunden (Locus 2081)[55]. Unter

---

und Bild, ThA 2 (1956); *J. Gutmann*, The »Second Commandment« and the Image in Judaism, HUCA 32 (1961) S. 161–174; *W. Zimmerli*, Das zweite Gebot, Gottes Offenbarung, ThB 19 (1963) S. 234–248; *J. Ouellette*, Le deuxième commandement et le rôle de l'image dans la symbolique· religieuse de l'Ancien Testament. Essai d'interprétation, RB 74 (1967) S. 504–516; *W. Zimmerli*, Das Bilderverbot in der Geschichte des alten Israel, in: Schalom, ATh I,46 (1971) S. 86–96.

48   Vgl. *H. Greßmann*, ZAW 29 (1909) S. 128.
49   Zu den Fundumständen vgl. oben Abschnitt 3.2.3.
50   Die Analyse des erhaltenen Räucherwerks hat zu keinem eindeutigen Ergebnis geführt, es handelt sich aber in jedem Fall um tierisches Fett, vgl. *Y. Aharoni*, IEJ 17 (1967) S. 247, Anm. 29.
51   Das Beispiel aus Gezer bei *R. A. St. Macalister*, Gezer II (1912) S. 424, Fig. 507 ist fraglich, da es sich dabei vielleicht um einen quadratischen Steinpfeiler handelt, und bleibt hier unberücksichtigt.
52   *H. G. May*, OIP XXVI (1935) Pl. XII.
53   *E. Sellin*, ZDPV 49 (1926) S. 233 und Pl. 31 B/C.
54   *E. Stern*, Qadmoniot 2 (1969) S. 96.
55   Eine Beschreibung des Fundes fehlt, doch finden sich Plan und Abbildung bei *G. Loud*, Megiddo II, OIP LXII (1948) S. 44, Fig. 100–102.

den Funden befinden sich sog. Räucherständer, Kelche, Schalen und Krüge, eine Massebe ist jedoch nicht nachweisbar. Nach dem Fundort handelt es sich bei dieser Ansammlung von Kultgeräten in der Ecke eines Raumes um die Opferstätte in einem Privathaus. Neben der Darbringung von vegetarischen Opfergaben wurde Räucherwerk verbrannt. Ein ähnlicher Fund aus dem 10. Jh. wurde in Lachisch gemacht[56]. Räucheraltar, sog. Räucherständer, Kelche, Schalen und Lampen waren in der Ecke eines kleinen Raumes von 4 x 3 m aufgestellt. Die an den Wänden des Raumes gelegenen Bänke weisen zusammen mit den gefundenen Kultgegenständen darauf hin, daß dieser Raum allein der Kultausübung diente. Ein Zusammenhang mit anderen Räumen konnte nicht festgestellt werden. Dieser Raum kann nicht als ein selbständiges Heiligtum gelten, sondern war eine private Kultstätte, an der vegetarische Gaben und Räucherwerk geopfert wurden. Die kleine mit diesen Gegenständen gefundene Massebe hat vielleicht Jahwe repräsentiert. Der Räucheraltar verbreitert sich im Oberteil und weist keine Hörner auf. Die beiden Funde in Megiddo und Lachisch zeigen einen Zusammenhang von Räucheraltären und Speiseopfern. Der Räucheraltar scheint an solchen Opferstätten von entscheidender Bedeutung gewesen zu sein, an denen kein Altar für Tieropfer bestanden hat. Räucheraltäre waren auch in nachexilischer Zeit noch in Benutzung, wie die Funde im Tempel von Lachisch zeigen[57].

Im Tempel von Jerusalem hat seit salomonischer Zeit der sog. goldene Altar zum Räucheropfer gestanden[58], im chronistischen Geschichtswerk wird dieser ausdrücklich מזבח קטרת genannt[59]. Die Räucherpraxis geht bis in vorstaatliche Zeit zurück, da Eli das Opfern von Räucherwerk (להקטיר קטרת) ausdrücklich unter seinen priesterlichen Pflichten aufzählt (1. Sam 2,28). Als eine eigene Art des Opfers ist קטרת Jes 1,13 und Ps 141,2 vorausgesetzt. Das Opfern von Räucherwerk ist damit eine schon in vorköniglicher Zeit nachweisbare Kultpraxis, die selbständig neben den anderen Opferarten steht[60], wenngleich Räucheraltäre aus dieser Zeit fehlen. Die Selbständigkeit des Räucheropfers wird in dem Nachtrag Ex 30,1–10 ausdrücklich

---

56 Y. *Aharoni*, Lachish V (1975) S. 26–32.
57 O. *Tufnell*, Lachish III (1953) Pl. 42,8/9 und S. 143. K. *Elliger*, Chammanim = Masseben?, ZAW 57 (1939) S. 256–265; *ders.*, Der Sinn des Wortes *chammān*, ZDPV 66 (1943) S. 129–139 hat versucht, die Räucheraltäre mit dem als חמן bezeichneten Kultgegenstand gleichzusetzen, vgl. Lev 26,30; Jes 17,8; 27,9; Ez 6,4.6; 2. Chr 14,4; 34,4.7. K. *Galling*, Baᶜal Hammon in Kition und die Hammanîm, in: Wort und Geschichte, AOAT 18 (1973) S. 65–70 will auch die sog. Räucherkästchen als חמן verstehen. Die von *Elliger* herangezogenen palmyrenischen und nabatäischen Inschriften lassen aber erkennen, daß *hmn'* eher einen Kultbau als einen besonderen Altar bezeichnet, vgl. V. *Fritz*, Die Bedeutung des Wortes *hamman/hmn'*, in: Wort und Wirklichkeit (1976) S. 41–50.
58 1. Kön 6,20f und 7,48, vgl. für die nachexilische Zeit 1. Makk 1,21; 4,49; Josephus, Bell. V, § 216; Joma V,5. Dagegen rechnet K. *Galling*, HAT I,3 (1939) S. 147 mit der Aufstellung eines Räucheraltars erst in nachexilischer Zeit.
59 1. Chr 6,34; 28,18; 2. Chr 26,16.19.
60 Vgl. A. *Eberharter*, Das Weihrauchopfer im Alten Testament, ZKTh 50 (1926) S. 89–105; M. *Löhr*, Das Räucheropfer im Alten Testament (1927).

betont. Auch das Räuchern von Weihrauch bei der Darbringung von Speiseopfern ist eindeutig von dem eigentlichen Räucheropfer zu unterscheiden[61]. Wie die Funde in Megiddo und Sichem belegen, konnte das Räucheropfer außer im Heiligtum auch auf den Altären in Wohnhäusern dargebracht werden.

Über die Herkunft des Räucheropfers ist nichts bekannt. Aus der kanaanäischen Kultur sind Räucheraltäre, die denen aus der israelitischen Zeit entsprechen, bisher nicht nachgewiesen; die Praxis des Räucheropfers ist jedoch in Kanaan wie in Babylonien und Ägypten bezeugt[62]. Nähere Angaben für das Räucheropfer im alten Israel fehlen. Lev 10 und Num 16 spiegeln zwar Auseinandersetzungen um die Darbringung des Räucheropfers am Tempel von Jerusalem in nachexilischer Zeit innerhalb verschiedener Priestergruppen wider; sie setzen dabei die Darbringung des Räucheropfers auf einer Pfanne (מחתה) voraus, tragen aber zum Verständnis dieser Opferart nichts bei[63]. Erst in dem Nachtrag Ex 30,34-38 ist die Zusammensetzung des Räucherwerks erwähnt. Danach besteht das Räucherwerk aus den vier Substanzen Stakte, Räucherklaue, Galbanum und Weihrauch[64]. Josephus, Bell. V, § 218 spricht von 13 Substanzen, aus denen das Räucherwerk gemischt sei und die zeigen sollen ὅτι τοῦ θεοῦ πάντα καὶ τῷ θεῷ, in bKer 6a werden dann 15 Bestandteile für das Räucheropfer aufgezählt. Die Bedeutung des Räucheropfers liegt in dem Duft des aufsteigenden Rauches. Das Räucherwerk wird für Jahwe zum angenehmen Geruch verbrannt[65], mit ihm wird Jahwe beruhigt, besänftigt und wohlgestimmt[65a].

3.3.4
Zusammenfassung

Die Kulteinrichtungen im Tempel von Arad geben einen Einblick in die Art und Weise der Kultausübung. Das Nebeneinander von Opferaltar und Räucheraltären belegt die Ausübung der verschiedenen Opferarten. Die Bänke

---

61 Vgl. Lev 2,1f (Mehl); 2,14f (Erstlinge), dazu *F. Blome*, Die Opfermaterie in Babylonien und Israel (1934) S. 290–295.

62 Vgl. *O. Keel*, VT 25 (1975) S. 424–436; *H. Bonnet*, Die Bedeutung der Räucherungen im ägyptischen Kult, ZÄS 67 (1931) S. 20–28; *F. Blome*, Die Opfermaterie in Babylonien und Israel I (1934) S. 269–285).

63 Vgl. dazu *K. Elliger*, HAT I,4 (1966) S. 136f; *A. H. J. Gunneweg*, FRLANT 89 (1965) S. 171–184.

64 Zur Zusammensetzung des Räucheropfers vgl. *M. Löhr*, Das Räucheropfer im Alten Testament (1927) S. 4–6.

65 Der terminus technicus ריח ניחח wird Lev 4,31 ausdrücklich im Zusammenhang mit dem Räucheropfer erwähnt. Zum Begriff und den mit ihm verbundenen Vorstellungen vgl. *P. A. H. de Boer*, SVT 23 (1972) S. 37–47.

65a Die gleiche Bedeutung hat *O. Keel*, VT 25 (1975) S. 430f für Ägypten nachgewiesen: »Aehnlich wie Speise und Trank soll auch das Räuchern das Leben und Wohlbefinden des Gottes steigern, dem er (der Weihrauch) dargebracht wird. Dazu ist der Weihrauch ganz besonders geeignet, denn sein Duft ist eigentlich der der Gottheit. Im Weihrauch bringt man der Gottheit ihr Ureigenstes dar. Er erfreut die Gottheit wie nichts anderes.«

entlang den Wänden des Tempelraumes haben zur Darbringung von Speiseopfern gedient. Die Ausstattung mit zwei verschiedenen Altären für Tieropfer und Räucherwerk in Arad entspricht dabei der Einrichtung des Tempels von Jerusalem. Anstelle eines Kultbildes enthält der Tempel von Arad
in einer erhöhten Nische eine Massebe, mit der Jahwes Gegenwart verbürgt
ist.

3.4
Ursprung

Die Errichtung der Festung Arad an dieser Stelle kann mit strategischen Erwägungen begründet werden. Die Festung steht auf der letzten Erhebung
südlich des judäischen Gebirges, von wo aus der gesamte Umkreis gut zu
überblicken und der Aufstieg in das Gebirge leicht zu kontrollieren ist.
Wenngleich die Errichtung einer Festung aus den geographischen Gegebenheiten verständlich ist, so ist doch der Bau eines Tempels innerhalb der
Festung damit noch nicht erklärt. Nun haben die Grabungen den Nachweis
erbracht, daß vor dem Bau der Festung von Stratum XI um die Mitte des
10. Jh.s bereits im 11. Jh. an dieser Stelle eine Siedlung bestanden hat
(Stratum XII)[66]. Neben einigen Häusern und Teilen einer Töpferwerkstatt
wurde in diesem Stratum ein Kultplatz freigelegt, der teilweise unter dem
Hof des Tempels von Stratum XI gelegen hat. Diese Kultstätte ist ein gepfla-
sterter Hof von etwa 30 m im Quadrat, der von einer Mauer umgeben war.
In seiner Mitte wurde der Rest eines Altars, an seiner Südseite der Teil einer
halbkreisförmigen Plattform aus Lehmziegeln freigelegt, die möglicherweise eine במה gewesen ist. Mit der Errichtung der Festung von Stratum XI
während der Herrschaft Salomos wurde diese Kultstätte völlig überbaut, in
ihrem nordwestlichen Teil wurde innerhalb der Festung der Tempel errichtet. Der Altar dieses Tempels liegt dabei teilweise über demjenigen von
Stratum XII. Die Anlage eines Tempels innerhalb der Festung geht also auf
ein älteres Heiligtum zurück.
Die vorsalomonische Kultstätte auf dem *Tell ʿArād* ist von *Benjamin Mazar*
auf Grund von Ri 1,16 mit der kenitischen Familie des Hobab in Verbindung
gebracht worden[67]. Die Nennung des Negeb Arad in Ri 1,16 ist der einzige
Hinweis auf die Geschichte von Arad vor der Königszeit.»Negeb Arad« benennt ohne Zweifel ein Gebiet, ohne daß Herkunft und Bedeutung des Namens zu klären sind[68]. Die Ansetzung einer Sippe Hobabs in diesem Gebiet
durch *Benjamin Mazar* beruht jedoch auf einer Textergänzung. Der Beginn
von Ri 1,16 lautet ובני קיני חתן משה עלו, was *Mazar* auf Grund von Ri 4,11

---

66 Vgl. Y. *Aharoni*, IEJ 17 (1967) S. 270 und BA 39 (1976) S. 61, Fig. 7.

67 B. *Mazar*, Arad and the Family of Hobab the Kenite, JNES 24 (1965) S. 297–303.

68 B. *Mazar*, JNES 24 (1965) S. 299 hält Arad für den Namen einer ethnischen Gruppe oder
einer nomadischen Sippe. Die Übernahme eines »Familiennamens« für die königliche Festung
im 10. Jh. ist aber nicht sehr wahrscheinlich, da Arad sonst nur als Ortsname bekannt ist. Eher
ist damit zu rechnen, daß der Name Arad an den Überresten der frühbronzezeitlichen Stadtan-
lage gehaftet hat.

und der Lesart von LXX[A] zu קיני חבב ובני ergänzt. Zwar verlangt das חתן משה einen Namen vor קיני, doch ist die Einsetzung von חבב insofern fraglich, als Hobab nach Num 10,29 als Midianiter gelten muß. Da Hobab in der Erzählung Num 10,29–32 J fest verwurzelt ist, kann die Bezeichnung als Midianiter der Verbindung mit den Kenitern in Ri 4,11 gegenüber als primär gelten. Die Bestimmung משה חתן חבב מבני in Ri 4,11 ist wahrscheinlich ein sekundärer Zusatz, ebenso ist vermutlich משה חתן in Ri 1,16 eine Glosse. Das Subjekt dieses Satzes hat ursprünglich wohl einfach קין ובני gelautet[69]. Zwar ist Sicherheit über den ursprünglichen Text von Ri 1,16 nicht zu gewinnen, in jedem Falle werden die Keniter aber mit dem Gebiet des Negeb Arad in Verbindung gebracht. Die Siedlung und das Heiligtum von Stratum XII auf dem *Tell ʿArād* können darum auf die Keniter zurückgeführt werden.

Die Erwähnung einer kenitischen Sippe im Bereich der Ebene Jesreel in Ri 4,11 zeigt, daß die Keniter noch im 12. Jh. Nomaden gewesen sind. Sonst werden die Keniter als Bewohner des Negeb erwähnt, nach ihnen ist 1. Sam 27,20 ein Teil des Negeb genannt und aus 1. Sam 15,6 ist zu entnehmen, daß sie mit den Südstämmen in einem Schutzverhältnis standen[70]. Die Städte der Keniter werden 1. Sam 30,29 pauschal aufgeführt, was auf ein geschlossenes Siedlungsgebiet noch während der Zeit Sauls schließen läßt. In der sog. Gaueinteilung Judas erscheint noch im 9. Jh. innerhalb des Negebgaues eine Ortschaft Qina (Jos 15,22). Der Ort wird auch im Ostrakon 6005/1 von Arad erwähnt[71], wahrscheinlich muß er in der Umgebung des *Tell ʿArād* gesucht werden. Der Name der Keniter hat sich bis auf den heutigen Tag in der Bezeichnung *Wādi el-Qēna* südöstlich vom *Tell ʿArād* erhalten. Das Einzugsgebiet der Keniter scheint somit am Ostrand des Negeb gelegen zu haben, die Siedlungsgeschichte dieses Stammes ist jedoch nicht bekannt. Nach Gen 4,22 sind die Keniter Schmiede gewesen, außerdem gehören sie zu den Jahweverehrern (Gen 4,26b)[72]. Das kenitische Heiligtum von

---

69 Begründung bei *V. Fritz*, Israel in der Wüste (1970) S. 64f.

70 Vgl. *F. Ch. Fensham*, Did a Treaty between the Israelites and Kenites exist?, BASOR 175 (1964) S. 51–54.

71 Text bei *Y. Aharoni*, BASOR 197 (1970) S. 17–20.

72 Gen 4,1–16 stellt Kain neben Abel als den ersten Jahweverehrer dar. Wie die Midianiter gehören die Keniter zu den Stämmen der arabischen Wüste, die Jahwe als ihren Gott verehrt haben. Die sog. Keniterhypothese, die die Übernahme des Jahweglaubens durch die israelitischen Stämme von den Kenitern behauptet, ist eine einseitige Überspitzung der erreichbaren Aussagen. »Ein Beweis dafür, daß Mose seine Gottesvorstellung und die Israeliten ihren Gottesglauben von den Kenitern übernommen hätten, läßt sich allerdings nicht führen« (*W. Vischer*, Jahwe der Gott Kains ⟨1929⟩ S. 24, Anm. 18). Vermutlich haben die Südstämme zusammen mit den anderen Gruppen Jahwe an seinem Berg im Gebiet der Midianiter östlich des Golfes von *el-ʿAqaba* verehrt, ohne daß die israelitischen Stämme die Jahwereligion »durch die Vermittlung des Moses von den Midianitern übernommen« haben müssen, wie *K.-H. Bernhardt*, ThA 2 (1956) S. 128 behauptet. Vgl. zu diesem Fragenkomplex *W. Vischer*, Jahwe der Gott Kains (1929); *F. Horst*, Die Notiz vom Anfang des Jahwekultes in Genesis 4,26, BEvTh 26 (1957) S. 68–74; *H. Heyde*, Kain, der erste Jahwe-Verehrer, ATh I,23 (1965); *R. de Vaux*, Sur l'origine Kénite ou Madianite du Yahvisme, EI 9 (1969) S. 28–32.

Stratum XII auf dem *Tell ʿArād* war somit bereits eine Kultstätte Jahwes. Der Tempel innerhalb der Festung von Arad geht also auf ein kenitisches Heiligtum an dieser Stelle zurück und ist eine Weiterführung kenitischer Kulttraditon.

3.5
Einordnung

Der Tempel von Arad ist ein Breitraum mit einer erhöhten Nische an der Rückwand und vorgelagertem Hof. Um den Hof gruppieren sich Nebenräume, deren Anzahl und Größe von Stratum zu Stratum wechseln. Die Veränderungen bei den Nebenräumen in den verschiedenen Strata sind wahrscheinlich durch die Bedürfnisse des Kultpersonals bedingt[73]. Die Umfassung des Hofes mit Mauern ist durch die Notwendigkeit der Begrenzung des Tempelbezirkes bestimmt. Der Altar stand ursprünglich im Mittelpunkt des Hofes, von Stratum X an reichten die nördlichen Nebenräume bis an den Altar heran. Die durch die baulichen Veränderungen bedingte Verkleinerung des Hofes in den späteren Strata belegt, daß für den Hof keine bindenden Vorschriften über die Größe bestanden. Nur der Altar blieb an seinem Standort. Für den Tempelraum dagegen ergab sich das Bestreben, eine bestimmte Größe unbedingt einzuhalten. Seine Abmessung betrug stets 6 x 20 Ellen. Bei der Änderung des Ellenmaßes ist der Tempelraum entsprechend dem neuen Standard vergrößert worden. Das unbedingte Festhalten an dem Verhältnis von 6 x 20 Ellen zeigt, daß die Abmessung als ein wesentlicher Bestandteil des Kultbaus gelten muß. Ableitung und Einordnung des Tempels von Arad müssen deshalb von dem Tempelraum ausgehen. Mit dem Tempel von Jerusalem stimmt der Tempel von Arad in drei Einzelheiten überein: beide sind 20 Ellen breit, ihr Eingang ist von 2 Säulen flankiert und sie sind von West nach Ost orientiert[74]. Weitere Vergleichsmöglichkeiten sind zwischen beiden Bauwerken nicht gegeben, da sie sich in der Anlage grundlegend unterscheiden. Der Tempel von Jerusalem ist ein mit Vorhalle versehenes Langhaus, der Tempel von Arad ist ein Breitraum mit einer Nische. Damit entfallen nicht nur alle weiteren Vergleichsmöglichkeiten, sondern auch die Annahme einer gegenseitigen Abhängigkeit in irgendeiner Form. Die Tempel in Jerusalem und in Arad sind ihrer Anlage nach so grundsätzlich verschieden, daß sie unterschiedlichen Bautraditionen entstammen müssen. Während der Jerusalemer Tempel auf den Typ des langräumigen Antentempels zurückzuführen war[75], muß für den Tem-

---

73 Über die am Tempel von Arad amtierenden Priester kann vorläufig nichts gesagt werden. Unter den Ostraka befinden sich solche, die nur mit einem Namen beschrieben sind. Die von *Y. Aharoni*, BA 31 (1968) S. 29, Fig. 17 publizierten Beispiele tragen die Namen *mrnwt* und *pšḥr*. Ein Zusammenhang dieser Namen mit den gleichlautenden der biblischen Schriften ist möglich, aber nicht beweisbar.
74 Zum Vergleich dieser Elemente vgl. unten Abschnitt 3.6.
75 Vgl. oben Abschnitt 2.4.

pel von Arad die baugeschichtliche Einordnung erst noch ermittelt werden. *Yohanan Aharoni* hat den Tempel von Arad zunächst in Analogie zum Tempel von Jerusalem mit der aus 1. Kön 6 übernommenen Terminologie beschrieben[76]. Danach soll die Nische dem Debir, der Tempelraum dem Hekal und der westliche Teil des Vorhofs der Vorhalle entsprechen. Dagegen spricht, daß der westliche Teil des Hofes nicht ein Teil des Bauwerkes ist und darum nicht als Vorhalle angesprochen werden kann. Außerdem ist der Tempelraum nicht durch einen Einbau unterteilt, sondern durch eine Nische an der Rückwand erweitert[77]. Weiterhin unterscheiden sich beide Tempel grundlegend darin, daß der in Arad ein Breitraum, der in Jerusalem aber ein Langraum ist. Beide Tempel entsprechen sich somit in keiner Weise, so daß der Tempel von Arad nicht in Analogie zum Jerusalemer Tempel verstanden werden kann.

Später hat *Yohanan Aharoni* die zwischen den Tempeln von Arad und Jerusalem bestehenden Unterschiede deutlich herausgestellt[78]. Für die Frage nach der Herkunft rechnet er damit, daß der Tempel von Arad einen alten israelitischen Typ des Breitraumtempels darstelle, während das Langhaus des Jerusalemer Tempels auf außerisraelitische Einflüsse zurückgehe. Die Beschreibung des priesterschriftlichen Zeltheiligtums habe zwar die Tradition des altisraelitischen Heiligtums bewahrt, gleichzeitig aber beide Tempeltypen miteinander vereinigt: einerseits sei dieses ein Einraum entsprechend dem altisraelitischen Tempeltyp, andererseits sei der Entwurf jedoch vom salomonischen Tempel beeinflußt, da er eindeutig ein Langhaus beschreibt.

Ob der Entwurf des priesterschriftlichen Zeltheiligtums in irgendeiner Weise auf die Bauform des Breitraumtempels, die im Tempel von Arad eindeutig vorliegt, zurückgegriffen hat, kann nur die Untersuchung von Ex 26 zeigen[79]. Als Vorlage für den Tempelbau in Israel scheidet die Beschreibung der Priesterschrift von vornherein aus, da sie frühestens in exilischer Zeit verfaßt worden ist. Aber selbst wenn von der Priesterschrift älteres Traditionsgut aus vorexilischer Zeit aufgenommen worden sein sollte, so reicht die bloße formale Feststellung der Einräumigkeit doch nicht aus, um eine Beziehung zwischen dem Tempel von Arad und der priesterschriftlichen Beschreibung herzustellen. Die Einordnung des Tempels von Arad kann nicht von den Texten, sondern nur von der Architektur her erfolgen.

Breitraumtempel sind im Bereich Syriens und Palästinas für das 4. bis 2. Jt. bekannt[80]. Das älteste Beispiel ist der Tempel mit vorgelagertem Hof von

---

76 Y. *Aharoni*, BA 31 (1968) S. 21–25. Gegen diese Einordnung vgl. bereits P. *Welten*, ZDPV 88 (1972) S. 24.

77 B. *Mazar*, JNES 24 (1965) S. 297 hat die Nische als Cella bezeichnet, sie entspricht aber allenfalls dem Adyton.

78 Y. *Aharoni*, The Solomonic Temple, the Tabernacle and the Arad Sanctuary, in: Orient and Occident, AOAT 22 (1973) S. 1–8.

79 Vgl. dazu unten Abschnitt 6.2.3.

80 Die Tempel ohne Breitraumcella bleiben hier unberücksichtigt, da für sie mit einer ande-

En-Gedi aus dem Chalkolithikum[81]. Weitere Tempel mit Breitraumcella aus der Frühbronzezeit[82] sind die Doppeltempel 4050 und 4047 sowie der Tempel 4113 aus den Strata XIX und XVII in Megiddo[83], ein kleiner Kultbau in Jericho Stratum VII[84] und der sog. Palast in Ai[85]. Ein Breitraum ist auch der Tempel bei Naharija aus der Mittelbronze IIB-Zeit[86], doch handelt es sich bei allen Phasen wohl um einen Knickachstempel, bei dem sich zwar der Eingang an der Längsseite befindet, das Kultbild aber an einer Schmalseite steht. Der Tempel 4040 sowie der Doppeltempel 5192 und 5269 in Megiddo aus der frühen und mittleren Bronzezeit haben eine Breitraumcella[87], der aber eine Vorhalle vorgelagert war[88]. Eine Breitraumcella hat ebenfalls

ren baugeschichtlichen Entwicklung zu rechnen ist. Die bisher bekannt gewordenen kanaanäischen Tempel sind zusammengestellt bei *Th. A. Busink*, Der Tempel von Jerusalem I (1970) S. 486-565; *G. R. H. Wright*, Pre-Israelite Temples in the Land of Canaan, PEQ 103 (1971) S. 17-32.

81 Plan und Beschreibung bei *D. Ussishkin*, The »Ghassulian« Temple in Ein Gedi and the Origin of the Hoard from Nachal Mishmar, BA 34 (1971) S. 23-39. Vgl. dazu *A. Kempinski*, The Sin Temple at Khafaje and the En-Gedi Temple, IEJ 22 (1972) S. 10-15.

82 Der von *R. Amiran*, Ancient Arad (1967) S. 11, Fig. 7 als Tempel deklarierte Bau ist ein besonders großes Haus, doch fehlen jegliche Anzeichen, die eine kultische Interpretation des Gebäudes begründen könnten. Vgl. die ausführliche Ablehnung durch *S. Yeivin*. EI 11 (1973) S. 164-166 (Hebr.).

83 *G. Loud*, Megiddo II (1948) S. 61-70; vgl. dazu *C. Epstein*, The Sacred Area at Megiddo in Stratum XIX, EI XI (1973) S. 54-57 (Hebr.); *I. Dunayevsky and A. Kempinski*, ZDPV 89 (1973) S. 167-175 mit den neuen Plänen Fig. 4 und 5.

84 *J. and J. B. E. Garstang*, The Story of Jericho (²1948) S. 78, Fig. 8.

85 Die Deutung des ursprünglich »Palast« genannten Gebäudes (*J. Marquet-Krause*, Les fouilles de ᶜAy ⟨et-Tell⟩ 1933-1935, Atlas ⟨1949⟩ Pl. XC und XCII) als Tempel hat *G. E. Wright*, The Significance of Ai in the Third Millenium B. C., in: Archäologie und Altes Testament (1970) S. 299-319 wahrscheinlich gemacht. Dagegen sind die ursprünglich als »sanctuaire« angesprochenen Räume (*J. Marquet-Krause*, ebd., Pl. XCII und XCIII) kein Tempel, sondern ein zu Kultzwecken genutztes Gebäude, das bereits im vorausgegangenen Stratum ohne kultische Absicht errichtet worden war, vgl. *J. A. Callaway*, The Early Bronze Age Sanctuary at Ai (et-Tell) I (1972) S. 292-297 mit Fig. 87.

86 *I. Ben-Dor*, A Middle Bronze-Age Temple at Naharija, QDAP 14 (1950) S. 1-41; *M. Dothan*, The Excavations at Naharija. Preliminary Report (Seasons 1954/55), IEJ 6 (1956) S. 14-25.

87 *G. Loud*, Megiddo II (1948) S. 78-84, Plan Fig. 394. Da es hier nur um die Feststellung der Tempeltypen geht, können die äußerst schwierigen Probleme der Datierung und der Stratigraphie der einzelnen Tempel in Megiddo unberücksichtigt bleiben, vgl. dazu *K. M. Kenyon*, Some Notes on the Early and Middle Bronze Age Strata of Megiddo, EI 5 (1958) S. 51-60; *dies.*, The Middle and Late Bronze Age Strata at Megiddo, Levant 1 (1969) S. 25-60; *I. Dunayevsky and A. Kempinski*, The Megiddo Temples, ZDPV 89 (1973) S. 161-187; *Th. L. Thompson*, The Dating of the Megiddo Temples in Strata XV – XIV, ZDPV 86 (1970) S. 38-49.

88 Nach *I. Dunayevsky and A. Kempinski*, ZDPV 89 (1973) S. 167-175 haben der Tempel 4040 sowie der Doppeltempel 5192 und 5269 nur in Stratum XV nebeneinander gestanden. Der Tempel 4040 wurde bereits in Stratum XVII gegründet und war bis Stratum XIVb in Benutzung, an seiner Stelle hat dann in den Strata XIVa bis XI eine mittelbronzezeitliche Kultstätte bestanden, bis in Stratum X am Ende der Mittelbronzezeit IIB der Tempel 2048 errichtet wurde, der die Form des für die Epoche typischen Langraumes hat. Der südlich an den Tempel 4040 anschließende große Altar 4017 ist noch älter als der Tempel 4040 und war während der gesamten Zeit seines Bestehens in Benutzung.

der Tempel in der Unterstadt von Hazor[89], der in der Mittelbronze IIB-Zeit gegründet wurde und bis zum Ende der Spätbronzezeit in drei Phasen bestanden hat. Seine Eingangsfront ist entsprechend den Migdal-Tempeln von Sichem und Megiddo von zwei Türmen flankiert[90]. In Syrien haben die Tempel der Strata VII, IV, III, IA und IB auf dem *Tell el-ʿAṭšāne* eine Breitraumcella, der ein Vorraum vorgelagert ist[91]. Ihrer Bauform nach gehören die Tempel der Strata IA und IB mit den Tempeln von Hazor zusammen. Der Überblick zeigt, daß von der Mittelbronzezeit an der Tempel mit Breitraumcella und einer Vorhalle den einräumigen Breitraumtempel abgelöst hat[92].

Eine Abhängigkeit des Tempels von Arad von den kanaanäischen Breitraumtempeln ist nicht feststellbar[93]. Nicht nur der große zeitliche Abstand, sondern auch die über Jahrhunderte erfolgte Weiterentwicklung dieses Tempeltyps in den bronzezeitlichen Kulturen schließen die Annahme einer Beziehung des Tempels von Arad zum kanaanäischen Tempelbau aus. Der Tempel von Arad ist nicht aus dem kanaanäischen Tempelbau ableitbar, er stellt vielmehr eine eigene Bauform dar, deren Herkunft allein aus dem Vergleich mit der israelitischen Architektur ermittelt werden kann.

Da der Tempel von Arad im 10. Jh. gegründet wurde, kann seine Bauform nur der Architektur der frühen Eisenzeit entstammen. Aus dieser Epoche sind bisher Wohnhäuser nur in wenigen Beispielen bekannt, doch lassen sich folgende Typen unterscheiden:

1. Das *Pfeilerhaus* ist ein rechteckiger Bau mit ein oder zwei Reihen von Steinpfeilern in der Längsrichtung des Hauses, so daß sich zwei bzw. drei langgestreckte Raumeinheiten ergeben. Der Eingang liegt gewöhnlich an der Längsseite, quer zu den Pfeilerreihen können weitere Räume abgeteilt

89 Y. *Yadin*, Hazor (1972) S. 75–95 mit den Plänen Fig. 19 auf S. 76 und Fig. 20 auf S. 88.
90 Zu Sichem vgl. E. *Sellin*, ZDPV 49 (1926) S. 309–311 und Taf. 33; *ders.*, ZDPV 50 (1927) S. 206f und Taf. 11.12.22; *ders.*, ZDPV 64 (1941) S. 18–20; G. E. *Wright*, Shechem (1965) S. 80–102. Für Megiddo s. G. *Loud*, Megiddo II (1948) S. 78–84, Plan Fig. 394. Auf die Probleme der Datierung dieser Tempel braucht hier nicht eingegangen zu werden.
91 C. L. *Woolley*, Alalakh (1955) Fig. 35.30.32.34b.c.
92 Das als Tempel angesprochene spätbronzezeitliche Gebäude auf dem *Tell Kamīd el-Lōz* kann vorläufig nicht zum Vergleich herangezogen werden, da der vollständige Plan noch nicht veröffentlicht ist, vgl. M. *Metzger*, SVT 22 (1972) S. 155–170. Der mit Räumen umgebene Hof läßt für den Bau am ehesten an den Typ des Hofhaustempels denken, der in Analogie zum Wohnhaus ausgebildet worden ist, doch ist eine genaue Einordnung bis zur Veröffentlichung eines Gesamtplanes nicht möglich. Im palästinensisch-syrischen Raum hat dieser Tempel keine Parallelen, da die Quadratbauten bei Amman und auf dem Garizim keine Tempel, sondern Profanbauten waren, vgl. dazu V. *Fritz*, Erwägungen zu dem spätbronzezeitlichen Quadratbau bei Amman, ZDPV 87 (1971) S. 140–152.
93 Auf die möglichen Zusammenhänge des Breitraumtempels mit dem Typ des Breitraumwohnhauses in der Bronzezeit kann hier nicht eingegangen werden, da dies die Darstellung des Hausbaus in den verschiedenen bronzezeitlichen Kulturen voraussetzt. Für die Geschichte des Wohnhauses ist die Arbeit von H. K. *Beebe*, Ancient Palestinian Dwellings, BA 31 (1968) S. 38–58 unzulänglich. Eine Geschichte der Architektur Palästinas fehlt, für die frühe Bronzezeit vgl. die Untersuchung von A. *Ben-Tor*, Plans of Dwellings and Tempels in Early Bronze Age Palestine, EI 11 (1973) S. 92–98 (Hebr.).

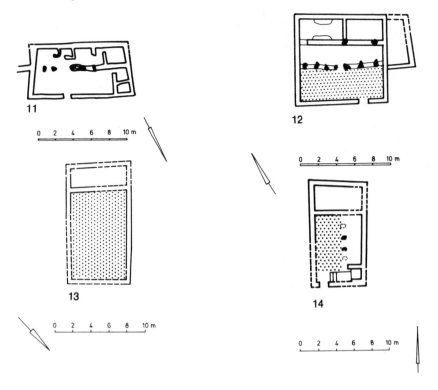

Abb. 11. Pfeilerhaus vom *Tēl Isdār*
Abb. 12. Pfeilerhaus aus *Ḥirbet el-Mšāš* Stratum II
Abb. 13. Hofhaus vom *Tell es-Seba'* Stratum VIII
Abb. 14. Hofhaus vom *Tell es-Seba'* Stratum VI

sein. Dieser Typ ist mit einer Pfeilerreihe auf dem *Tēl Isdār* Stratum III nachgewiesen (Abb. 11), während die Gebäude auf dem *Tell Qasīle* Stratum X (Abb. 16) und in *Ḥirbet el-Mšāš* (Abb. 12) zwei Reihen von Pfeilern aufweisen[94]. Während er in der frühen Eisenzeit ein Wohnhaus gewesen ist, wird dieser Typ in der Eisen II-Zeit – nach Verlegung des Eingangs an die Schmalseite – für öffentliche Funktionen verwendet[95].

94 M. *Kochavi*, Atiqot Hebrew Series 5 (1969) S. 25, Fig. 9 und S. 26, Fig. 10 und 11; B. *Mazar*, The Philistines and the Rise of Israel and Tyre (1964) S. 11, Fig. 6. In dem Pfeilerhaus auf der *Ḥirbet el-Mšāš* (Abb. 12) ist eine Reihe von Steinpfeilern durch eine Lehmziegelmauer ersetzt, außerdem hat es einen kleinen angebauten Raum an der Ostseite.
95 Die Beispiele sind zusammengestellt bei Z. *Herzog*, The Store Houses, in: Y. *Aharoni*, Beer-Sheva I (1973) S. 23–30. Die Interpretation der sog. Pferdeställe in Megiddo und ihre Deutung als Kasernen oder Vorratshäuser kann hier auf sich beruhen bleiben, vgl. dazu J. *Pritchard*, The Megiddo Stables. A Reassessment, in: Near Eastern Archaeology in the Twentieth Century. Essays in Honor of Nelson Glueck (1970) S. 268–276.

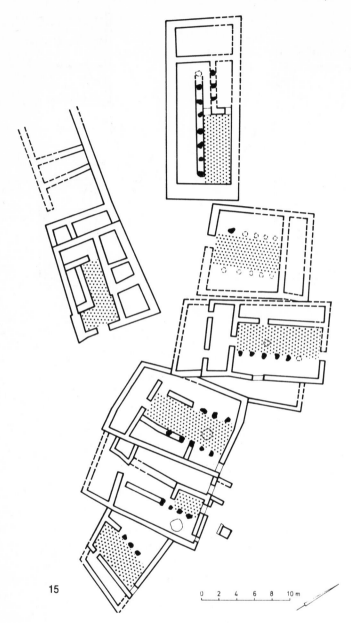

15

0 2 4 6 8 10 m

Abb. 15. Häuser aus *Ḥirbet el-Mšāš* Stratum II

2. Bei dem israelitischen *Hofhaus* ist einem Breitraum ein Hof vorgelagert. Diese einfache Form ist verhältnismäßig selten (Abb. 13), vielmehr wird der Hof weiter in Längsrichtung unterteilt (Abb. 14–16). Dabei können

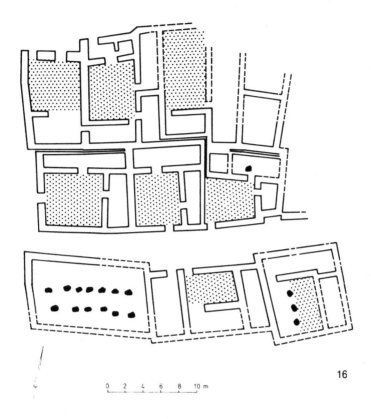

16

0 2 4 6 8 10 m

Abb. 16. Häuser vom *Tell Qasīle* Stratum X

Räume an nur einer oder an beiden Seiten des Hofes bestehen, die Abtrennung kann durch Mauern oder Steinsäulen erfolgen. Der Eingang führt
meistens an der Schmalseite in den Hof. Entsprechend der Zahl der Raumeinheiten wird dieser Typ Dreiraum- oder Vierraumhaus genannt, doch hat
Ernst Heinrich mit Recht darauf hingewiesen, daß es sich um ein »Hofhaus«
handelt[96]. Wohnhäuser dieses Typs sind in Ortschaften aus der Eisen I-Zeit
auf der *Ḥirbet el-Mšāš* und auf dem *Tell es-Sebaᶜ* im Negeb (Abb. 14 und
15), in der früheisenzeitlichen Siedlung in Ai und in *Ḥirbet er-Raddāna* auf

96 *E. Heinrich*, RA IV, 2/3 (1973) S. 220. Das israelitische Hofhaus ist von dem kanaanäischen Hofhaus zu unterscheiden und hat baugeschichtlich mit diesem nichts zu tun. Bei dem
Typ des Hofhauses der mittleren und späten Bronzezeit sind um einen viereckigen Hof an mindestens zwei gegenüberliegenden, häufig aber an allen vier Seiten Räume in unregelmäßiger
Anordnung herum gelagert. Als Beispiele vgl. die Hofhäuser in Hazor und Megiddo bei *Y. Yadin*, Hazor (1972) S. 30, Fig. 5 und S. 34, Fig. 6; *G. Loud*, Megiddo II, OIP LXII (1948) S. 13,
Fig. 23; S. 100, Fig. 242; S. 102, Fig. 246.

dem Gebirge sowie auf dem *Tell Qasīle* in der Küstenebene (Abb. 16) nachgewiesen[97]. Bereits in der frühen Eisenzeit ist dieser Typ des Wohnhauses
weit verbreitet, herrscht aber auch in zahlreichen weiter entwickelten Va-
rianten in der Eisen II-Zeit vor[98].

Beide Haustypen lassen keinerlei Einfluß durch die Architektur der kanaanäischen Kultur erkennen, da sich die Hausformen der mittleren und späten
Bronzezeit völlig anders entwickelt haben. Die israelitischen Wohnhäuser
sind erst durch die israelitischen Stämme bei ihrem Übergang zur Seßhaftigkeit geschaffen worden und gehen damit letztlich entsprechend ihrer
nomadischen Herkunft auf den Zeltbau zurück. Das Pfeilerhaus entspricht
dabei dem Firstdachzelt mit mehreren parallelen Pfostenreihen.

Das Hofhaus hat sich entweder aus dem Pfeilerhaus entwickelt oder es stellt
einen eigenen Bautyp dar, der auf das einräumige Breitraumhaus zurückgeht. Die Entwicklung des Hofhauses aus dem Pfeilerhaus ergibt sich unter
der Voraussetzung der Verlegung des Eingangs an die Schmalseite und der
Erweiterung um einen Breitraum an der dem Eingang gegenüberliegenden
Seite. Dadurch wurde beim vierräumigen Hofhaus der mittlere Raum zum
offenen Hof, der nach Bedarf vergrößert werden konnte und von dem aus
alle übrigen Räume des Hauses zugänglich waren. Der Raum an der Rückseite über die gesamte Breite des Gebäudes ist in den Einbauten und Anbau-
ten vorgebildet, wie sie bei den früheisenzeitlichen Pfeilerhäusern auf dem
Tēl Isdār (Abb. 11) und auf der *Ḥirbet el-Mšāš* (Abb. 12) vorkommen. Zu
erwägen bleibt aber auch die Ableitung aus dem einräumigen Breitraumhaus, dem ein Hof vorgelagert wurde, der dann wiederum in Längsrichtung
unterteilt worden ist. Nun ist aber das Einraumhaus bisher nicht in der Eisen I-Zeit nachgewiesen, und das Haus in Stratum VIII auf dem *Tell es-Sebaᶜ* (Abb. 13) ist zu schlecht erhalten, als daß mit Sicherheit ausgeschlossen
werden könnte, daß der Hof nicht doch unterteilt gewesen ist. Darum ist
eher anzunehmen, daß das Hofhaus sich aus dem Pfeilerhaus entwickelt
hat. Diese Ableitung erklärt auch, warum das Hofhaus in so zahlreichen Va-
rianten in der frühen Eisenzeit gebaut wurde (vgl. Abb. 15 und 16), wenngleich eine gewisse Standardisierung unverkennbar ist. Das Hofhaus ist somit wahrscheinlich eine Weiterentwicklung des Pfeilerhauses.

---

97 Pläne bei *V. Fritz* und *A. Kempinski*, ZDPV 92 (1976) Abb. 2; *Y. Aharoni*, Tel Aviv 2
(1975) S. 150, Fig. 2; *J. Marquet-Krause*, Les fouilles de ᶜAy (et-Tell) 1933–1935. Atlas (1949)
Pl. XCVII; *B. Mazar*, The Philistines and the Rise of Israel and Tyre (1964) S. 11, Fig. 6. Die
neu ausgegrabenen Häuser der frühen Eisenzeit in Ai und auf der *Ḥirbet er-Raddāna* sind noch
nicht veröffentlicht, vgl. vorläufig *J. A. Callaway*, BASOR 198 (1970) S. 12–19; *J. A. Callaway* and *R. E. Cooley*, BASOR 201 (1971) S. 12–14.
98 Als Beispiele für diese Haustypen vgl. die Häuser aus der Eisen II-Zeit in folgenden Orts-
lagen: *Tell Bēt Mirsim*: *F. W. Albright*, AASOR XXI–XXII (1943) Pl. 3.5.6.7, *Tell en-Naṣbe*:
Ch. C. McCown, Tell en-Naṣbe I (1947) S. 184, Fig. 43; S. 208, Fig. 51; S. 210, Fig. 52A;
S. 211, Fig. 52B, *Tell el-Fārᶜa*: *R. de Vaux*, RB 59 (1952) S. 559, Fig. 5 und S. 565, Fig. 7,
Hazor: *Y. Yadin*, Hazor II (1960) Pl. CCII. Zur Klassifikation vgl. *Y. Shiloh*, The Four-Room
House. Its Situation and Function in the Israelite City, IEJ 20 (1970) S. 180–190; *ders.*, The
Four-Room House – The Israelite Type-House?, EI 11 (1973) S. 277–285 (Hebr.).

Der Tempel von Arad in Stratum XI ist ein Breitraum mit vorgelagertem Hof über die gesamte Breite des Gebäudes (Abb. 9). Erst in den Strata X bis VIII wurde der Hof teilweise zugebaut. Der ursprüngliche Plan entspricht dabei insofern dem Hofhaus, als der rückwärtige Breitraum ein fester Bestandteil dieses Haustyps ist (Abb. 13-16). Allerdings fehlt beim Tempel in seiner ersten Bauphase jede Unterteilung des Hofes. Dieser große Hof erklärt sich aber aus den Erfordernissen des Kultes. Als Opferstätte kam der Altar im Zentrum des Hofes zu stehen, was eine anderweitige Bebauung ausschloß. Die erforderlichen Nebenräume wurden außerhalb des Hofes angelegt, waren aber von diesem aus zugänglich. Diese Konzeption wurde dann in den folgenden Strata verlassen, indem Räume innerhalb des Hofes angelegt wurden (Abb. 10).

Der Tempel von Arad Stratum XI entspricht also trotz der fehlenden Unterteilung des Hofes dem altisraelitischen Hofhaus, indem die Konzeption eines Breitraumes übernommen wurde, die für das Hofhaus typisch ist. In seiner Anlage geht der Tempel somit auf das Wohnhaus zurück, der Bau dieses Heiligtums ist entsprechend dem Hofhaus erfolgt, wobei der Hof den kultischen Erfordernissen angepaßt wurde. Der Tempel von Arad steht in der Tradition des Hausbaus in Israel, die über das Hofhaus bis zum Pfeilerhaus zurückverfolgt werden konnte, das wiederum in der Zeltbauweise wurzelt. Der Bauform nach ist der Tempel von Arad aus dem Hausbau entwickelt und nach diesem gestaltet worden[99]. Diese Ableitung schließt die Rückführung des Tempels von Arad auf ein Zeltheiligtum aus. Die Beibehaltung der Abmessungen und der Konzeption für den Tempelraum in den verschiedenen Bauphasen zeigt, daß dieser durch eine Tradition festgelegt war, die keine Änderungen zuließ.

Auffallend ist nun die dem Eingang gegenüberliegende Nische. Sie sprengt zwar nicht die Konzeption des einräumigen Breitraumtempels, erweitert aber den Tempelraum um einen weiteren – allerdings sehr kleinen – Raum an der Rückseite. Ihre Lage in der Mitte der Rückwand zeigt deutlich, daß der Tempel von der Konzeption des Breitraumes aus erbaut ist. Ihre Funktion bestand darin, einen Kultgegenstand aufzunehmen und von dem übrigen Tempelgebäude abzusondern. In den Strata XI und X wurde dort je eine Massebe gefunden[100]. Die Absonderung dieses Kultobjektes ist einmal durch die geringe Raumtiefe bedingt: die Aufstellung einer Massebe an der Rückwand des Tempels gegenüber dem Eingang und ihre Flankierung durch zwei Räucheraltäre hätte den Platz gegenüber dem Eingang erheblich eingeschränkt. Die Abrückung von Massebe und Räucheraltären wird aber nicht allein durch Gründe der Zweckmäßigkeit bestimmt sein, sondern auch eine kultische Bedeutung gehabt haben. Mit der Nische ist für die dort aufge-

---

99 *Th. A. Busink*, Der Tempel von Jerusalem I (1970) S. 594 hat zwar angemerkt, daß die »Anlage des Heiligtums von Arad aus dem Wohnbau stammt«, gibt aber keine Begründung. Der von *Th. A. Busink*, ebd., S. 593, Abb. 169 übernommene Plan ist nach BA 31 (1968) S. 23, Fig. 15 zu korrigieren.

100 Vgl. oben Abschnitt 3.3.2.

stellte Massebe ein eigener Raum geschaffen, der sie absondert und heraus-
hebt und ihre Heiligkeit schützt. Der Breitraum wird damit zur Stätte der
Darbringung vegetarischer Opfer, die in Schalen auf den Bänken entlang
den Wänden abgestellt wurden. Der Aufstellungsort des Jahwe repräsentierenden Steins und der Raum zur Kultausübung werden durch die Anfügung
der Nische voneinander getrennt. Die Nische entspricht somit dem erhöhten Adyton des Langhaustempels, geht aber nicht auf den Einfluß dieser
Baukonzeption zurück, sondern stellt den Versuch dar, den Breitraum
neuen kultischen Verhältnissen anzupassen.
Die Ausbildung der Nische am Tempel von Arad zeigt, daß die bauliche
Konzeption des Breitraumtempels den kultischen Vorstellungen nicht gerecht wurde. Um der Notwendigkeit der Absonderung des Kultobjektes zu
entsprechen, wurde die Rückwand durchbrochen und die Nische dem Breitraum angefügt. Die Konzeption des Breitraumtempels ist damit nicht aufgegeben. Vielmehr zeigt die baulich schlechte Lösung der Anfügung der Nische den Zwang zur Beibehaltung des Breitraumes, wie er aus der Tradition
des Wohnbaus vorgegeben war, noch zu einer Zeit, als die Entwicklung des
Kultes bereits andere Bauformen erfordert hätte.

3.6
Vergleich mit dem Tempel von Jerusalem

3.6.1
Nische und Debir

Die Nische des Tempels von Arad hat insofern die gleiche Funktion wie der
Debir des Tempels von Jerusalem, als sie der Ort der Aufstellung des Jahwesymbols war. Der Debir des salomonischen Tempels war zwar ein Einbau
aus Holz, aber doch ein eigener Raum, in dem die Keruben gestanden haben. Der Debir entspricht dem Adyton des Langhaustempels, das als besonderer Raum zur Aufstellung des Götterbildes von der Cella abgesondert
wurde und als die eigentliche Wohnung der Gottheit gelten muß.
Beim Tempel von Arad dagegen ist die Nische ein Anbau, der durch die
Notwendigkeit der Aufstellung und Absonderung der Massebe bedingt ist.
Die Aufstellung eines Jahwesymbols erforderte beim Breitraumtempel eine
der baulichen Anlage eigentlich widersprechende Erweiterung, während
beim Langhaustempel die Abtrennung sich aus der Konzeption des Baus als
eine Unterteilung des Baukörpers ergibt. Der Breitraumtempel ist seiner
Anlage nach ein Einraumtempel. Mit dem Anbau der Nische ist der Tempel
von Arad somit veränderten Vorstellungen – der Absonderungen des Jahwe
repräsentierenden Kultgegenstandes – angepaßt worden. Dieser Notwendigkeit war beim Tempel in Jerusalem durch Einbau des Debirs Rechnung
getragen worden. Lediglich in der Funktion, nicht aber in der baulichen
Konzeption gleicht die Nische des Tempels von Arad dem Debir des Tempels
von Jerusalem: Nische und Debir sind die Teile der beiden Tempel, in denen

Jahwe in besonderer Weise gegenwärtig war. Eine gegenseitige Abhängigkeit oder Beeinflussung ist jedoch nicht feststellbar, da es sich baulich um zwei völlig verschiedene Lösungen handelt: der Debir ist ein Einbau in den Langhaustempel, während die Nische ein Anbau an den Breitraumtempel darstellt.

3.6.2
Die Abmessungen

Der Tempel von Arad unterscheidet sich grundlegend von dem Langhaus des Jerusalemer Tempels, beide gehen auf verschiedene Bautraditionen zurück. Beide Tempel sind jedoch 20 Ellen breit. Die Übereinstimmung beider Tempel in der Breite beruht kaum auf einem Zufall. Da der Tempel von Jerusalem erst in der Mitte des 10. Jh.s errichtet worden ist und eine außerisraelitische Bauform spiegelt, der Tempel von Arad aber auf den israelitischen Wohnbau zurückgeht, kann angenommen werden, daß die Abmessungen des Tempels von Arad einer alten Norm aus vorköniglicher Zeit entsprechen. Damit legt sich für den Tempel in Jerusalem die Vermutung nahe, daß mit seiner Breite von 20 Ellen ein altes Maß israelitischer Tempelbautradition übernommen worden ist. Seine Länge von 60 Ellen entspricht auffallenderweise dem Zehnfachen der Länge des Tempels von Arad, der 6 Ellen mißt, ohne daß dafür eine Erklärung gegeben werden könnte. In der Baugeschichte des Jerusalemer Tempels ist dann wie in Arad die Bestrebung erkennbar, die Maße des salomonischen Tempels beim Wiederaufbau in nachexilischer Zeit beizubehalten, wie die Angaben in Esr 6,3 zeigen[101].

3.6.3
Die Säulen

In Stratum X wurden zu beiden Seiten des Eingangs in den Tempelraum die Reste von Säulenbasen gefunden. Der Eingang des Tempels von Arad war somit zumindest in diesem Stratum von zwei Säulen flankiert[102]. Die Funktion dieser Säulen wird darin bestanden haben, ein Dach über dem Eingang zu tragen. Eine kultische Funktion der Säulen ist nicht erkennbar. Die Stellung der beiden Säulen am Tempel von Jerusalem war nicht sicher zu bestimmen[103]. Ihre Anfertigung aus Bronze und ihre Deutung durch Namengebung lassen nicht darauf schließen, daß diese keine architektonische Funktion mehr gehabt hätten. Es ist zu vermuten, daß sie in der wahrscheinlich offenen Vorhalle zwischen den Anten gestanden haben, sie trugen das Dach der Vorhalle und gliederten die Eingangsfront.

---

101 Der Text von Esr 6,3 ist für die Zahlenangaben verdorben, doch führt die eingehende Textkritik von *W. Rudolph*, HAT I,20 (1949) S. 54 eindeutig zu solchen Maßangaben für das Tempelhaus, die mit denen des salomonischen Tempels übereinstimmen. Vgl. auch Middot IV,7.
102 Für die nachfolgenden Strata sind diese Säulen nicht nachgewiesen, doch ist ihr Vorhandensein für Stratum XI anzunehmen, das an dieser Stelle nicht freigelegt worden ist.
103 Zur möglichen Stellung der Säulen beim Tempel von Jerusalem vgl. oben Abschnitt 2.1.

An beiden Tempeln sind die Säulen in erster Linie funktional bedingt. Als mögliche Elemente für einen Vergleich scheiden die Säulen allerdings aus, da sie in jedem Falle aus der jeweiligen Bautradition der beiden Tempel erklärt werden müssen. Eine Übernahme oder Beeinflussung des einen Bauwerks durch das andere ist für die Säulen auszuschließen.

3.6.4
Die Orientierung

Eine eindeutige Übereinstimmung zwischen den beiden Tempelgebäuden besteht in der Orientierung. Sowohl der Tempel von Arad wie der Tempel in Jerusalem waren von Ost nach West ausgerichtet mit dem Eingang an der Ostseite und dem Debir bzw. der Nische im Westen[104]. Da sonst eine Abhängigkeit zwischen beiden Tempeln nicht nachgewiesen werden konnte, darf eine solche auch bei dieser Übereinstimmung nicht einfach vorausgesetzt werden. Der Tempel von Arad zeigt jedoch, daß die Ausrichtung von Osten nach Westen israelitischer Tempelbautradition entspricht, die auch beim salomonischen Neubau in Jerusalem befolgt worden ist.

Für den Tempel von Jerusalem ist eine überzeugende Begründung der Ausrichtung bisher nicht gelungen[105]. 2. Kön 23,11 belegt zwar die Ausübung eines Sonnenkultes, doch ist der Tempel nicht als Sonnentempel gegründet worden. Die Beachtung der Tag- und Nachtgleiche im Frühjahr und im Herbst innerhalb des altisraelitischen Festkalenders läßt an die Ausrichtung des Tempels nach dem Sonnenaufgang an den Äquinoktialtagen denken. Der Tempel wäre dann so angelegt gewesen, daß an den Tagen der Äquinoktien die Strahlen der aufgehenden Sonne in den Debir getroffen hätten[106]. Diese verschiedentlich vorgetragene These bleibt vorläufig der beste Erklärungsversuch, auch wenn es für die besondere Bedeutung des Sonnenaufgangs kaum Hinweise gibt. Möglicherweise wurde jedoch der Einzug Jahwes in sein Heiligtum mit dem Sonnenaufgang in Verbindung gebracht. Noch in der Beschreibung des Kommens Jahwes in Ez 43,1–5 zieht Jahwe von Osten her in den Tempel ein[107].

---

104 Die Orientierung des Tempels von Jerusalem nach Osten ist in 1. Kön 6.7 zwar nicht erwähnt, geht aber aus der Notiz von der Aufstellung des ehernen Meeres 1. Kön 7,39 eindeutig hervor, vgl. *M. Noth*, BK IX/1 (1968) S. 108. Die Ausrichtung des Baus von Ost nach West ist auch auf Grund von Ez 43,1–5 vorauszusetzen und wird von Josephus, Ant. VIII,3,2 belegt.
105 Zusammenstellung der bisherigen Deutungen der Kultrichtung bei *Th. A. Busink*, Der Tempel von Jerusalem I (1970) S. 252–256 und S. 651–656. Die Orientierung des Tempels von Arad nach Osten widerlegt die These *Businks* (ebd., S. 256), daß der Tempel von Jerusalem »nach dem Ölberg orientiert« gewesen sei.
106 So mit ausführlicher Begründung *J. Morgenstern*, The Gates of Righteousness, HUCA 6 (1929) S. 1–37; *H. G. May*, Some Aspects of Solar Worship at Jerusalem, ZAW 55 (1937) S. 269–281.
107 Vgl. *W. Zimmerli*, BK XIII/2 (1969) S. 1076–1078. *B. Diebner*, Die Orientierung des Jerusalemer Tempels und die »Sacred Direction« der frühchristlichen Kirchen, ZDPV 87 (1971) S. 153–166 hat das Problem neu zur Sprache gebracht, ohne jedoch einen eigenen Lösungsvorschlag zu bringen.

3.6.5
Das Verhältnis der beiden Tempel

Die beiden Tempel von Arad und Jerusalem gehen auf verschiedene Bautraditionen zurück. Die Übereinstimmung zwischen ihnen im Breitenmaß und in der Orientierung zeigen für den Tempel von Jerusalem eine mögliche Abhängigkeit von einer altisraelitischen Tempelbautradition, wie sie durch den Tempel von Arad repräsentiert ist. Die Säulen sind bei beiden Tempeln jeweils funktional bedingt. Wenngleich die Nische am Tempel von Arad in ihrer kultischen Funktion dem Debir des salomonischen Tempels entspricht, so liegt doch keine gegenseitige Beeinflussung vor. Vielmehr stellt die Nische den Versuch dar, den Breitraum veränderten kultischen Erfordernissen anzupassen. Der Tempel von Arad repräsentiert die altisraelitische Tempelbautradition des Breitraumtempels und geht auf den Wohnbau zurück, er ist damit dem Tempel von Jerusalem gegenüber baugeschichtlich völlig selbständig. Der Tempel in Jerusalem entspricht in seiner Langräumigkeit dem sog. syrischen Tempeltyp und entstammt somit außerisraelitischer Bautradition. Beide Tempel sind ihrer Herkunft nach völlig verschieden. Dennoch stellt sich die Aufgabe, nach dem Verhältnis der beiden Tempel zu fragen.

Arad ist von Salomo als eine königliche Festung gebaut worden. Das in ihm gelegene Heiligtum hat auch den Bewohnern der Umgebung gedient. Die Verlegung des Zugangs in den Tempelhof in den verschiedenen Strata entsprechend der Verlegung des Tores zeigt, daß den Tempelbesuchern ein möglichst direkter Zugang zur Opferstätte geschaffen werden sollte. Der Tempel von Arad erweist sich somit als ein selbständiges Heiligtum für die Bewohner des Gebietes um die königliche Zitadelle.

Maxwell Miller hat das Verhältnis des Tempels von Arad zum Tempel von Jerusalem als »an extension of the Zion cult« bestimmt[108], wobei er darauf verwiesen hat, daß innerhalb einer Namensliste auf einem Ostrakon von Arad die *bny qrḥ* erwähnt sind[109]. Aber selbst wenn diese Korachiten mit den in den alttestamentlichen Schriften genannten in einem verwandtschaftlichen Verhältnis gestanden haben und Priester gewesen sein sollten, so belegt diese Erwähnung doch nur das Bestehen der Korachiten in Südjuda. Hier können sie an den lokalen Heiligtümern als Priester gewirkt haben, ihre Verbindung mit dem Tempel in Jerusalem ist jedoch erst in nachexili-

---

108 *J. M. Miller*, The Korahites of Southern Judah, CBQ 32 (1970) S. 58–68, Zitat S. 64.
109 Der Text dieses Ostrakon wurde erst nach Erscheinen der Anm. 108 genannten Arbeit von *J. M. Miller* veröffentlicht. Während der Drucklegung erschien *Y. Aharoni*, Arad Inscriptions, Jerusalem 1976 (Hebr.) mit der Wiedergabe aller in Arad gefundenen Inschriften. Deshalb konnte das gesamte inschriftliche Material aus Arad nicht mehr für diese Untersuchung herangezogen werden, die Auswertung der Ostraka beschränkt sich vielmehr auf die bis 1972 in vorläufigen Veröffentlichungen erschienenen Texte. Diese sind deswegen auch nach der Erstveröffentlichung zitiert. Die Erwähnung der *bny qrḥ* findet sich auf Ostrakon 49, das aus Stratum VIII stammt.

scher Zeit greifbar[110]. Die von *Miller* angenommene Beziehung ist somit nicht haltbar.

Für die Abhängigkeit des Heiligtums in Arad vom Jerusalemer Tempel finden sich keinerlei Anzeichen. Zwar wird der Tempel von Jerusalem in einem Ostrakon von Arad als *byt yhwh* erwähnt, doch stammt dieses Ostrakon aus dem Stratum VI, als der Tempel von Arad schon nicht mehr bestanden hat[111]. Das Verständnis des Kontextes dieser Erwähnung ist umstritten, jedoch geht es keineswegs um das mögliche Verhältnis zwischen Arad und Jerusalem, sondern wohl um eine Mitteilung an Eljaschib, den Empfänger des Briefes[112].

Die Errichtung des Tempels von Arad an der Stelle eines Heiligtums aus vorstaatlicher Zeit in der Bautradition des Hofhauses zeigt die Selbständigkeit dieser Kultstätte gegenüber dem Tempel von Jerusalem. Nicht nur Gründung und Bauausführung weisen auf die Unabhängigkeit des Heiligtums, das Opfer auf dem Altar und die sonstigen zu erschließenden Kulthandlungen setzen auch eine selbständig amtierende Priesterschaft voraus. Der Tempel von Arad ist somit keineswegs als von Jerusalem abhängig zu verstehen, sondern ist ein unabhängiges Heiligtum mit eigener Priesterschaft. Erst beim Wiederaufbau der Festung nach der Zerstörung um 700 wurde der Tempel in Stratum VII nicht erneut errichtet, vielmehr wurde dieser Teil der Festung anderweitig genutzt. Das damit markierte Ende des Tempels von Arad kann auf königliche Anordnung hin erfolgt sein. Nachweisen läßt sich aber die Aufgabe des Tempels zugunsten der Zentralisation des Kultes in Jerusalem nicht, obwohl diese Maßnahme faktisch auf eine solche Zentralisierung hinauslief.

3.7
Bedeutung

Yohanan Aharoni hat die Bedeutung des Tempels von Arad als Grenzheiligtum zu bestimmen versucht: Aus dem besonderen Verhältnis Jahwes zu seinem Land sei die Notwendigkeit erwachsen, an den Grenzen dieses Landes Heiligtümer zu errichten, um den Herrschaftsbereich Jahwes zu markieren. »The borders of Yahweh's realm were sanctified by altars and *masseboth*.«[113] Bereits *Albrecht Alt* hatte die Auffassung von Kultstätten als Grenzheiligtümer vertreten, darunter aber »sakrale Einigungspunkte der Nachbarstämme in Altisrael« in vorstaatlicher Zeit verstanden[114]. Dagegen

---

110   Vgl. Ex 6,21.24 P; Num 16* P; Num 26,58; 1. Chr 9,19.31; 20,19; 26,1.19.

111   *Y. Aharoni*, Hebrew Ostraca from Tel Arad, IEJ 16 (1966) S. 1–7, Ostrakon Nr. 2, Zeile 9.

112   Zum Verständnis des Textes vgl. *V. Fritz*, Zur Erwähnung des Tempels in einem Ostrakon von Arad, WO 7 (1973) S. 137–140.

113   *Y. Aharoni*, BA 31 (1968) S. 28–30 und Proceedings of the Fifth World Congress of Jewish Studies I, S. 72f, Zitat S. 73. Danach auch *J. M. Miller*, CBQ 32 (1970) S. 64 und *K. D. Schunck*, Numen 18 (1971) S. 136f.

114   *A. Alt*, Kleine Schriften I (1953) S. 54, Anm. 5.

bezeichnet *Aharoni* mit Grenzheiligtümern ausdrücklich solche Kultstätten, die an den Grenzen des Landes gelegen haben und die mit dem Königtum zu Reichstempeln aufgestiegen seien, wie etwa Dan und Bethel, aber auch Gilgal und Beerseba. Der Tempel von Arad wäre damit letztlich ein Reichstempel[115].

Gegen diese Deutung spricht aber, daß die Geschichte der israelitischen Kultstätten bis weit in die vorstaatliche Zeit zurückreicht, als eine endgültige Festlegung und Abgrenzung der Stammesgebiete noch nicht erfolgt war. Die Errichtung von Altären und Kultstelen fand dabei häufig an der Stelle kanaanäischer Kultstätten statt[116]. Die Anlage des Tempels von Arad als Grenzheiligtum ist deshalb unwahrscheinlich, weil die südliche Grenze Judas in der Königszeit großen Schwankungen unterlegen war. Arad war nicht eigentlich Grenzfestung, sondern Bestandteil eines ganzen Systems von Festungen zur Sicherung der Straßen im Gebiet des Negeb[117]. Außerdem haben während der Königszeit Heiligtümer an verschiedenen Orten der Staaten Israel und Juda bestanden, ohne daß diese als Grenzheiligtümer angesprochen werden können: So ist im Südreich zumindest für Hebron und Beerseba mit der Fortführung altisraelitischer Kultstätten zu rechnen. Der Tempel von Arad ist damit ein Heiligtum unter anderen.

Peter Welten hat den Tempel von Arad als במה »Kulthöhe« interpretieren wollen[118]. Dagegen spricht aber, was sonst über die »Kulthöhe« bekannt ist. Das Wort במה bezeichnet Kultplatz und Opferstätte unter freiem Himmel, wobei der Begriff sowohl legitime Jahwekultstätten als auch Kultstätten für fremde Götter kennzeichnen kann[119]. Diese können außerhalb wie innerhalb der Stadt liegen. Die Wendung מזבחים בבמות (1. Kön 22,44; 2. Kön 12,4; 14,4; 15,4.35) läßt auf einen Altar auf dem Kultplatz schließen. Die Verbindungen בית (ה)במות (1. Kön 12,31; 2. Kön 17,29.32) und בתי

---

115 Auf diese Konsequenz hat *P. Welten*, ZDPV 88 (1972) S. 36 hingewiesen.

116 Vgl. dazu oben Abschnitt 2.2.

117 Unter den von Rehabeam zum Schutz der Zugangsstraßen nach Jerusalem ausgebauten Festungen ist Arad nicht erwähnt, vgl. 2. Chr 11,5–12. Im Gebiet des Negeb haben jedoch während der judäischen Königszeit eine Reihe von Festungen bestanden, vgl. dazu *Y. Aharoni*, Forerunners of the Limes: Iron Age Fortresses in the Negev, IEJ 17 (1967) S. 1–17.

118 *P. Welten*, Kulthöhe und Jahwetempel, ZDPV 88 (1972) S. 19-37. Die Gleichsetzung des Tempels von Arad mit einer Kulthöhe wird allerdings nicht durch Übereinstimmung in Einzelheiten, sondern durch allgemeine Erwägungen begründet: »Andererseits entspricht die Anlage von Arad so in jeder Hinsicht dem, was wir über die Tempelhöhen wissen, daß u. E. Arad eindeutig als solche zu charakterisieren ist« (S. 36). Über die bauliche Anlage der Kulthöhen in der Eisenzeit ist aber gerade nichts bekannt. Der einzige ausgegrabene Platz in der Nähe von Jerusalem, der Kulthandlungen gedient hat und wahrscheinlich eine במה gewesen ist, wird von Welten überhaupt nicht zum Vergleich herangezogen. Die Entsprechungen sind somit keineswegs eindeutig.

119 Vgl. 1. Sam 9,12.13.19.25; 10,5.13; 1. Kön 3,2.3.4; 11,7; 14,23; 22,44; 2. Kön 12,4; 14,4; 15,4.35; 16,4; 17,9.11; 18,4.22; 21,3; 23,5.8.13.15 u. ö. Dazu *K. D. Schunck*, Art. במה, ThWAT I (1973) Sp. 662- 667. Auf die sonstigen Bedeutungen des Wortes braucht in diesem Zusammenhang nicht eingegangen zu werden, vgl. dazu *P. H. Vaughan*, The Meaning of ›bāmâ‹ in the Old Testament (1974).

במות(ה) (1. Kön 13,32; 2. Kön 23,14) weisen nicht notwendigerweise auf Tempelanlagen im Bereich der Kulthöhe[120]. Vielmehr finden sich alle diese Erwähnungen im Zusammenhang mit dem Nordreich und lassen die Ablehnung der kultischen Einrichtungen Israels deutlich erkennen; mit ihnen liegt somit ein besonderer Sprachgebrauch vor, der die Heiligtümer des Nordreiches vom Jerusalemer Standpunkt aus als nicht legitime Kultstätten disqualifiziert[121]. Die Zusammenstellung von בית mit במה ist somit zur negativen Kennzeichnung bestimmter Tempel erfolgt und gibt keinen Anhaltspunkt für Tempelbauten im Zusammenhang mit der במה. Dennoch kann es nach kanaanäischem Vorbild im Bereich der Höhenheiligtümer Tempelanlagen gegeben haben.

Kultstätten im Sinne einer במה scheinen im alten Israel weit verbreitet gewesen zu sein. Dabei ist die Übernahme einer kanaanäischen במה in Gibeon ausdrücklich belegt (1. Kön 3,4–15). Bei den Propheten und im deuteronomistischen Geschichtswerk sind diese Kultstätten als nicht legitime Verehrungsstätten Jahwes der Ablehnung verfallen[122], wobei damit gerechnet werden muß, daß במה als Sammelbegriff gebraucht wird, der alle Heiligtümer außerhalb Judas einschließt[123]. Die במה war vor allem Opferstätte und hatte dementsprechend eine eigene Priesterschaft[124], sie konnte mit אשרה oder מצבה als Kultgegenständen versehen sein[125] und scheint vorwiegend außerhalb der Orte gelegen zu haben[126].

Von den aus der Bronzezeit bekannten kultischen Einrichtungen können die runden oder ovalen Plattformen mit Stufenzugang eindeutig als במות bezeichnet werden. Solche erhöhten Plattformen wurden neben dem Tempel 4040 in Megiddo und bei dem Tempel von Nahariya gefunden. Die Anlage in Megiddo ist wahrscheinlich gleichzeitig mit dem Tempel an ihrer Südseite errichtet worden und hat während der Strata XVII bis XIV in der frühen Bronzezeit III und der mittleren Bronzezeit IIA bestanden[127]. Die gesamte Plättform hat einen Durchmesser von etwa 9 m, wobei die Stufen im

---

120 Gegen *P. Welten*, ZDPV 88 (1972) S. 32. Anders hat *K. D. Schunck*, Numen 18 (1971) S. 139 und ThWAT I (1973) Sp. 665f mit dem Hinweis auf 1. Sam 9,22 versucht, diese Häuser als Nebengebäude zu erklären.
121 Vgl. *M. Noth*, BK IX/1 (1968) S. 285f.
122 Vgl. Am 7,9; Hos 10,8; Jer 19,3–5 und 1. Kön 14,23; 2. Kön 18,4; 21,3; 23,13f.
123 Vgl. die stereotype Wendung במות לא סרו 1. Kön 15,14; 22,44; 2. Kön 12,4; 14,4; 15,4.35.
124 Vgl. 1. Sam 9,12; 1. Kön 3. 2; 2. Kön 16,4 und 1. Kön 12,32; 13,2.33; 2. Kön 17,32; 23,9.
125 Vgl. 1. Kön 14,23; 2. Kön 18,4; 23,13f.
126 Vgl. 1. Sam 9,12–15; 10,5.13; 1. Kön 11,7; 2. Kön 23,16. Zu der Deutung als »funerary shrine« durch *W. F. Albright*, The High Place in Ancient Palestine, SVT 4 (1957) S. 242–258 vgl. die ausführliche Widerlegung durch *W. B. Barrick*, The Funerary Character of »High-Places«, VT 25 (1975) S. 565–595.
127 *G. Loud*, Megiddo II, OIP LXII (1948) S. 73–84. Die Ausgräber haben die Plattform noch als »altar« bezeichnet. Zur stratigraphischen Zuordnung von Plattform 4017 und Tempel 4040 vgl. *I. Dunayevsky* and *A. Kempinski*, The Megiddo Temples, ZDPV 89 (1973) S. 161–187, bes. S. 167–175.

Osten liegen. Sie war von einer Umfassungsmauer umgeben. In dem außerhalb des alten Stadtgebietes gelegenen Kultplatz in Nahariya hat sich bereits in der frühesten Phase A südlich des nur 6 x 6 m großen Kultgebäudes eine runde במה von 6 m Durchmesser befunden[128]. In der nächsten Phase B wurde ein neues Tempelgebäude nördlich des älteren errichtet, die במה wurde über das ältere Gebäude hinweg auf eine Größe von 8 x 13 m ausgedehnt, der Zugang über Stufen war von Westen. In der letzten Phase C schließlich wurde der Tempel noch einmal vergrößert, der offene Kultplatz aber etwas verkleinert, in seinem Zentrum wurden zwei Mauern errichtet. Sowohl im Tempel wie auf der במה wurden zahlreiche Miniaturgefäße für Opfergaben und Figurinen gefunden. Der Anlage wie den Funden nach gehören במה und Tempel zusammen, an beiden wurde vielleicht die Ascherat-Yam verehrt. Bei den Ausgrabungen konnte festgestellt werden, daß auf der במה insbesondere Libation von Öl stattgefunden hat. Die gesamte Kultstätte hat in der Mittelbronze IIB-Zeit bis in die Mitte des 16. Jh.s bestanden.

Aus der Eisenzeit ist eine solche Plattform mit Stufenzugang allerdings ohne ein Tempelgebäude aus der Umgebung von Jerusalem bekannt. Der von *Ruth Amiran* ausgegrabene Tumulus 5 ist eine runde Plattform mit einem Durchmesser von etwa 25 m und einem Zugang über Stufen im Osten. Die Plattform war von einer Ringmauer umgeben, die gesamte Anlage scheint eine Kultstätte aus der späten Königszeit gewesen zu sein, die im 7. Jh. außer Gebrauch gesetzt worden ist[129].

Sowohl in der Bronze- wie in der Eisenzeit sind במות offene, aus Steinen errichtete Plattformen, die neben einem Tempel oder auch für sich erbaut wurden[129a]. Gerade das Fehlen jeder Plattform im Bereich des Tempels von Arad schließt aber seine Interpretation als »Kulthöhe« aus.

Der Bau eines Tempels in der königlichen Festung Arad war durch ein älteres kenitisches Heiligtum an dieser Stelle bedingt, dessen Anlage und Einrichtung aus den Vorberichten noch nicht hinlänglich bekannt ist. Die Gründe für die Errichtung der kenitischen Kultstätte von Stratum XII sind nicht bekannt, wahrscheinlich ist sie ein Opferplatz mit einem Altar aber ohne einen Tempel gewesen[129b].

---

128 *I. Ben-Dor*, A Middle Bronce-Age Temple at Nahariya, QDAP 14 (1950) S. 1–41; *M. Dothan*, The Excavations at Nahariya. Preliminary Report (Season 1954/55) IEJ 6 (1956) S. 14–25. Eine weitere Anlage dieser Art aus der Mittelbronzezeit II ist in Beth Schemesch freigelegt worden, aber noch nicht publiziert, vgl. *C. Epstein*, IEJ 22 (1972) S. 157.

129 *R. Amiran*, The Tumuli West of Jerusalem, IEJ 8 (1958) S. 206–227. Ob die als במה angesprochene Plattform in Dan (*Tell el-Qādi*) eine Kulthöhe gewesen ist, kann erst nach einer angemessenen Veröffentlichung entschieden werden, vgl. *A. Biran*, IEJ 20 (1970) S. 118f; 22 (1972) S. 165; 24 (1974) S. 262. Zu den sog. High Place in Petra vgl. *P. Parr*, La »Conway High Place« à Petra. Une nouvelle interprétation, RB (1962) S. 64–79.

129a Die runden Opferstätten innerhalb der Tempelbereiche im mesopotamischen Raum sind in ihrer Funktion und Bedeutung noch nicht hinreichend bestimmt und bleiben deshalb hier außer Betracht, vgl. *E. D. van Bouren*, Places of Sacrifice (›Opferstätten‹), Iraq 14 (1952) S. 76–92.

129b Vgl. oben Abschnitt 3.4.

Da schriftliche Zeugnisse für den Tempel von Arad völlig fehlen, kann seine Bedeutung nur aus seiner Anlage und Ausstattung erschlossen werden. Der Altar ist notwendiger Bestandteil eines jeden Tempels, der damit die Stätte des Opfers für den an ihm verehrten Gott ist. Die Massebe ist Zeichen für die Anwesenheit Jahwes in seinem Heiligtum. Ihre Aufstellung bedingte eine räumliche Abtrennung vom Tempelraum, die baulich schlecht durch die Anfügung einer Nische vollzogen ist. Der Tempelraum diente zum Abstellen der vegetarischen Opfergaben, wie die Bänke an den Wänden in Stratum X ausweisen. Das Heiligtum von Arad ist der Ort der Gegenwart Jahwes und der Kulthandlungen der Menschen. Im Tempelbereich kann sich der Mensch mit seinen Opfergaben Jahwe nähern, ohne daß ihm Jahwe verfügbar wird.

Der Tempel von Arad ist weder Wohntempel noch Erscheinungstempel[130]. Nur am Tempel von Jerusalem hat die Art der Anwesenheit Jahwes eine deutliche Ausprägung erhalten, in der Jerusalemer Kultsprache ist die Vorstellung vom Wohnen Jahwes sogar auf den Tempelberg übertragen worden[131]. Der Tempel ist Jahwes Haus (1. Kön 8,13) und als solches das Gegenstück zur himmlischen Wohnung Jahwes. Jahwes Thronsitz ist im Himmel[132], doch thront Jahwe auch in seinem Tempel. Die Besonderheit der mit dem Tempel von Jerusalem verbundenen Wohnvorstellung hat vor allem *Metzger* herausgestellt: Der Tempel ist der Ort von Jahwes Gegenwart insofern, als er himmlische und irdische Welt miteinander verbindet[133]. Er ist der Ort der Vermittlung zwischen den beiden sonst getrennten Bereichen Jahwes und der Menschen.

Für die übrigen israelitischen Heiligtümer fehlen eindeutige Aussagen. Die Erscheinungen Jahwes in Sichem (Gen 12,7), Mamre (Gen 13,18), Beerseba (Gen 26,23ff), Bethel (Gen 28,10ff), Mizpeh in Gilead (Gen 31,49), Gilgal (Jos 5,13–15) und Ophra (Ri 6,24) dienen der Legitimation des jeweiligen Heiligtums als einer Kultstätte Jahwes, lassen aber nicht die Kennzeichnung dieser Heiligtümer als Erscheinungstempel zu. Die Vorstellung vom Wohnen Jahwes läßt sich für die israelitischen Kultstätten außerhalb Jerusalems überhaupt nicht belegen[134].

Das einzige Kultobjekt im Tempel von Arad ist die Massebe in der Nische der Strata XI und X. Weitere Masseben wurden außerdem in verschiedenen

---

130 W. *Andrae*, Das Gotteshaus und die Urformen des Bauens im alten Orient (1930), hat diese Unterscheidung zwischen Wohntempel und Erscheinungstempel für den babylonischen Tempelbau getroffen, doch sollte sie nicht einfach auf israelitische Heiligtümer übertragen werden.

131 Vgl. Jes 8,18; Ps 9,12; 20,3; 132,13f.

132 Ps 2,4; 11,4; 33,14; 102, 20; 103,19; 123,1.

133 M. *Metzger*, Himmlische und irdische Wohnstatt Jahwes, UF 2 (1970) S. 138-155.

134 G. *Westphal*, BZAW 15 (1908) S. 114-117 rechnet sogar mit der Ablösung der Wohnvorstellung durch die Auffassung der israelitischen Tempel als Stätten der Offenbarung. Diese These versucht *Westphal* mit der Orakelpraxis zu begründen, doch fehlen für beide Auffassungen die Belege.

Strata im Bereich des Tempels gefunden. Eine Massebe hat wahrscheinlich auch im Tempel von Bethel gestanden, ihre Errichtung wird auf Jakob zurückgeführt, vgl. Gen 28,18.22; 31,13; 35,14 E. Die Massebe muß als Repräsentant der Gegenwart Jahwes gelten, sie vertritt Jahwe, ohne daß er an sie gebunden ist. Nach israelitischer Vorstellung wohnt Jahwe nicht einfach als numinose Kraft im Stein. Vielmehr zeigt die Interpretation der Masseben als »Erinnerungszeichen«[135], daß in Israel eine Entmagisierung der Kultstele stattgefunden hat. Mit der Massebe ist die Nähe Jahwes verbürgt. Die Massebe bedeutet dabei keine Bindung Jahwes an den Ort ihrer Aufstellung, sondern ist nur ein Zeichen für seine Anwesenheit. Für den Tempel von Arad läßt sich somit feststellen, daß die Massebe Jahwes eigentliches Kennzeichen ist. Mit diesem Zeichen ist Jahwe an dem Kultort gegenwärtig, wenngleich nicht an ihn gebunden, da er unverfügbar ist. Als Aufstellungsort des Jahwesymbols ist das Heiligtum auch Opferstätte. Der Tempel ist somit der Ort, an dem der Mensch die Anwesenheit Jahwes erfahren und sich mit seinen Opfern Jahwe nähern kann.

135 Vgl. Gen 28,18.20–21 E; Ex 24,4; Jos 4,4–9; 24,26.27; 1. Sam 7,12.

4
Jahwetempel außerhalb Jerusalems
in nachexilischer Zeit

Soweit sie überhaupt bekannt ist, zeigt die Geschichte der Heiligtümer während der Königszeit, daß der in Dtn 12 zum Ausdruck gebrachte Anspruch des Tempels von Jerusalem als alleiniger und einzig rechtmäßiger Kultstätte bereits im 8. Jh. in Juda durchgesetzt worden ist. So ist der Tempel von Arad nach seiner Zerstörung in Stratum VIII am Ende des 8. Jh.s in den weiteren eisenzeitlichen Strata VII und VI während des 7. Jh.s nicht wieder aufgebaut worden[1]. Auf dem *Tell es-Seba^c* wurde der Tempel im 8. Jh. abgeräumt[1a]. Der Tempel von Bethel wurde von Josia im Zusammenhang mit der von ihm durchgeführten Reform zerstört (2. Kön 23,15). Für die weiteren Heiligtümer fehlt bisher entweder jegliche Nachricht oder der archäologische Nachweis. Deshalb muß vorläufig offen bleiben, ob die noch Am 4,4; 5,5; 8,14 erwähnten Heiligtümer in Dan, Gilgal und Beerseba im 7. Jh. weiter bestanden haben.

Am Ende des 6. Jh.s ist der Jerusalemer Tempel nach dem Vorbild des durch die Babylonier zerstörten Baus wiedererrichtet worden. Dieser zweite Tempel hat bis zu seinem Umbau durch Herodes weitgehend dem ersten Tempel entsprochen, was insbesondere aus der Übereinstimmung der Maßangaben hervorgeht, vgl. Esr 6,3[2]. Die in Dtn 12 erhobene Forderung nach der Zentralisation des Kultes in Jerusalem ist auch in nachexilischer Zeit in Geltung geblieben, vgl. Esr 6,19–22. Trotz des weiter bestehenden Anspruches seitens des Jerusalemer Tempels als alleiniger Opferstätte ist es aber in der Zeit seines Bestehens an verschiedenen Orten zur Errichtung von Jahwetempeln außerhalb Jerusalems gekommen. In der jüdischen Kolonie auf Elephantine hat nach Ausweis der dort gefundenen aramäischen Papyri im 5. Jh. ein Tempel bestanden. Von zwei Tempelbauten auf dem Garizim und in Leontopolis im 4. und im 2. Jh. hat Josephus berichtet, für beide ist zumindest der Unterbau archäologisch nachgewiesen. Schließlich sind auch der »solar shrine« in Lachisch und das *Qaṣr el-ʿAbd* genannte Gebäude im Ostjordanland als jüdische Tempel in hellenistischer Zeit anzusprechen. Alle diese Heiligtümer außerhalb Judas bezeugen die vielfältige Entwicklung des Judentums außerhalb Jerusalems in der Zeit des zweiten Tempels. Deshalb

---

1 Vgl. dazu oben Abschnitt 3.2.
1a Y. *Aharoni*, Tel Aviv 2 (1975) S. 162f.
2 Zum Text von Esr 6,3 vgl. W. *Rudolph*, Esra und Nehemia, HAT I,20 (1949) S. 54. Eine Beschreibung des zweiten Tempels fehlt, diejenige im Mischnahtraktat Middot setzt den herodianischen Bau voraus. Inwieweit in die Vision in Ez 40.41 Elemente des zweiten Tempels eingegangen sind, kann hier auf sich beruhen bleiben. Vgl. G. *Dalman*, Der zweite Tempel zu Jerusalem, PJB 5 (1909) S. 29–57. Zu den historischen Vorgängen beim Wiederaufbau vgl. K. *Galling*, Serubbabel und der Hohepriester beim Wiederaufbau des Tempels in Jerusalem, Studien zur Geschichte Israels im persischen Zeitalter (1964) S. 127–148.

sollen diese Tempelbauten zusammenhängend beschrieben, auf ihre Beziehung zum Tempel von Jerusalem hin befragt und in ihrer kultgeschichtlichen Bedeutung bestimmt werden.

4.1
Der Tempel von Elephantine

Der Tempel in der jüdischen Militärkolonie auf der Insel Elephantine ist aus den dort gefundenen aramäischen Papyri bekannt[3]. In diesen Dokumenten wird der Tempel אגורא genannt[4]; diese Bezeichnung ist aus dem Akkadischen *ekurru* entlehnt[5]. Der Tempel hat bereits beim Zug des Kambyses nach Ägypten im Jahre 525 bestanden[6]. Das Jahr seiner Gründung ist ebenso unbekannt, wie der Ursprung der jüdischen Kolonie auf der Nilinsel[7], um 410 ist er von der ägyptischen Priesterschaft des Chnum-Tempels zerstört worden. Seine Wiedererrichtung wird nach den Anfragen der Juden von Elephantine bei Delaja und Schelenja, den Söhnen Sanballats, des Statthalters von Samaria (vgl. C 30,29), und bei dem Statthalter in Juda Bagoas (C 30 und 31) von Bagoas und Delaja ausdrücklich genehmigt (C 32)[8] und ist wohl um 405 erfolgt.

Diese Genehmigung ist zwar nur »eine Nihil obstat-Bekundung«[9], doch scheint ihre Erteilung nicht unproblematisch gewesen zu sein. Der erste C 30,29 erwähnte Brief aus Elephantine nach Samaria ist anscheinend überhaupt ohne Antwort geblieben, und der nach einer zweiten Anfrage von Jerusalem gegebene Bescheid C 32 nennt im Unterschied zu dem Brief an Ba-

---

3 Die Papyri sind herausgegeben von *A. Cowley*, Aramaic Papyri of the Fifth Century B. C. (1923) und *E. G. Kraeling*, The Brooklyn Museum Aramaic Papyri (1953). Zitiert werden die beiden Ausgaben nach dem Anfangsbuchstaben des jeweiligen Herausgebers mit Nummer und Zeilenzahl. Zur Geschichte der jüdischen Militärkolonie auf Elephantine vgl. die zusammenfassende Darstellung von *B. Porten*, Archives from Elephantine (1968).
4 C 13,14; 25,6; 30 und 31 passim; 33,8; K 3,9; 4,10 12,18.
5 Vgl. *W. von Soden*, AHW I (1965) S. 196.
6 Zur Geschichte des Tempels von Elephantine vgl. *R. Muus*, Der Jahwetempel in Elephantine, ZAW 36 (1916) S. 81–107; *A. Vincent*, La religion des Judéo-Araméens d'Eléphantine (1937) S. 312–391; *E. G. Kraeling*, a.a.O., S. 100–110 und *B. Porten*, a.a.O., S. 284-296.
7 Vgl. die Erwägungen zum Ursprung der jüdischen Siedlung bei *E. G. Kraeling*, a.a.O., S. 41-48. *H. Bardtke*, Das Altertum 6 (1960) S. 27 rechnet mit der Gründung der Siedlung um 585 nach der Zerstörung des Tempels von Jerusalem. *C. H. Gordon*, The Origin of the Jews in Elephantine, JNES 14 (1955) S. 56–58 hat versucht nachzuweisen, daß die Juden in Elephantine Nachkommen einer von Salomo in Ägypten gegründeten Handelskolonie seien. *E. C. B. Maclaurin*, Date of the Foundation of the Jewish Colony at Elephantine, JNES 27 (1968) S. 89–96 hat zu beweisen versucht, daß es sich in Elephantine um Nachfahren einer Gruppe handelt, die sich dem Auszug Israels aus Ägypten nicht angeschlossen hatte. Diese Versuche, Elephantine mit der Geschichte Israels vor der Zerstörung Jerusalems zu verbinden, haben in den Texten keinerlei Anhaltspunkte.
8 Die beiden Texte C 30 und 32 finden sich in deutscher Übersetzung bei *K. Galling*, Textbuch zur Geschichte Israels (²1968) S. 85-88. C 31 ist ein Duplikat von C 30. Der C 30,29 erwähnte Brief ist nicht erhalten.
9 *K. Galling*, Studien zur Geschichte Israels im persischen Zeitalter (1964) S. 164.

goas C 30,28 Brandopfer und Schlachtopfer nicht[10]. Diese Einschränkung für den Opferkult im Tempel von Elephantine könnte auf den Einspruch der Jerusalemer Priesterschaft zurückgehen, die für den Jerusalemer Tempel den Anspruch vertrat, dieser allein sei die legitime Opferstätte. Die Zustimmung zu dem Wiederaufbau des Tempels in Elephantine ist wahrscheinlich von den politischen Repräsentanten des Perserreiches getroffen worden, wobei die Ausklammerung von Schlacht- und Brandopfern ein Zugeständnis an die Priesterschaft von Jerusalem darstellen kann[11]. Von 399 an schweigen die Quellen, so daß mit dem Ende der jüdischen Kolonie dieses Tempels zu diesem Zeitpunkt gerechnet werden muß.

Die verschiedenen Ausgrabungen auf der Nilinsel haben den jüdischen Tempel bisher nicht lokalisieren können. Einige Einzelheiten über den Tempel werden in dem Brief an Bagoas mitgeteilt (C 30,9–13; 31,8–11). Danach hatte der Tempel Säulen, seine fünf Tore waren aus Steinen erbaut, die Türflügel hatten Angeln aus Bronze, die Dachkonstruktion bestand aus Zedernholz, und die Wände waren mit Holz getäfelt. Außerdem ist ein Altar im Zusammenhang mit den Opfern ausdrücklich erwähnt (C 30,26–28; 31,25–27). Diese Angaben reichen jedoch für eine Beschreibung des Bauwerkes nicht aus. Bei den Toren sind wohl diejenigen mitgezählt, die in den Vorhof führen[12]. Die Säulen können im Tempelhaus als Träger des Daches gestanden oder aber die Eingangsfront gebildet haben.

Orientierung, Ausmaße und Form des Tempels in Elephantine sind nicht bekannt, und auch aus den in den Papyri enthaltenen Nachrichten nicht zu ermitteln. Der Tempelbezirk, wie er aus den Angaben über die angrenzenden Häuser in den Papyri zu erschließen ist, bildete ein Rechteck, ohne daß daraus die Form des Tempelhauses zu erschließen ist, wenngleich ein Langhaus vermutet werden kann[13]. Obwohl für den Wiederaufbau des Tempels die ausdrückliche Genehmigung aus Jerusalem eingeholt wurde, muß der Bau nicht in Anlehnung an den Jerusalemer Tempel wiedererrichtet worden sein[14].

---

10 E. *Mittwoch*, Der Wiederaufbau des jüdischen Tempels in Elephantine – ein Kompromiß zwischen Juden und Samaritanern, in: Judaica, Festschrift Hermann Cohen (1912) S. 227–233 bringt nur unbeweisbare Vermutungen für die Nichtgewährung der Brandopfer.
11 Auf den von Josephus Ant. XI,7,1 berichteten Konflikt des Bagoas mit dem Hohenpriester Jochanan braucht hier nicht eingegangen zu werden, vgl. dazu K. *Galling*, Studien zur Geschichte Israels im persischen Zeitalter (1964) S. 164f.
12 Vgl. *H. Bardtke*, Das Altertum 6 (1960) S. 28.
13 Vgl. die Rekonstruktionsversuche von *A. Vincent*, a.a.O., S. 337–353; *E. G. Kraeling*, a.a.O., S. 76–82; *B. Couroyer*, Le temple de Yaho et l'orientation dans les Papyrus Araméens d'Eléphantine, RB 68 (1961) S. 525–540; *B. Porten*, The Structure and Orientation of the Jewish Temple at Elephantine – A. Revised Plan of the Jewish District, JAOS 81 (1961) S. 38–42.
14 *H. Bardtke*, Das Altertum 6 (1960) S. 28 vermutet sogar, »daß der Elephantine-Tempel möglicherweise nach dem Vorbild des Jerusalemer Tempels errichtet worden ist, natürlich in wesentlich kleineren Ausmaßen«. Für die Bautradition des Tempels von Elephantine ist aber über Vermutungen nicht hinauszukommen.

4.2
Der Tempel auf dem Garizim

Die samaritanische Tradition verlegt zwar die Errichtung eines Altars und die Darbringung von Opfern auf dem Garizim in das 5. Jh.[15], doch deuten alle Anzeichen darauf hin, daß die Provinz Samaria vor dem Ende der persischen Epoche keine eigene Kultstätte besessen hat[16]. Nach dem Bericht des Josephus, Ant. XI,8,4 hat Sanballat, der Statthalter von Samaria, um 320 mit Erlaubnis Alexanders des Großen auf dem Garizim einen Tempel errichten lassen[17]. Die Gründung dieses Tempels steht nach Josephus in direktem Zusammenhang mit der Vertreibung des Priesters Manasse aus Jerusalem. Manasse war der Bruder des amtierenden Hohenpriesters Jaddu und gehörte somit wohl zu den Zadokiden. Er wurde wegen seiner Heirat mit einer Tochter Sanballats vom Opferdienst am Tempel ausgeschlossen. Die »Flüchtlinge« aus Juda hat Sanballat in Sichem angesiedelt[18]. Sichem war nach der Gründung einer griechischen Kolonie durch Alexander im Jahre 332 in Samaria von den aus der Stadt vertriebenen Bewohnern Samarias neu errichtet worden[19]. Damit stimmt der archäologische Befund insofern überein, als Sichem in der 2. Hälfte des 4. Jh.s wieder besiedelt worden ist[20].

Die Ansiedlung von Priestern aus Jerusalem in dem neugegründeten Sichem und der Bau des Tempels auf dem Garizim können nicht voneinander getrennt werden[21]. Das bedeutet aber, daß der Tempel auf dem Garizim von solchen Kreisen getragen wurde, die Jerusalem und Juda verlassen mußten. Die Errichtung des Heiligtums auf dem Garizim ist somit weniger aus dem politischen Gegensatz zwischen Samaria und Juda zu erklären[22], sondern

---

15 Vgl. die Samaritanische Chronik VII, Text bei *E. N. Adler* und *M. Séligsohn*, Revue des Études Juives 44 (1902) S. 218–220.

16 Vgl. dazu *A. Alt*, Zur Geschichte der Grenze zwischen Judäa und Samaria, Kleine Schriften II (1953) S. 346–362.

17 Die Vorverlegung der von Josephus, Ant. XI,8 berichteten Ereignisse in die Zeit Nehemias durch *H. H. Rowley*, Sanballat and the Samaritan Temple, Man of God (1963) S. 246–276 ist unwahrscheinlich, da die Trennung der Samaritaner vom Tempel in Jerusalem zu diesem Zeitpunkt noch nicht erfolgt war. Inzwischen ist neben dem aus dem Neh 13,28 bekannten Sanballat ein weiterer Träger dieses Namens in den Papyri von *Dāliyeh* nachgewiesen, vgl. *F. M. Cross*, The Discovery of the Samaria Papyri, BA 26 (1963) S. 110–121; ders., Aspects of Samarian and Jewish History in Late Persian and Hellenistic Times, HThR 59 (1966) S. 201–211. Damit hat die Historizität des von Josephus erwähnten Sanballat zur Zeit Alexanders eine entscheidende Stütze erhalten.

18 Vgl. dazu *J. D. Purvis*, The Samaritan Pentateuch and the Origin of the Samaritan Sect (1968) S. 98–110; *H. G. Kippenberg*, Garizim und Synagoge (1971) S. 33–59.

19 Vgl. dazu *E. Bickermann*, From Ezra to the Last of the Maccabees (1962) S. 41–46.

20 Vgl. *G. E. Wright*, The Samaritans at Shechem, HThR 55 (1962) S. 357–366; ders., Shechem (1965) S. 170-184.

21 Vgl. *H. G. Kippenberg*, a.a.O., S. 54–59.

22 Zur Auseinandersetzung zwischen Judäern und Samaritanern vgl. *A. Alt*, Die Rolle Samarias bei der Entstehung des Judentums, Kleine Schriften II (1953) S. 316–337. *A. Alt* erklärt die Errichtung des Heiligtums auf dem Garizim aus der Notwendigkeit Samarias, sich nach der Abspaltung Judas als eigener Provinz ein neues Kultzentrum zu schaffen.

geht letztlich auf Gegensätze innerhalb der Jerusalemer Priesterschaft zurück. Das neue Heiligtum diente den nach ihrer Vertreibung in Sichem ansässig gewordenen Samaritanern.

Aus der unmittelbaren Vorgeschichte geht deutlich hervor, daß der Tempel auf dem Garizim in bewußtem Gegensatz zu demjenigen in Jerusalem errichtet worden ist. Die Tempelgründung durch die Samaritaner bedeutet einen Ersatz für den Kult in Jerusalem. In der samaritanischen Tradition ist denn auch die Rechtmäßigkeit und Ausschließlichkeit des Tempels auf dem Garizim behauptet und begründet worden. Unter Antiochus IV. Epiphanes wird dieser Tempel dem Zeus Xenios geweiht (2. Makk 6,2)[23]. Der Tempel auf dem Garizim wurde 128 v. Chr. durch Johannes Hyrkanus zerstört[24]. Als Kultplatz ist der Garizim von den Samaritanern niemals aufgegeben worden[25]. Die im 4. Jh. n. Chr. wahrscheinlich an der Stelle der Theotokos Kirche errichtete Synagoge soll nach den Angaben der Samaritanischen Chronik VII 78 Ellen lang und 44 Ellen breit gewesen sein[26]. Sie war somit ein Langhaus. Ein Rückschluß von dieser Synagoge auf den einstigen Tempel ist jedoch nicht möglich, auch wenn die Überlieferung der Samaritaner behauptet, daß die Türen dieses Baus vom Hadriantempel genommen worden seien und ursprünglich vom Tempel in Jerusalem stammten.

Über die Anlage und Ausstattung des Heiligtums auf dem Garizim teilt Josephus, Ant. XIII,9,1 nur soviel mit, daß es dem Jerusalemer Tempel ähnlich war, woraus allenfalls auf die Langräumigkeit des Gebäudes und eine ähnliche Gestaltung der Eingangsfront geschlossen werden kann. Jedenfalls schließt die Frontstellung gegen Jerusalem eine Anlehnung an den dortigen Tempel nicht aus. Die Aufnahme israelitischer Bautraditionen oder die Ausrichtung an einem ehemaligen Tempel des Nordreiches ist unwahrscheinlich, da die Samaritaner bei ihrer Abspaltung am Ende der persischen Epoche durchweg die in Juda ausgebildeten Überlieferungen übernommen und weitergeführt haben. Möglicherweise ist jedoch mit der Übernahme von Bauelementen aus der hellenistischen Architektur zu rechnen.

Bei einem von Josephus, Ant. XIII,4,3 berichteten Streit zwischen Judäern und Samaritanern in Alexandrien über die Frage, ob der Tempel auf dem Garizim oder derjenige in Jerusalem der mosaischen Überlieferung gemäß erbaut sei, wird Jerusalem die Gesetzesgemäßheit deshalb zugesprochen, weil für den dortigen Tempel eine bedeutend längere Geschichte von den Judäern nachgewiesen werden konnte. Doch haben sich die Samaritaner um die Legitimierung ihres Heiligtums in der Frühgeschichte Israels bemüht.

---

23 Josephus, Ant. XII,5,5 berichtet dagegen von einer Weihe des Tempels an Zeus Hellenios, doch verdient die Darstellung 2. Makk 6,1–3 den Vorzug, wie *H. G. Kippenberg*, a.a.O., S. 74–80 begründet hat.

24 Josephus, Ant.XIII,9,1.

25 Zur Geschichte des Kultes auf dem Garizim nach der Zerstörung des Samaritanischen Tempels vgl. *H. G. Kippenberg*, a.a.O., S. 98–113.

26 Text bei *E. N. Adler* und *M. Séligsohn*, Revue des Études Juives 45 (1902) S. 82–84 und 232f.

In der Samaritanischen Chronik II findet sich ein Bericht von der Errichtung des Zeltheiligtums aus Ex 25-27 durch Josua auf dem Garizim[27]. Mit der Verlegung des Zeltheiligtums der Priesterschrift auf den Garizim durch die samaritanische Tradition soll dieser Berg als Ort eines Heiligtums legitimiert werden und dieses Heiligtum bis auf Mose zurückgeführt werden[28]. Die Lage des Tempels auf dem Garizim ist nicht überliefert. Bei den Ausgrabungen auf dem *Tell er-Rās*, der nördlichen Kuppe des Berges, wurde die Plattform des hadrianischen Tempels freigelegt[29]. Unter dieser Plattform von etwa 21 x 14 m fand sich das Fundament eines Gebäudes (Building B), das beim Bau des römischen Tempels um 132 n. Chr. mit einer 80 cm dikken Mörtelschicht überdeckt worden war. Diese Mauern stehen bis über 7 m hoch an, sie bilden ein Rechteck von etwa 21 x 18 m[30]. Der Leiter der Ausgrabung *Robert J. Bull* hält es für wahrscheinlich, daß diese Mauern das Fundament des von Sanballat erbauten Tempels darstellen[31]. Beweisen läßt sich diese Annahme vorläufig nicht, doch sind diese tiefgegründeten Mauern älter als der im 2. Jh. n. Chr. über ihnen errichtete Tempel des Zeus. Selbst wenn diese Mauern Überreste des samaritanischen Tempels sein sollten, so kann aus den Abmessungen der Fundamente nicht auf die Form des Baus geschlossen werden, da nähere Einzelheiten über Lage und Form des Eingangs und über seine Gliederung nicht bekannt sind. Der massive Unterbau läßt auf ein sorgfältig aufgeführtes und aus starken Mauern errichtetes Gebäude schließen[32].

4.3
Der Tempel in Leontopolis

Auch in der jüdischen Militärkolonie von Leontopolis hat nach Josephus ein Tempel bestanden[33]. Er ist von Onias IV., dem Sohn des letzten Hohenpriesters aus dem Geschlechte der Zadokiden in Jerusalem, im Jahre 164 n. Chr.

---

27 Text bei *J. Macdonald*, BZAW 107 (1969) S. 25.

28 In die gleiche Richtung weist auch die Tradition vom משכן in Memar Marqar, vgl. *H. G. Kippenberg*, a.a.O., S. 234-254.

29 *R. J. Bull*, A Preliminary Excavation of an Hadrianic Temple at Tell er-Ras on Mount Garizim, AJA 71 (1967) S. 387-393; ders., The Excavation of Tell er-Ras on Mt. Garizim, BA 31 (1968) S. 58-72; *R. J. Bull* and *E. F. Campbell*, The Sixth Campaign at Balâṭah (Shechem), BASOR 190 (1968) S. 2-41.

30 Vgl. den Plan BASOR 190 (1968) S. 23 Fig. 3 = BA 31 (1968) S. 71 Fig. 18.

31 *R. J. Bull*, BA 31 (1968) S. 70f.

32 Solange die Gliederung des Gebäudes nicht bekannt ist, ist ein Vergleich mit den Tempeln mit fast quadratischem Grundriß aus hellenistischer Zeit in Syrien nicht möglich. Diese Tempel haben bei annähernd quadratischem Grundriß stets den Aufbau: Pronaos, Cella und Adyton mit je einem Raum zu beiden Seiten des Adytons. Dieser Typ ist mit folgenden Beispielen zu belegen: *Slēm*: *H. C. Butler*, Syria IIA (1919) S. 357 Ill. 320; *Eṣ-Ṣenanēm*: *H. C. Butler*, Syria IIA (1919) S. 317 Ill. 289; *Qaṣr Bint Farᶜun* (Petra): *G. R. H. Wright*, Structure of the Qaṣr Bint Farᶜun: A Preliminary Review, PEQ 93 (1961) S. 8-37.

33 Zur Geschichte von Leontopolis vgl. *V. Tscherikover*, Hellenistic Civilisation and the Jews (³1966) S. 275-281. *Tscherikover* hat nachgewiesen, daß der Bericht des Josephus, Ant. XIII,3,1-3 demjenigen in Bell. VII, §§420-436 gegenüber als historisch gelten muß.

unter Berufung auf Jes 19,19 gegründet worden[34]. Die Ausrichtung dieses Tempels im Plan nach dem Tempel von Jerusalem wird von Josephus, Ant. XIII,3,3 ebenso wie die Ausstattung mit einem Altar ausdrücklich erwähnt. Der Tempel von Leontopolis wird deshalb ein Langhaus mit Vorhof gewesen sein, er war jedoch kleiner als der Tempel in Jerusalem. Eine überregionale Bedeutung scheint er nicht gehabt zu haben. Im Herrschaftsbereich der Ptolemäer gelegen stellt seine Errichtung durch Onias IV., der das unter seleukidischer Oberherrschaft stehende Jerusalem verlassen mußte, aber doch den Versuch der Zadokiden dar, einen gewissen »Ersatz« für den Tempel von Jerusalem zu schaffen[35]. Innerhalb des Judentums war die Stellung zu diesem Tempel umstritten, in jedem Fall galten die in ihm dargebrachten Brandopfer als nicht rechtmäßig[36].

Die Ausgrabungen auf dem *Tell el-Yehūdīye* durch *Flinders Petrie* haben den Grundriß nicht sichern können, doch ist dabei ein Fundament aus Lehmziegeln von 5,1 x 16,7 m freigelegt worden[37]. Auf diesem Unterbau aus Lehmziegeln hat *Flinders Petrie* den Tempel von Leontopolis in Analogie zu dem Jerusalemer Tempel rekonstruiert, ohne daß diese Rekonstruktion als gesichert gelten kann, wenngleich der Tempel ein Langhaus gewesen sein wird. In jedem Falle steht der Tempel von Leontopolis in einem baugeschichtlichen Zusammenhang mit dem Jerusalemer Tempel, auch wenn diese Abhängigkeit im einzelnen nicht näher zu bestimmen ist[38]. Der von Onias IV. errichtete Tempel wurde im Zusammenhang mit der Eroberung Palästinas durch Vespasian zerstört[39].

4.4
Der Tempel von Lachisch

Bei den Ausgrabungen auf dem *Tell ed-Duwēr* wurde 1935 im nordöstlichen Teil des *Tell* ein Gebäude von etwa 27 x 17 m Größe freigelegt (Abb. 17)[40]. Das Gebäude besteht aus einem 11 x 17 m großen Hof, an den sich im Osten und im Westen Räume anschließen. Die Räume an der Ostseite sind sämtlich vom Hof aus zugänglich gewesen, der extrem schmale Raum kann nur für eine Treppe zur Erreichung des Daches gedient haben. An der Westseite führt eine Treppe von 5 Stufen aus dem Hof in einen Breitraum, dieser

---

34   Zur Geschichte des Tempels und seiner Bedeutung im Judentum vgl. *M. Delcor*, Le temple d'Onias en Egypte, RB 75 (1968) S. 188-203.

35   So *F. Stähelin*, Elephantine und Leontopolis, ZAW 28 (1908) S. 180-182.

36   Vgl. Menachot XIII,10.

37   *W. M. Flinders Petrie*, Hyksos and Israelite Cities (1906) S. 19-27 und Pl. XXII, Rekonstruktion Pl. XXIII.

38   *S. H. Steckoll*, The Qumran Sect in Relation to the Temple of Leontopolis, RQ 6 (1967/69) S. 55-69 hat versucht, einen baugeschichtlichen Zusammenhang zwischen dem Tempel von Leontopolis und der Siedlung in Qumran herzustellen. Dagegen spricht jedoch, daß in Qumran keinerlei Anzeichen eines Tempels gefunden worden sind, vgl. dagegen auch *R. de Vaux*, RB 75 (1968) S. 204f.

39   Josephus, Bell. VII, § 421.

40   *O. Tufnell*, Lachish III (1953) S. 141-145, Photos Pl. 24, Plan Pl. 121. Der Grabungsbericht nennt keine Maßangaben, sie sind auf dem Plan des Gebäudes abgemessen.

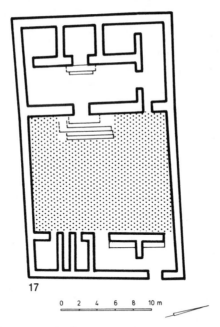

17

0 2 4 6 8 10 m

Abb. 17. Der »solar shrine« in Lachisch

ist 3,6 m lang und 12 m breit, seine Wände waren verputzt. Dem Eingang gegenüber führen 3 Stufen in einen weiteren Raum, der bei einer Tiefe von 2,8 m und einer Breite von 3,2 m fast quadratisch ist. Seine Wände waren ebenfalls mit Verputz verkleidet. Weitere Zugänge führen aus dem Breitraum in einen Raum in der südwestlichen Ecke des Gebäudes und in einen langgestreckten Raum an der Nordseite, letzterer hat außerdem einen direkten Zugang vom Hof aus. Ein weiterer Raum an der Westseite ist nur von diesem langgestreckten Raum aus zugänglich. Der Eingang in das Gebäude wurde in der nördlichen Begrenzungsmauer des Hofes vermutet. Bereits der Leiter der Grabung J.L.Starkey hat das Gebäude als einen Tempel angesprochen und als »solar shrine« interpretiert. Dementsprechend sei der Breitraum als Cella und der kleine höher gelegene Raum als Adyton zu bezeichnen. Die kultische Deutung des Gebäudes beruhte dabei auf folgenden Beobachtungen:

1. Die von Osten nach Westen ausgerichtete Orientierung des Gebäudes.
2. Der Niveauunterschied zwischen dem Hof und den Räumen an der Westseite.
3. Ein kleiner Altar aus Kalkstein, der in der Cella gefunden wurde, aber wohl aus dem Adyton stammt[41].
4. Die asymetrische Konstruktion der Treppe.
5. Zwei Abflüsse im Adyton in der Mitte des Eingangs und unterhalb der

41   Abbildung bei O. Tufnell, Lachish III (1953) Pl. 42,8/9.

Nische in der Südmauer, die beide mit der Libation in Zusammenhang gestanden haben können.

Ein Altar wurde im Hof nicht gefunden. Unter den sehr spärlichen Funden sprechen außerdem neun kleine Altäre auf einer Steinbank an der Südmauer des Raumes in der nordwestlichen Ecke für die kultische Verwendung des Gebäudes[42]. Auf Grund weniger Stücke von Keramik haben die Ausgräber diesen Tempel in die hellenistische Zeit datiert.

Wegen der erstaunlichen Ähnlichkeit im Plan zwischen dem »solar shrine« in Lachisch und dem Tempel von Arad hat *Yohanan Aharoni* in den Jahren 1966 und 1968 eine Nachgrabung im Bereich des Tempels von Lachisch durchgeführt[43]. Diese Nachgrabung hat sowohl die kultische Bestimmung des Gebäudes wie auch die Datierung in die hellenistische Zeit bestätigt. Für den Plan des Gebäudes konnte nachgewiesen werden, daß sich der Eingang an der nördlichen Ecke der Ostmauer befunden und durch die beiden dort gelegenen Räume geführt hat, außerdem wurde an der Südseite ein Anbau nachgewiesen[44]. Wenngleich in den eisenzeitlichen Schichten unter dem Gebäude kein Kultbau bestanden hat, so wurden doch verschiedene Anzeichen für eine kultische Tradition an dieser Stelle festgestellt. In dem Raum in der südwestlichen Ecke wurde eine Massebe freigelegt, die bereits im 10. Jh. (Stratum V) gesetzt worden ist und bis zum Ende des 8. Jh.s in den Strata IV und III dort gestanden hat[45]. Fünf weitere Masseben wurden in einer Grube unweit dieser Kultstele gefunden[46]. Da die Grube Stratum IV zuzuweisen ist, müssen diese Steine ebenfalls in Stratum V aufrecht gestanden haben und sind dann sorgfältig »begraben« worden.

Weiterhin wurde westlich des »solar shrine« ein rechteckiger Raum von 4 x 3 m ausgegraben, in dessen nordwestlicher Ecke eine Sammlung von Kultgeräten verstreut war. Neben einem Kalksteinaltar umfaßte der Fund Tonständer mit den dazugehörigen Schalen, die gewöhnlich als »Räucherständer« bezeichnet werden, Kelche, Schalen, Kännchen, Kannen und Lampen[47]. Diese Keramik ist in das 10. Jh. zu datieren und wird auf den Bänken, die an den Wänden des Raumes entlanglaufen, gestanden haben und von dort bei der Zerstörung des Gebäudes herabgefallen sein. Auch wenn dieser Raum mit den Kultgeräten nicht als Tempel angesprochen werden kann, so hat er doch eindeutig einer kultischen Bestimmung gedient und belegt die Kultausübung während des 10. Jh.s in dem Bereich, in dem

---

42 Vgl. *O. Tufnell*, Lachish III (1953) S. 143. Diese neun Altäre sind bedauerlicherweise nicht publiziert.

43 *Y. Aharoni*, Lachish V (1975) S. 1–32.

44 *Y. Aharoni*, ebd., Pl. 56.

45 *Y. Aharoni*, Lachish V (1975), S. 28–30, Pl. 3. Die Deutung von verkohltem Holz vor der Ostseite der Massebe als Aschera durch *Y. Aharoni* ist unsicher und kann hier auf sich beruhen bleiben.

46 *Y. Aharoni*, Lachish V (1975), S. 31, Pl. 4,1; 17,10–16.

47 *Y. Aharoni*, Lachish V (1975) S. 26–28, Fig. 5.6. Die Keramik ist auf Pl. 41–43 wiedergegeben, ein Teil ist Pl. 26 und 27,1 abgebildet, unter der gefundenen Keramik befinden sich auch Fragmente von Kochtöpfen und Vorratskrügen.

dann der hellenistische Tempel errichtet worden ist. Wenngleich somit eine Tradition von Kultbauten in Lachisch faßbar ist, so können weitere Einzelheiten über die eisenzeitlichen Gebäude an dieser Stelle nur durch weitere Grabungen ermittelt werden.

Der »solar shrine« aus hellenistischer Zeit in Lachisch steht also an einer Stelle, an der bereits Kultausübung im 10. Jh. nachgewiesen werden konnte. Die Errichtung dieses Tempels in Lachisch war somit wohl durch die Kulttradition an diesem Ort bedingt, da die Stadt selber in hellenistischer Zeit nicht besiedelt gewesen ist. Die englischen Ausgrabungen haben aus dieser Epoche nur ein Gebäude etwa 40 m südlich vom Tempel nachweisen können[48]. Plan und Ausführung dieses Gebäudes zeigen eine große Ähnlichkeit zu dem »solar shrine«, es ist möglicherweise ebenfalls ein Kultbau gewesen[49].

Weitere Anzeichen für eine Besiedlung des *Tell* in hellenistischer Zeit wurden nicht gefunden[50], so daß das Bestehen einer Siedlung in Lachisch nach 587 ausgeschlossen ist. Mit dem archäologischen Befund stimmt das Schweigen der Quellen überein. Lachisch wird nur noch Neh 11,30 erwähnt. Für die Liste in Neh 11,25-35 hat aber *Ulrich Kellermann* nachgewiesen, daß sie in die Zeit vor 587 zu datieren ist[51], so daß Neh 11,30 als Beleg für einen Ort Lachisch in nachexilischer Zeit ausscheidet. Das Gebiet von Lachisch gehörte mit einem Teil der Schefela in hellenistischer Zeit zu Idumäa und ist erst durch die Eroberungen des Johannes Hyrkanus gegen Ende des 2. Jh.s unter die Oberherrschaft der in Jerusalem regierenden Makkabäer gekommen[52]. Der Tempel von Lachisch hat somit außerhalb Judas gelegen.

Zwar ist das Bestehen eines Tempels in dem in hellenistischer Zeit nicht mehr bewohnten Lachisch bereits bemerkenswert[53], außergewöhnlich ist aber auch der Plan des Heiligtums. Die Cella ist ein Breitraum, aus ihr führt eine Treppe von drei Stufen in das erhöhte quadratische Adyton. Von dem Kultraum aus sind verschiedene Nebenräume zugänglich, ihm ist ein Hof vorgelagert, an dessen Ostseite sich weitere Nebenräume befinden.

Yohanan Aharoni hat als erster darauf hingewiesen, daß dieser Tempel aus

---

48 *O. Tufnell*, Lachish III (1953) S. 145f, Pl. 123.

49 So Y. *Aharoni*, Lachish V (1975) S. 9–11.

50 Die sog. Residency wurde durch die Ausgräber zwar in persische Zeit datiert (*O. Tufnell*, Lachish III ⟨1953⟩ S. 131–141; Pl. 118-120), doch hat Y. *Aharoni*, Lachish V (1975) S. 33-44 nachgewiesen, daß es sich bei diesem Gebäude um den assyrischen Palast aus dem 7. Jh. handelt.

51 *U. Kellermann*, Die Listen Nehemia 11 eine Dokumentation aus den letzten Tagen des Reiches Juda?, ZDPV 82 (1966) S. 209–277.

52 Vgl. Josephus, Ant. XII,8,6 und XIII,9,1.

53 Die 150 Räucheraltäre aus persischer Zeit in einer Höhle am Abhang des Tell (*O. Tufnell*, Lachish III [1953] S. 226) belegen zwar eine kultische Tradition, tragen aber zur Erklärung der Neuerrichtung eines Tempels auf dem Tell im 3. oder 2. Jh. v. Chr. nichts bei. Die Inschrift auf einem der Altäre belegt aber das Fortbestehen jüdischen Kultes in nachexilischer Zeit, vgl. dazu Y. *Aharoni*, Lachish V (1975) S. 7.

hellenistischer Zeit in Anlage und Orientierung dem eisenzeitlichen Tempel
von Arad entspricht[54]. Der Tempel von Arad, der in Strata XI bis VIII von
der Mitte des 10. bis zum Ende des 8. Jh.s innerhalb der königlichen Festung bestanden hat, ist ebenfalls ein Breitraum, an den das Adyton in Form
einer über drei Stufen zugänglichen Nische angebaut war[55]. Diesem Tempelgebäude war ein Hof vorgelagert, in dem der Altar gestanden hat und an
den sich Nebenräume anlehnten. Wie der »solar shrine« von Lachisch war
der Tempel von Arad von Ost nach West orientiert. Nur in der Zahl und der
Lage der Nebenräume bestehen zwischen beiden Tempeln gewisse Unterschiede, dagegen stimmen sie in der Form und der Zuordnung der Kult-
räume miteinander überein.

Der eigentliche Kultraum ist im Tempel von Lachisch nur wenig größer als
beim Tempel von Arad, wobei sich in beiden Länge und Breite wie 6 zu 20
verhalten[56]. Das Adyton, das in Arad nur eine kleine, angebaute Nische
war, ist in Lachisch dergestalt in den Bau integriert, daß der Platz nördlich
und südlich des Adyton für weitere Nebenräume benutzt worden ist. Die an
der Rückseite dem Breitraum angefügte Nische ist damit zu einem inte-
grierten Bestandteil des Gebäudes geworden. Der Tempel von Lachisch ist
also demjenigen von Arad gegenüber bei Übernahme der gleichen Grund-
konzeption weiter entwickelt. Durch die Vergrößerung des Adyton ist die
Konzeption des einräumigen Breitraumtempels verlassen und die Zweitei-
lung des Tempels in Cella und Adyton unter Beibehaltung des Breitraums
stärker betont.

Die Übereinstimmung des Tempels von Lachisch mit dem Tempel von Arad
in der Anlage läßt darauf schließen, daß beide trotz der zeitlichen Differenz
in ihrer Erbauung auf eine gemeinsame Konzeption zurückgehen. Der
Tempel von Lachisch belegt somit das Weiterbestehen einer Tempelbautradition, die in Arad wirksam geworden ist, bis in hellenistische Zeit. Seine
Errichtung wird auf Priesterkreise zurückgehen, in denen eine alte israelitische Tempelbautradition bewahrt und gegen den Tempel von Jerusalem behauptet worden ist.

Die Gründe, die zum Bau des Tempels von Lachisch geführt haben, sind
nicht bekannt. Seine Errichtung steht im Widerspruch zum Jerusalemer
Tempel, auch wenn seine Entstehungsgeschichte nicht ermittelt werden
kann. Der Gegensatz zum Jerusalemer Tempel zeigt sich bei dem Heiligtum
von Lachisch in der Art seiner Anlage. Bei seiner Errichtung wurde auf eine
genuin israelitische Tempelform zurückgegriffen, die für die Königszeit außerhalb Jerusalems in Arad belegt ist. Diese Bautradition kann sich unter
der Priesterschaft außerhalb Jerusalems erhalten haben, der Bau des Tem-

---

54 Vgl. Y. *Aharoni,* IEJ 18 (1968) S. 157 mit Gegenüberstellung der Pläne S. 158, Fig. 1.
55 Vgl. die ausführliche Beschreibung mit den Plänen der Strata XI und X durch Y. *Aharoni,*
BA 31 (1968) S. 18–30 und oben Abschnitt 3.2.
56 Zur Frage der Abmessungen und des Standards der Elle beim Tempel von Arad vgl.
Y. *Aharoni,* BA 31 (1968) S. 24f. Die beim »solar shrine« verwendete Maßeinheit ist nicht bekannt.

pels von Lachisch wird darum auf eine nicht näher bekannte Landpriester-
schaft zurückgehen. Der Rückgriff auf einen alten Typ des Jahwetempels
bedingt dabei die Ablehnung der in hellenistischer Zeit gebräuchlichen Bauformen.
Da Lachisch in hellenistischer Zeit nicht besiedelt war, kann das Heiligtum
nur der in den Orten der Umgebung wohnenden Bevölkerung gedient haben. Da das Gebiet der südlichen Schefela mit Einschluß von Lachisch bis
zur Eroberung von Marissa und Adora durch Johannes Hyrkanus um 128
v. Chr. zu Idumäa gehörte[57], muß der Tempel von Lachisch entweder als
idumäisch gelten oder von einer jüdischen Diaspora errichtet worden sein.
Die Anlage des Tempels läßt jedoch darauf schließen, daß er ein jüdisches
Heiligtum zur Jahweverehrung ohne Opferkult gewesen ist[58]. Da der Tempel keinen Altar gehabt hat, steht er nicht in Konkurrenz zum Tempel von
Jerusalem als der einzigen legitimen Opferstätte. Die Opferpraxis be-
schränkte sich vielmehr auf Räucheropfer und vegetarische Opfergaben.

4.5
Qaṣr el-ʿAbd

Etwa 500 m südwestlich von ʿArāq el-Emīr liegt das Qaṣr el-ʿAbd genannte
Gebäude (Abb. 18), dessen Überreste verschiedentlich in einer Bauaufnahme festgehalten[59] und durch *Paul Lapp* archäologisch untersucht worden sind[60]. Es handelt sich dabei um einen 37 x 18,5 m großen Bau aus hellenistischer Zeit mit dem Eingang an der nördlichen Schmalseite. Das Portal
führt in eine Eingangshalle, zu deren beiden Seiten sich je ein Raum befindet. Der östliche von diesen Seitenräumen hat wahrscheinlich als Treppen-
haus gedient. Die Südseite ist stark zerstört, doch konnten in beiden Ecken
Räume nachgewiesen werden. Die noch vorhandenen Architekturfrag-
mente zeigen eine sorgfältige Ausführung des Baus mit Bossenquadern,
reich verzierten Kapitellen und einen mit Löwendarstellungen geschmück-
ten Fries. Das Gebäude ist nicht vollendet worden, wie unfertige Bossen und

57 Josephus, Ant.XIII,9,1; vgl. XII,8,6. Zur Geschichte von Marissa vgl. *V. Tscherikover,*
Hellenistic Civilisation and the Jews (³1966) S. 62–66 und 104f. Marissa liegt 6 km nordöstlich
von Lachisch an der Stelle des biblischen Marescha (*Tell Sandaḥanna*) und ist eine idumäische
Neugründung aus dem 3. Jh. unter Beteiligung anderer Bevölkerungselemente. Nach der Eroberung der Stadt hat Johannes Hyrkanus die Bewohner zwangsweise dem Judentum eingegliedert.
58 Dagegen hat der im Stadtgebiet von Marissa freigelegte Tempel nicht der Jahweverehrung
gedient, vgl. *J. Bliss – R. A. St. Macalister,* Excavations in Palestine (1902) S. 52–61 und
Pl. 16 sowie *K. Galling,* HAT I,1 (1937) S. 362. Eine Rekonstruktion dieses Tempels ist nicht
möglich.
59 *F. de Saulcy,* Voyage en Terre Sainte (1865) S. 211–235; ders., *Mémoire sur les monu-*
ments d'Aâraq-el-Emyr, Mémoires de l'Académie des Inscriptions et Belles Lettres de l'Institut
de France 26 (1867), S. 83–117; *C. R. Conder,* Survey of Eastern Palestine I (1889) S. 78–87;
H. B. Butler, Syria IIA (1919) S. 1–25.
60 *P. W. Lapp,* Soundings at ʿArâq el-Emīr (Jordan), BASOR 165 (1962) S. 16–34; ders.,
The Second and Third Campaign at ʿArâq el-Emîr, BASOR 171 (1963) S. 8–39, bes. S. 20–33.

Kapitelle belegen[61]. Durch die Nachgrabung ist die Datierung des Gebäudes in das frühe 2. Jh. v. Chr. gesichert.

Die Deutung des Gebäudes ist umstritten. Unter Berufung auf die Bemerkung des Josephus, Ant. XII,4,11 über die Bautätigkeit des Hyrkanus an seinem Fluchtort Tyros hat *M. de Vogué* das Gebäude einen Palast genannt[62]. Wenngleich diese Interpretation immer wieder vertreten worden ist[63], so reicht die Angabe des Josephus für diese Bestimmung des Gebäudes doch nicht aus. *F. de Saulcy* hat *Qaṣr el-ʿAbd* als ein ammonitisches Heiligtum angesprochen, das zur Zeit des Hyrkanus bereits zerstört war[64]. *C. H. Butler* hat die kultische Interpretation eingehend aus der Anlage des Bauwerks begründet und die Datierung in hellenistische Zeit vertreten[65]. Diese Deutung des *Qaṣr el-ʿAbd* als Tempel ist weitgehend übernommen worden[66]. Im Anschluß an *C. H. Butler* rechnet *Otto Plöger*[67] mit einem den Tempel umgebenden heiligen See entsprechend der Anlage von Amrit[68]. *Paul W. Lapp* hält den Bau ebenfalls für einen Tempel, wobei er auf Grund der Keramik mit der Errichtung durch Hyrkanus rechnet[69]. *P. W. Lapp* hat die in der Untersuchung von *Robert Amy* beschriebenen Tempelbauten zum Vergleich herangezogen und verweist – seinem Rekonstruktionsplan entsprechend – vor allem auf den ähnlich gestalteten Tempel von *Dmēs*[70]. Danach ist *Qaṣr el-ʿAbd* »a unique indigenous example of the old Syrian temple type in the Hellenistic period«[71].

Rekonstruktion und Interpretation des Gebäudes müssen von der Bauaufnahme ausgehen. Der Bau ist ein Langhaus mit dem Eingang an der nördlichen Schmalseite. Die Eingangshalle war durch zwei Türme flankiert, wobei in dem östlichen Turm ein Treppenaufgang auf das Tempeldach führte. Die Annahme von Halbsäulen entlang der Wände des Innenraumes durch *C. H. Butler* hat *M. J. B. Brett* mit Erwägungen zur Bautechnik zurückgewiesen[72], doch hat er im Hauptraum zwei Säulenreihen als Träger der Dachkonstruktion angenommen[73].

In den Rekonstruktionsplänen ist an der Rückseite eine Gliederung des Gebäudes entsprechend der Eingangsfront in Form einer Rückhalle ausgewiesen[74]. Die Bauaufnahmen von *C. R. Conder* und *C. H. Butler* lassen je-

---

61 Vgl. *P. W. Lapp*, BASOR 171 (1963) S. 24f.

62 *M. de Vogué*, Le Temple de Jérusalem (1864) S. 38–41.

63 *C. R. Condor*, The Survey of Eastern Palestine I (1889) S. 78; *V. Tscherikover*, a.a.O., S. 430, Anm. 69; *B. Mazar*, IEJ 7 (1957) S. 141.

64 *F. de Saulcy*, Voyage en Terre Sainte I (1865) S. 224.

65 *C. H. Butler*, Syria IIA (1919), S. 15–18.

66 Vgl. *H. Greßmann*, SPAW (1921), S. 670; *L. H. Vincent*, RB 29 (1920) S. 196–202; *F. M. Cross*, HThR 59 (1966) S. 207; *M. Hengel*, Judentum und Hellenismus, WUNT 10 (1969) S. 496–499.

67 *O. Plöger*, Hyrkan im Ostjordanland, ZDPV 71 (1955) S. 70–81.

68 Vgl. *M. Dunand – N. Saliby*, Le Sanctuaire d'Amrit, AAAS 11/12 (1961/62) S. 3–12.

69 *P. W. Lapp*, BASOR 171 (1963) S. 27–32.

70 *R. Amy*, Temples à éscaliers, Syria 27 (1950) S. 82–136.

71 *P. W. Lapp*, BASOR 171 (1963) S. 30.

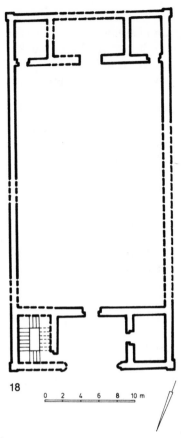

18

0   2   4   6   8   10 m

Abb. 18. Qaṣr el-ʿAbd

doch keinerlei Anzeichen für diese angenommene Rückhalle erkennen[75]. Weder sind an der Südseite Säulen oder Halbsäulen gefunden worden noch ist aus der Rückhalle ein Zugang zu den beidseitigen Nebenräumen oder dem Hauptraum nachgewiesen. Die Rückhalle erscheint somit allein in Analogie zum Eingang rekonstruiert. Da jedoch keinerlei Anzeichen für

---

72   M. J. B. Brett, The Qaṣr el-ʿAbd: A Proposed Reconstruction, BASOR 171 (1963) S. 39-45, bes. S. 40f gegen C. H. Butler, Syria IIA (1919) S. 7. Inkonsequenterweise erscheinen die Halbsäulen aber in den von M. J. B. Brett, BASOR 171 (1963) S. 41, Fig. 1 und S. 43, Fig. 2 gegebenen Plänen. Dagegen sind sie in der Bauaufnahme P. W. Lapp, BASOR 171 (1963) S. 22, Fig. 7 weggelassen.

73   M. J. B. Brett, BASOR 171 (1963) S. 44.

74   So C. H. Butler, Syria IIA (1919) S. 6, Ill. 2C; P. W. Lapp, BASOR 171 (1963) S. 22, Fig. 7; M. J. B. Brett, BASOR 171 (1963) S. 41, Fig. 1 und S. 43, Fig. 2.

75   C. R. Conder, The Survey of Eastern Palestine I (1889) S. 79; C. H. Butler, Syria IIA (1919) S. 6, Ill. 2B.

eine solche vorhanden sind, muß die Annahme einer Rückhalle am *Qaṣr el-ʿAbd* aufgegeben werden, zumal eine Rückhalle bei den Tempeln in Syrien in hellenistischer Zeit nicht belegt ist. Der für die Rückhalle in Anspruch genommene Raum ist vielmehr vom Hauptraum aus zugänglich und stellt das Adyton dar, an das sich zu beiden Seiten je ein weiterer Nebenraum anschließt[76].

Das Gebäude ist somit ein Langhaus mit einer Vorhalle zwischen den beiden den Eingang flankierenden Türmen und drei gegen die Rückwand gesetzten Räumen. Diese Gliederung des Gebäudes schließt die Interpretation als Palast aus, sondern weist auf einen Tempel. Der dem Eingang gegenüberliegende Raum ist das Adyton, das möglicherweise erhöht und über Stufen zugänglich war. Zu beiden Seiten des Adyton haben Nebenräume bestanden. Die Cella war wahrscheinlich durch Säulenreihen unterteilt. Der Plan des *Qaṣr el-ʿAbd* entspricht in der Dreiteilung Pronaos, Cella und Adyton dem sog. syrischen Tempeltyp in hellenistischer und römischer Zeit[77]. Dieser Tempeltyp findet sich in zahlreichen Beispielen während der römischen Epoche im ehemaligen phönikischen Hinterland[78]. Im Ostjordanland ist dieser Typ in *Ǧeraš* mit den beiden Haupttempeln des Zeus und der Artemis[79] und dem Tempel des Zeus in *Qanawāt*[80] belegt. Der *Qaṣr el-ʿAbd* steht somit in der Tradition des syrischen Tempelbaus in hellenistischer Zeit.

Die Gleichsetzung von *ʿArāq el-Emīr* mit Tyros ist umstritten. *Siegfried Mittmann* hat diese Identifikation erneut begründet, indem er die Identität von Tyros mit dem Σου/ωραβιττ . . . aus den Zenonpapyri nachgewiesen[81] und die Gleichsetzung mit Βίρτα τῆς Ἀμμανίτιδος zurückgewiesen hat[82]. In seinem Bericht über den Ausbau von Tyros durch Hyrkan erwähnt Josephus, Ant. XII,4,11 eine Burg (βᾶρις), die Hyrkan aus weißem Marmor aufgeführt und ringsherum mit Tiergestalten versehen habe, die gesamte Anlage habe er mit einem Graben umgeben. Von den baulichen

---

76 Vgl. bereits *C. Watzinger*, Denkmäler Palästinas II (1935) S. 13, der die Rekonstruktion der Rückhalle bereits angezweifelt hat, die Entscheidung jedoch offenläßt.
77 Vgl. dazu *A. Alt*, Verbreitung und Herkunft des syrischen Tempeltypus, Kleine Schriften II (1953) S. 100–115; *O. Eißfeldt*, Tempel und Kulte syrischer Städte in hellenistischer Zeit, AO 40 (1941). Für die Herkunft hat *A. Alt* eine Entwicklung aus dem Langhaustempel des 3. und 2. Jt. in Mesopotamien vermutet, wie sie jetzt nachgewiesen werden kann, vgl. oben Abschnitt 2.3.
78 Die Bauten sind mit Ausnahme von Baalbeck beschrieben und klassifiziert von *D. Krencker* und *W. Zschietzschmann*, Römische Tempel in Syrien (1938).
79 *C. H. Kraeling*, Gerasa. City of Dekapolis (1938) S. 18f, Plan XXVI und S. 125–138, Plan XXI.
80 *C. H. Butler*, Syria IIA (1919) S. 349, Ill. 315, bei *R. Amy*, Syria 27 (1950) S. 94f und Fig. 11.
81 Text bei *V. A. Tscherikover – A. Fuks*, Corpus Papyrorum Judaicarum I (1957) Nr. 2a und 2d.
82 *S. Mittmann*, Zenon im Ostjordanland, in: Archäologie und Altes Testament (1970) S. 199–210 gegen *L. H. Vincent*, RB 29 (1920) S. 189–202; *H. Greßmann*, SPAW 1921, S. 664f und 668f; *C. Watzinger*, Denkmäler Palästinas II (1935) S. 13.

Überresten in *'Arāq el-Emīr* entspricht *Qaṣr el-'Abd* genau dieser Beschreibung. Von seiner Anlage her ist dieser Bau jedoch ein Tempel. Man muß also annehmen, daß Josephus die Bestimmung des *Qaṣr el-'Abd* – falls er sie gekannt hat – bewußt verschwiegen hat[83]. Der Widerspruch zwischen dem Bericht des Josephus und den baulichen Überresten ist jedoch insofern nicht so schwerwiegend, als βᾶρις auch in der Bedeutung »Tempel« belegt ist. Zwar bezeichnet das Wort bei Josephus gewöhnlich ein Kastell[84] oder die Burg Antonia[85], in der Septuaginta ist βᾶρις (Ps 44,9) jedoch die Wiedergabe von היכל. Aus dem Sprachgebrauch bei Josephus kann somit die Bestimmung des Gebäudes als Tempel nicht bestritten werden.

Qaṣr el-'Abd ist somit ein von Hyrkan erbauter Tempel, der jedoch nicht fertig gestellt worden ist. Kulthandlungen haben in ihm deshalb nicht stattgefunden. Dennoch bleibt nach den Gründen für diesen Tempelbau zu fragen. Hyrkan gehört zu den Tobiaden[86], hält aber im Gegensatz zu seinen Brüdern zu den Ptolemäern und gerät nach dem Tode seines Vaters Josef in Gegensatz zu der seleukidischen Partei in Jerusalem. In Tyros hat Hyrkan 7 Jahre lang seine Unabhängigkeit von Jerusalem behauptet. Wie in Leontopolis wird der Tempel in Tyros von einem politischen Flüchtling aus Jerusalem errichtet. Die Notwendigkeit für einen Tempelbau kann somit im Zusammenhang mit dem Bestreben nach politischer Unabhängigkeit erwachsen sein. Der Tempel dokumentiert und garantiert die Selbständigkeit im kultischen Bereich. *Qaṣr el-'Abd* sollte den Jerusalemer Tempel »ersetzen«[87] und steht damit im Gegensatz zum judäischen Zentralheiligtum in Jerusalem. Als die Verwirklichung seiner Machtansprüche aussichtslos wurde, nahm sich Hyrkan das Leben. Die Unfertigkeit des *Qaṣr el-'Abd* steht wohl mit dem Tod des Hyrkan in einem Zusammenhang: mit dem Scheitern der politischen Bestrebungen des Hyrkan kam auch die Arbeit an dem Tempel zum Erliegen.

4.6
Zusammenfassung

Mit dem Tempel von Lachisch hat in hellenistischer Zeit ein Heiligtum außerhalb Judas bestanden, das der Jahweverehrung wenn auch ohne Opfer auf dem Altar gedient hat. Dementsprechend ist es mit jüdischen Bevölkerungselementen in der südlichen Schefela in Verbindung zu bringen, die sich möglicherweise aus politischen Gründen – weil sie als Bewohner Idumäas am Besuch des Jerusalemer Tempels gehindert waren – einen eigenen Tempel außerhalb Jerusalems geschaffen haben. Der von Hyrkan errichtete

---

83 E. *Littmann*, Syria IIIA (1921) S. 6.
84 Josephus, Ant.VIII,15,2; X,11,7; XI,4,6; XX,4,2.
85 Josephus, Ant. XIII,9,2; XV,11,4; XVIII,4,3; Bell. I, §§ 75.118.
86 Zur Geschichte der Tobiaden vgl. B. *Mazar*, The Tobiads, IEJ 7 (1957) S. 137–145.229–238; V. *Tscherikover*, a.a.O., S. 126–142.
87 H. *Greßmann*, SPAW 1921, S. 671.

Bau *Qaṣr el-ʿAbd* war ein Langhaustempel mit Vorhalle, wobei der Tempelraum in Cella und Adyton unterteilt war. Trotz der Ähnlichkeit mit dem Tempel von Jerusalem ist er nicht einfach diesem nachgebildet, sondern steht in der Tempelbautradition der hellenistischen Zeit. Die beiden Tempel von Elephantine und Leontopolis sind wahrscheinlich ebenfalls Langhäuser gewesen und haben baugeschichtlich möglicherweise in einem gewissen Zusammenhang mit dem Tempel von Jerusalem gestanden. Für den Tempel der Samaritaner auf dem Garizim hat Josephus die Ähnlichkeit mit dem Tempel von Jerusalem festgestellt, wenngleich eine bauliche Abhängigkeit nicht erwiesen werden kann. Nur der Tempel von Lachisch war ein Breitraumtempel und geht wahrscheinlich auf die altisraelitische Tempelbautradition zurück[88].

Während die Tempel von Elephantine und Lachisch als lokale Heiligtümer errichtet worden sind, wobei für den Wiederaufbau des Heiligtums von Elephantine die ausdrückliche Genehmigung durch Jerusalem belegt ist, haben die Tempelbauten auf dem Garizim, in Tyros und in Leontopolis mit den politischen Ereignissen in einem Zusammenhang gestanden[89]. Nach den Berichten des Josephus ging die Initiative für diese drei Tempelbauten von Sanballat, Hyrkan und Onias aus. Die Frontstellung gegen den Tempel von Jerusalem ist in allen drei Fällen durch die vorausgegangenen Konflikte deutlich. Die Tempelbauten auf dem Garizim, in Tyros und in Leontopolis gehen somit auf die Unabhängigkeitsbestrebungen solcher Männer zurück, die die politische Selbständigkeit durch eine Tempelgründung zu stützen suchten, um sich auch im kultischen Bereich von Jerusalem unabhängig zu machen.

Gerade der bei diesen Neugründungen erkennbare Widerspruch zeigt die überragende Stellung, die der Tempel von Jerusalem im Verlauf seiner Geschichte erlangt hat. Der Jerusalemer Tempel ist der *kultische* Mittelpunkt bis zu seiner Zerstörung durch die Römer im Jahre 70 n. Chr. geblieben. Bestritten wurde dieser Anspruch vor allem durch die Samaritaner durch die Gründung eines neuen kultischen Mittelpunktes auf dem Garizim.

Insgesamt lassen die Tempelneugründungen erkennen, daß nicht der Tempelbau als solcher, sondern das Opfer auf dem Altar das entscheidende Kriterium dafür war, ob die Vorrangstellung Jerusalems beeinträchtigt wurde oder nicht. Bereits beim Wiederaufbau des Tempels von Elephantine wurde die Darbringung von Brandopfern stillschweigend ausgeschlossen. Der Tempel von Lachisch hat keinen Altar für Brandopfer gehabt. Am Tempel von Leontopolis verfällt lediglich das Brandopfer der grundsätzlichen Ablehnung seitens der Rabbinen. Das Verhältnis der verschiedenen Tempel

---

88   Der auf dem *Tell es-Sebaʿ* freigelegte hellenistische Tempel kann hier außer Betracht bleiben, da die in ihm gefundenen Kultobjekte eindeutig darauf hinweisen, daß es sich nicht um ein Jahweheiligtum handelt. Der Bau gehört jedoch mit der israelitischen Tempelbautradition insofern zusammen, als er ebenfalls ein Breitraum mit vorgelagertem Hof, in dem der Altar gestanden hat, gewesen ist, vgl. Y. *Aharoni,* Tel Aviv 2 (1975) S. 163–165.

89   Vgl. dazu M. *Hengel,* Judentum und Hellenismus, WUNT 10 (1969) S. 499.

zum Tempel von Jerusalem stellt sich somit für jeden Bau verschieden dar. Insgesamt ist die Tendenz deutlich, Brandopfer auf den Tempel von Jerusalem zu beschränken, der damit die einzig legitime Opferstätte geblieben ist, während sonstige Kultausübung ohne Brandopferaltar auch außerhalb Jerusalems möglich war.

5
Zeltheiligtümer

5.1
Das Zelt Jahwes in Jerusalem

Von einem Zelt, das als Heiligtum benutzt worden ist, berichtet 2. Sam 6,17. Nach der Überführung der Lade in die ehemalige Jebusiterstadt Jerusalem durch David wird die Lade »an ihren Ort inmitten des Zeltes« gestellt. Zwar heißt es im Nebensatz, daß David dieses Zelt für die Lade errichtet hat[1], doch ist es nicht eine bloße Überdachung für die Lade[2], sondern ein Heiligtum für Jahwe, in dem die Lade ihren Platz gefunden hat. Aus den späteren Erwähnungen dieses Zeltes in der Erzählung von der Thronbesteigung Salomos geht deutlich hervor, daß das Zelt nicht nur für die Lade bestanden hat. Aus diesem Zelt läßt Zadok das Ölhorn holen (1. Kön 1,39), und als Joab sich nach der erfolgten Inthronisation Salomos in das Zelt flüchtet und die Hörner des Altars ergreift, wird er dort von Benaja auf ausdrücklichen Befehl Salomos getötet (1. Kön 2,28–34). Die Aufbewahrung von Öl zum Zweck der Salbung, das Vorhandensein eines Altars, der wahrscheinlich für Räucheropfer gedient hat, und die Möglichkeit, im Zelt Asyl zu suchen, belegen, daß das unter David in Jerusalem errichtete Zelt ein Heiligtum gewesen ist.

Das Zeltheiligtum heißt 1. Kön 1,39 einfach אהל[3], während es in 2. Kön 2,28–30 ausdrücklich אהל יהוה genannt wird[4]. Nur 2. Sam 7,2 findet sich der Ausdruck יריעה »Zeltdecke«, doch ist dieser Sprachgebrauch durch die Gegenüberstellung zu בית ארזים bestimmt: im Gegensatz zu dem holzgetäfelten Haus des Königs ist das Zelt durch die aus Wolle oder Leder hergestellten Zeltdecken gekennzeichnet. Während die Lade noch in davidischer

---

1 Die Errichtung eines Zeltheiligtums hat *H. H. Rowley*, JBL 58 (1939) S. 127f bestritten und dagegen die Einstellung der Lade in das jebusitische Heiligtum von Jerusalem behauptet. Diese These scheitert jedoch an den eindeutigen Aussagen von 2. Sam 6. Zur Geschichte der Lade vgl. unten Abschnitt 6.2.1.
2 Dagegen haben das Zelt als vorübergehenden Einstellplatz für die Lade gedeutet: *H. W. Hertzberg*, ZAW 47 (1929) S. 168; *M. Haran*, JSS 5 (1960) S. 51.
3 Das Zeltheiligtum wird mit dem allgemeinen Wort für »Zelt« אהל bezeichnet. Das Zelt ist Wohnstätte der Nomaden, wofür Ri 5,24 der älteste Beleg ist. Dementsprechend werden die Erzväter als Zeltbewohner geschildert, vgl. Gen 12,8; 13,3.5; 18,1.2.6.9.10; 24,67; 25,27; 26,25; 31,25.33.34; 33,19; 35,21 u. ö. Nach der Landnahme hat sich das Wort in der allgemeinen Bedeutung »Wohnstätte« bis in die Königszeit erhalten, vgl. 1. Sam 4,10; 13,2; 17,54; 2. Sam 18,17; 19,9; 20,1.22; 1. Kön 12,16 u. ö.
4 Die Unterscheidung zwischen einem »Ladezelt« und einem »Zelt Jahwes« ist nicht gerechtfertigt, da das von David erstellte Zelt mit dem אהל יהוה identisch ist, gegen *M. Görg*, BBB 27 (1967) S. 75–97 und 127–137.

Zeit beim Feldzug mitgenommen wurde (2. Sam 11,11), ist eine solche Beweglichkeit für das Zelt nicht belegt. In 2. Sam 11,11 bezeichnet סכות allgemein die Hütten, aus denen das Heerlager besteht, ohne daß der Einstellplatz der Lade näher bestimmt werden könnte[5]. Auch bei der Flucht Davids aus Jerusalem während des Aufstandes Absaloms (2. Sam 15) ist von einem Abbruch und dem Mitführen des Zeltes nichts gesagt.

Nach der Errichtung eines Tempels in unmittelbarer Nähe des Palastes durch Salomo wird die Lade in das neue Staatsheiligtum überführt (1. Kön 8,1–11). Zwar wird nach 1. Kön 8,4 das Zelt ebenfalls in den Tempel eingebracht, aber die Worte ואת אהל מועד stören den Zusammenhang des Textes und gehen somit auf einen späteren Überarbeiter zurück. Das zeigt auch der unterschiedliche Sprachgebrauch, denn das davidische Zelt wird sonst niemals אהל מועד genannt. Weiterhin ist die Einbringung des Zeltes in den Tempel »auch sachlich unwahrscheinlich«[6]. Aus der Einweihung des Tempels kann darum nicht auf den Abbruch des von David errichteten Zeltes geschlossen werden. Trotz der Überführung der Lade in den Tempel besteht somit die Möglichkeit, daß das Zelt Jahwes auch nach dem Tempelbau Salomos weiter bestanden hat. Es wird allerdings nicht mehr erwähnt und hat – seiner Priesterschaft beraubt – kaum lange Zeit überdauert.

Über die Form des Zeltes wird nichts mitgeteilt. Die im alten Israel gebräuchlichen Zeltformen sind zwar nicht bekannt, grundsätzlich können jedoch zwei verschiedene Zelttypen unterschieden werden: das Firstdachzelt mit drei Pfostenreihen, wobei die Pfosten der mittleren Reihe etwas höher sind als die der beiden übrigen Reihen, und das Firstzelt mit nur einer Pfostenreihe[7]. Je nachdem, ob beim Firstdachzelt der Eingang an der Schmalseite oder an der Längsseite liegt, muß zwischen Schmalstirnigkeit und Breitstirnigkeit unterschieden werden. Das Firstdachzelt mit dem Zugang an der Breitseite ist noch heute unter den Beduinen Arabiens gebräuchlich[8]. Abbildungen von Zelten finden sich auf den Reliefs Assurbanipals aus seinem Palast in Ninive[9]. Auf diesen Reliefs von Feldzügen gegen nomadische Stämme erscheinen die Zelte der Feinde wie die der Assyrer im Querschnitt

---

5   Vgl. dazu A. Alt, Zelte und Hütten, Kleine Schriften III (1959) S. 233–242.

6   M. Noth, BK IX/1 (1968) S. 177.

7   Terminologie nach F. Oelmann, Haus und Hof im Altertum I (1927) S. 52–55 mit den Anmerkungen auf S. 114f.

8   Beschreibung bei G. Dalman, Arbeit und Sitte in Palästina VI (Nachdruck 1964) S. 1–43; C. G. Feilberg, La tente noire (1944); E. Rackow und W. Caskel, Das Beduinenzelt, nordafrikanische und arabische Zelttypen mit besonderer Berücksichtigung des zentralalgerischen Zeltes, Baessler Archiv 21 (1938) S. 151–184.

9   Die Fragmente in London, Berlin und im Vatikan sind zusammengestellt bei D. Opitz, Die Darstellungen der Araberkämpfe Aššurbânaplis aus dem Palaste zu Ninive, AfO 7 (1931/32) S. 7–13. Einen Ausschnitt bietet ANEP Nr. 170, ein weiteres Fragment aus dem Museum in Bagdad findet sich ANEP Nr. 171. A. Alt, Kleine Schriften III (1959) S. 235f hat diese Zelte folgendermaßen beschrieben: »Es sind Spitzzelte mit nur einer hohen Stange als Stütze in der Mitte, von der entweder unmittelbar über dem Erdboden oder weiter oben schräg aufwärts zu den Wänden laufende Gabelungen abzweigen, so daß die bis zum Boden herabreichenden Wände da, wo die Gabelungen auf sie stoßen, eine leichte Knickung aufweisen.«

dargestellt. Die Tatsache, daß die Zelte im assyrischen Lager in gleicher Weise wie die Zelte der Feinde abgebildet sind, zeigt, daß es sich bei diesen Zeltdarstellungen wohl nicht um eine genaue Wiedergabe des nomadischen Wohnzeltes handelt, sondern um die Stilisierung eines bei den Assyrern gebräuchlichen Zelttyps[10]. Das gleiche Zelt erscheint auch auf den Reliefs Sanheribs aus seinem Palast in Ninive im Bereich des assyrischen Lagers[11]. Die Form des im alten Israel gebräuchlichen Zeltes kann nicht von diesen Parallelen her bestimmt werden[12], da der zeitliche Abstand von mehr als einem halben Jahrtausend nicht durch weiteres Vergleichsmaterial überbrückt werden kann. Allenfalls ist der israelitische Zelttyp aus dem Hausbau in den früheisenzeitlichen Siedlungen der Stämme zu erschließen. Der Rückschluß vom Hausbau in der Zeit nach der Landnahme auf die Zeltform ist deshalb möglich, weil nomadische Stämme bei ihrem Übergang zur Seßhaftigkeit das Wohnhaus aus Steinen oder Lehmziegeln den vorher benutzten Zelten nachbilden[13]. Unter den Haustypen der Eisen I-Zeit findet sich das Pfeilerhaus mit einer oder zwei Reihen von Mittelpfeilern parallel zur Längsseite (Abb. 12 und 16)[14]. Da die beiden Längswände je einer Pfostenreihe entsprechen, repräsentieren die früheisenzeitlichen Pfeilerhäuser das Firstdachzelt. Auf Grund dieses früheisenzeitlichen Haustyps kann somit auf den Gebrauch des breiträumigen Firstdachzeltes bei den israelitischen Stämmen vor der Landnahme geschlossen werden. Das von David in Jerusalem errichtete Zelt kann somit ein Firstdachzelt gewesen sein.

Die Errichtung des Zeltes durch David ist innerhalb von 2. Sam 6 fast beiläufig mitgeteilt. Alle Aufmerksamkeit des Erzählers gilt der Lade und den mit ihr verbundenen Ereignissen. Weder mußte die Aufstellung des Zeltes besonders herausgestellt werden, noch bedurfte das Zelt einer näheren Begründung oder Erklärung. Mit dem Zelt kann die Übernahme einer noch gebräuchlichen Bauweise oder die Wiederaufnahme einer alten Tradition vom Zeltheiligtum vorliegen. Zwar fehlt jeder Hinweis auf die Existenz von Zeltheiligtümern in vorstaatlicher Zeit[15], andererseits aber ist die Errich-

---

10   Gegen *A. Alt*, Kleine Schriften III (1959) S. 236, der das »Spitzzelt« »für die Normalform der Nomadenzelte des Orients im Altertum« hält. Es besteht freilich die Möglichkeit, »daß sich die Zelte wenigstens der assyrischen Heere nicht wesentlich von denen der Nomaden unterschieden haben« (*H. Klengel*, Zwischen Zelt und Palast ⟨1972⟩ S. 204). Dann könnte mit der Übernahme dieses Zelttyps von den Arabern durch die Assyrer gerechnet werden. Eine Entscheidung läßt sich aus dem vorliegenden Material nicht treffen.

11   *A. Peterson*, Palace of Sinacherib (1925) Pl. 8.38.74–76.85.

12   *A. Alt*, Kleine Schriften III (1959) S. 233f, hat herausgestellt, daß auch das Zelt der heutigen Beduinen im Bereich der arabischen Halbinsel wegen des großen zeitlichen Abstandes nicht zum Vergleich mit dem israelitischen Zeltheiligtum herangezogen werden kann.

13   Dieser Vorgang der Nachbildung der Zeltform in der Steinarchitektur läßt sich vor allem in den neolithischen und frühbronzezeitlichen Kulturen des palästinensischen Raumes beobachten, wie insbesondere die Ausgrabungen in Jericho gezeigt haben, vgl. *K. Kenyon*, Digging up Jericho (1957).

14   Zu den israelitischen Haustypen vgl. oben Abschnitt 3.5.

15   Die Änderung von אהלו in אהל יהוה in 1. Sam 17,54 ist durch nichts zu stützen und me-

tung eines Zeltes als Kultbau in der neuen Hauptstadt nicht als außergewöhnliche Neuerung dargestellt. Daraus kann zumindest geschlossen werden, daß die Verwendung von Zelten auch für kultische Zwecke noch gebräuchlich war, ohne daß mit einer eigenen kultischen Zeltüberlieferung gerechnet werden muß[16].

Dennoch bleibt die Möglichkeit bestehen, daß in vorstaatlicher Zeit Zeltheiligtümer bei den israelitischen Stämmen bestanden haben. Dann könnte das Zelt Jahwes auf eine israelitische Kultbautradition außerhalb Jerusalems zurückgehen. Doch bleibt fraglich, ob das im Kult verwendete Zelt der Form nach vom Wohnzelt abgewichen ist und überhaupt eine eigene Überlieferung gehabt hat. Als Träger der Überlieferung käme allenfalls der zu David gestoßene Priestersohn Ebjathar aus Nob in Frage (vgl. 1. Sam 22), der neben Zadok Priester unter David gewesen ist, vgl. 2. Sam 15,24-28. Doch fehlt für die Annahme der Vermittlung einer Zelttradition durch Ebjathar jeder Beleg[17], wenngleich die Überbringung des Ephod ausdrücklich mitgeteilt wird.

Die Zeltterminologie hat sich nach dem Tempelbau Salomos in Jerusalem erhalten, ohne daß die mit dieser Terminologie verbundenen Vorstellungen aus den Erwähnungen in Ps 15,1; 27,5.6; 61,5 und 78,60[18] erhoben werden könnten[19]; »die Zeltterminologie geht jedenfalls in die Tempelsprache ein«[20].

Die Frage warum David sich mit der Aufstellung eines Zeltheiligtums begnügte und nicht den Bau eines Tempels in Angriff genommen hat, ist be-

---

thodisch wie sachlich unzulässig. Auf Grund dieser Änderung rechnen mit einem Zelt Jahwes vor der Eroberung von Jerusalem *H. W. Hertzberg*, ZAW 47 (1929) S. 178 und *M. Görg*, BBB 27 (1967) S. 125.

16   Gegen *A. Kuschke*, ZAW 63 (1951) S. 98 und *F. M. Cross*, BAR I (1961) S. 214. *M. Görg*, BBB 27 (1967) S. 124-137 denkt an Nob als den Ort, »an dem die Überlieferung vom Zelte Jahwes haften konnte« (S. 126), versucht aber dann nachzuweisen, daß das Jahwezelt in Gibeon gestanden habe. Diese These wird mit einer textkritisch unzulässigen Änderung von גחון zu גבען in 1. Kön 1,33.38.45 abgesichert. Mit der Verlegung der Königssalbung Salomos nach Gibeon wird dann die Existenz des Jahwezeltes ebendort behauptet. Diese These ist eine willkürliche Änderung von unzweifelhaften Sachverhalten.

17   *M. Görg*, BBB 27 (1967) S. 127, hat auf Grund der Verbindung von Ebjathar mit Nob vermutet, »daß das Heiligtum von Nob einige der Zeltüberlieferung eigene Züge bewahrt« habe. Die Annahme eines »zeltähnlichen Kultgebäudes« für Nob durch M. Görg bleibt jedoch unbelegbar. *V. W. Rabe*, JNES 25 (1966) S. 134 hat das Zelt in Jerusalem mit dem Tempel von Siloh verbunden, doch fehlt ein hinreichender Beweis.

18   Für das Nebeneinander von אהל und משכן in Ps 78,60 gibt es Parallelen in ugaritischen Texten, vgl. *H. W. Schmidt*, ZAW 75 (1963) S. 91.

19   *V. W. Rabe*, Israelite Opposition to the Temple, CBQ 29 (1967) S. 228-233 hat das davidische Zelt Jahwes auf das Zelt von Ex 33,7-11 zurückführen wollen, doch sind die traditionsgeschichtlichen Zusammenhänge damit verkannt, da der אהל מועד in den Bereich der frühen Prophetie gehört, vgl. unten Abschnitt 5.2. Dementsprechend sieht *V. W. Rabe* in der Zeltterminologie der Psalmen eine Opposition gegen den Tempel wirksam; dagegen spricht jedoch der unbefangene Gebrauch von אהל im parallelismus membrorum.

20   *K. Koch*, ThWAT I (1973) Sp. 138; vgl. *B. D. Eerdmans*, Sojourn in the Tent of Jahu, OTS 1 (1942) S. 1-16.

reits in der Nathanweissagung 2. Sam 7 gestellt worden[21]. 2. Sam 7,6.7
wird die Nichtinangriffnahme eines Tempelbaus durch David auf einen ausdrücklichen Befehl Jahwes zurückgeführt, in dem auf die Zeit ohne Tempel
seit dem Auszug aus Ägypten verwiesen wird. Dabei wird V. 6 b ein Zeltheiligtum in vorköniglicher Zeit vorausgesetzt. Die Aussage des Satzes ואהיה
מתהלך באהל ובמשכן ist jedoch innerhalb des Zusammenhanges von 2. Sam
7,6f störend[22]. 2. Sam 7,6a verneint ausdrücklich die Bindung Jahwes an
eine Kultstätte (לא ישבתי בבית). Zwar ist בית in diesem Zusammenhang als
Tempelhaus zu verstehen, doch würde ein Mitziehen Jahwes באהל ובמשכן
in jedem Falle die Feststellung von 2. Sam 7,6a einschränken. Weiterhin
bringt 2. Sam 7,7 zwar den Gedanken von dem Mitziehen Jahwes[23], die
Annahme einer Behausung Jahwes wird aber wiederum zurückgewiesen.
Beide Hinweise darauf, daß Jahwe kein »Haus« besessen habe, werden
durch 2. Sam 7,6b eingeschränkt. Dieser Halbvers gehört somit nicht zum
ursprünglichen Bestand des Kapitels, sondern stellt einen Zusatz dar, der
seiner Terminologie nach von Ex 26 abhängig ist.
Die Feststellung von der Tempellosigkeit Jahwes steht im Widerspruch zu
den Gegebenheiten in vorköniglicher Zeit. Vor dem Bau eines Tempels in
Jerusalem durch Salomo haben in Gilgal, Bethel, Ophra, Mizpah, Silo,
Nob, Sichem, Dan, Mamre, Beerseba, Mizpeh in Gilead und an anderen
Orten in den Gebieten der Stämme Heiligtümer bestanden, an denen Jahwe
verehrt wurde[24]. In 2. Sam 7,6a.7 wird demgegenüber behauptet, daß

---

21 Die sog. Nathanweissagung (2. Sam 7) ist sicherlich kein historischer Bericht, sondern
eine nachträgliche Rechtfertigung für Salomos Unternehmen. Neben einer massiven Königsideologie bringt sie eine Theologie des Jerusalemer Tempels im Sinne eines Alleinvertretungs-
anspruches, wie er auch in der deuteronomistischen Theologie postuliert wird. Sie ist in die
Zeit zwischen Salomo und Hiskia zu datieren, letzterer hat die alleinige Rechtmäßigkeit des Jerusalemer Kultus bereits durchzusetzen versucht (2. Kön 18,4). Die theologische und historische Einordnung der Nathanweissagung ist umstritten. Vgl. dazu L. Rost, Das kleine Credo
und andere Studien zum Alten Testament (1965) S. 159–183; H. van den Bussche, Le texte de
la prophetie de Nathan sur la dynastie davidique (II Sam., VII-I Chron., XVII), Ephemerides
Theologicae Lovanienses 24 (1948) S. 354–394; J. L. McKenzie, The Dynastic Oracle II Samuel 7, Theological Studies 8 (1948) S. 187–218; M. Simon, La prophétie de Nathan et le
temple, RHPhR 32 (1952) S. 41–58; S. Herrmann, Die Königsnovelle in Ägypten und Israel,
Wissenschaftliche Zeitschrift der Karl Marx Universität Leipzig 3 (1953/54) S. 33ff; M. Noth,
David und Israel in 2. Sam 7, ThB 6 (³1965) S. 334-345; G. W. Ahlström, Der Prophet Nathan und der Tempelbau, VT 11 (1961) S. 113–127; E. Kutsch, Die Dynastie von Gottes Gnaden. Probleme der Nathanweissagung in 2. Sam 7, ZThK 58 (1961) S. 137–153; H. Gese, Der
Davidsbund und die Zionserwählung, ZThK 61 (1964) S. 10–26; D. J. McCarthy, II Samuel 7
and the Structure of the Deuteronomic History, JBL 84 (1965) S. 131–138; A. Weiser, Die
Tempelbaukrise unter David, ZAW 77 (1965) S. 153–168; N. Poulssen, SBM 3 (1967)
S. 43-55.
22 Bereits der Chronist hat die Schwierigkeiten von 2. Sam 7,6b empfunden und den Text
geändert. Aus dem Mitwandern Jahwes in Zelt und Wohnung hat er den Zug von Zelt zu Zelt
und von Wohnung zu Wohnung gemacht (1. Chr 17,5), vgl. dazu W. Rudolph, HAT I,21
(1955) S. 131–133.
23 Die gleiche Vorstellung wird auch 1. Sam 12,2b ohne jeden Hinweis auf ein Heiligtum
ausgedrückt.
24 Zur Geschichte der Heiligtümer in vorstaatlicher Zeit vgl. A. von Gall, Altisraelitische

Jahwe bis in die Zeit Davids keinen Tempel besessen habe[25]. Der Sinn dieser Aussage liegt in der Hervorhebung der Einzigartigkeit des Jerusalemer Tempels. 2. Sam 7,6a.7 geht somit auf den Anspruch zurück, daß der Tempel in Jerusalem der einzig rechtmäßige Verehrungsort Jahwes sei. Diese Behauptung fügt sich somit in die sonstige Tendenz der Nathanweissagung ein, die den Bau eines Tempels durch Salomo rechtfertigen soll. Die Nathanweissagung repräsentiert bereits die spätere Tempeltheologie und verlegt die Entscheidung gegen die Heiligtümer außerhalb Jerusalems in die davidische Zeit zurück[26]. 2. Sam 7,6a.7 scheidet somit als »Zeugnis für wirklichen Widerstand gegen den Tempelbau zur Zeit Davids«[27] aus: es handelt sich bei diesen Versen weder um den »Protest der am Ursprung in der Wüste orientierten Kreise«[28] noch »um die Ablehnung des Tempelbaus zugunsten der Zelttradition«[29], sondern um die Begründung der einzigartigen Stellung des Tempels in Jerusalem.

So rätselhaft das Unterlassen eines Tempelbaus durch David sein mag, so wenig gibt 2. Sam 7 Auskunft über die wirklichen Gründe. Die Chronik hat dieses Problem dann insofern zu lösen versucht, als sie 1. Chr 22 eine ausführliche Anweisung Davids für den Tempelbau bringt. Durch diesen Einschub im Anschluß an die Erzählung von der Gewinnung des Tempelplatzes (1. Chr 21), zu der der Chronist die Überlieferung vom Altarbau Davids (2. Sam 24) umgestaltet hat, hat der Chronist das bestehende Problem zwar nicht zu lösen vermocht, aber doch insofern gemildert, als David nun die Planung des Tempels zugeschrieben wird und er damit einen wesentlichen Anteil an dem Bau des Heiligtums erhält. Als Begründung für die Verhinderung Davids am Tempelbau verweist der Chronist auf ein Jahwewort, das von dem der Nathanweissagung abweicht: Jahwe habe David wegen der vielen Kriege und des damit verbundenen Blutvergießens den Bau des Tempels verboten (1. Chr 22,8). Diese Begründung ist von der Frage der kultischen Reinheit bestimmt, der Tempelbau »braucht reine Hände«[30]. Die Nathanweissagung und der Chronist bieten also zwei verschiedene Versuche, die Unterlassung des Tempelbaus durch David zu erklären. Beide Begründungen sind getragen von dem Wunsch, den Bau eines Tempels durch Salomo zu rechtfertigen.

Kultstätten, BZAW 3 (1898); *G. Westphal*, BZAW 15 (1908) S. 98–118; *R. de Vaux*, Das Alte Testament und seine Lebensordnungen II (²1966) S. 107–114 und 124–134). Für weitere Literatur und Belege vgl. oben Abschnitt 2.5.

25 *A. Weiser*, ZAW 77 (1965) S. 159 hat diese Diskrepanz dadurch zu lösen versucht, daß er באהל ובמשכן auf die »verschiedenen Erscheinungsorte Jahwes einschließlich des Tempels von Silo« bezieht.

26 Vgl. *G. W. Ahlström*, VT 11 (1961) S. 121.

27 So *N. Poulssen*, SBM 3 (1967) S. 45.

28 So *H.-J. Kraus*, Gottesdienst in Israel (²1962) S. 214.

29 So *F. Dumermuth*, ZAW 70 (1958) S. 64, ähnlich auch *V. W. Rabe*, CBQ 29 (1967) S. 229f.

30 *W. Rudolph*, HAT 1,21 (1955) S. 151.

5.2
Der אהל מועד

Ex 33,7–11 berichtet von einem Zelt, das Moses während der Wüstenwanderung aufgeschlagen hat[31]. Sein Standort war außerhalb des Lagers und zur Jahwebefragung konnte jeder zu ihm herausgehen. Mose geht in dieses Zelt hinein, woraufhin Jahwe in einer Wolke an seinem Eingang erscheint und mit Moses redet. Das Volk wirft sich bei der Erscheinung zur Proskynese nieder. Als ständiger Diener bleibt Josua in diesem Zelt[32]. Der Abschnitt setzt abrupt ein, er hat keinen Anschluß nach vorn, ein literarischer Zusammenhang mit einer der alten Quellen ist nicht gegeben[33]. Auch sachlich läßt sich keine Beziehung zum Jahwisten oder Elohisten herstellen, da der אהל מועד in keinem der beiden Geschichtswerke erwähnt wird. Ohne hinreichende Verbindung zu einer der Quellenschriften kann das Stück nur eine Sonderüberlieferung sein, die nachträglich in den Komplex der Sinaitraditionen aufgenommen worden ist[34]. Einzelheiten über die Herkunft und Ausstattung des Zeltes werden nicht mitgeteilt. In der Bezeichnung אהל מועד ist מועד eine Partizipbildung von der Wurzel יעד mit der Bedeutung »bestimmen«. Das Nomen bezeichnet eigentlich den Zeitpunkt des Eintreffens eines Ereignisses[35] oder des Zusammentreffens von Menschen[36]. Im Sinne der zeitlichen Bestimmung kann מועד auch den Festtermin meinen[37] und allgemein die Bedeutung »Fest« annehmen[38], ja sogar den Ort des Festes bezeichnen (Ps 74,8). Zusammenkunft im Sinne der »Versammlung« bedeutet מועד in der Verbin-

---

31 Zu den mit diesem Text verbundenen Problemen vgl. *R. Schmitt*, Zelt und Lade als Thema alttestamentlicher Wissenschaft (1972) S. 180–203. Die Analyse von Ex 33,7–11 durch *M. Görg*, BBB 27 (1967) S. 151–165, führt zwar zu einer sachgemäßen Erhebung der Aussage des Textes, bringt aber für die Einordnung des Abschnitts keinen Fortschritt. Bei der Bestimmung des Sitzes im Leben der Vorform übernimmt *M. Görg*, ebd. S. 165-167, die These von *W. Beyerlin*, Herkunft und Geschichte der ältesten Sinaitraditionen (1961) S. 140, ohne auf die Diskrepanz zwischen der eigenen Analyse und den Voraussetzungen Beyerlins einzugehen.

32 Die Behauptung einer medialen Funktion Josuas am Zelt durch *F. Dumermuth*, Josua in Ex. 33,7–11, ThZ 19 (1963) S. 161–168 ist nicht zu belegen und bleibt bloße Vermutung. Dagegen hat *R. Schmitt*, a.a.O., S. 186 mit Recht festgestellt, »daß Josua der Zelttradition ursprünglich fremd war«.

33 Ex 33,7–11 ist vor allem deshalb E zugewiesen worden, weil es an positiven Gründen für die Zugehörigkeit zu J fehlt, vgl. *B. Baentsch*, HK I,2 (1903) S. 276f; *G. Beer*, HAT I,3 (1939) S. 156f; *M. Haran*, JSS 5 (1960) S. 52; *W. Beyerlin*, Herkunft und Geschichte der ältesten Sinaitraditionen (1961) S. 30; *M. Görg*, BBB 27 (1967) S. 164f. Doch findet sich auch die Zuweisung an J, etwa bei *J. Morgenstern*, JAOS 38 (1918) S. 132; *A. Kuschke*, ZAW 63 (1951) S. 82. Mit einem aus J und E kombinierten Text rechnen *H. Holzinger*, KHC II (1900) S. 109; *G. Westphal*, BZAW 15 (1907) S. 25f und *H. Greßmann*, FRLANT 18 (1913) S. 240, Anm. 3.

34 Vgl. *M. Noth*, ATD 7 (³1965) S. 209f.

35 Vgl. z. B. Gen 17,21 P; 18,14 J; 21,2 P; Ex 9,5 J; 13,10.

36 Vgl. z. B. 1. Sam 13,8.11.

37 Ex 23,15; 34,18; Hos 2,13; 9,5; 12,10.

dung קראי מועד (Num 16,2). In dieser Bedeutung kommt das Wort auch als Lehnwort *mwᶜd.t* in dem Reisebericht des Wen Ammon vor, wo das Wort die Versammlung der Stadt Byblos bezeichnet[39]. Die Versammlung der Götter wird in ugaritischen Texten mit *pḥr mᶜd* umschrieben[40]. Der sprachliche Befund legt somit für מועד die ursprüngliche Bedeutung »zusammentreffen« oder »zusammenkommen« nahe.

Je nach der Auffassung von der Funktion des אהל מועד schwanken denn auch die Übersetzungen für den Begriff zwischen »Zelt der Versammlung« Jahwes mit himmlischen Wesen[41], »Zelt der Versammlung« der Volksvertretung[42] und »Zelt der Begegnung« zwischen Jahwe und Mose[43]. Zwar enthält מועד das Moment des Zusammenkommens, da aber allein Mose Zugang zum Zelt hat, handelt es sich eher um ein Zusammentreffen zwischen Jahwe und Mose. Im Kontext von Ex 33,7–11 und der Erzählungen Num 11* und 12* bleibt deshalb »Zelt der Begegnung« die beste Wiedergabe des Ausdrucks. Diese Auffassung wird auch dadurch gestützt, daß מועד in Hab 2,2 als terminus technicus für den prophetischen Offenbarungsempfang belegt ist. Das Zelt wird somit durch das in ihm stattfindende Ereignis gekennzeichnet: als der Ort, an dem sich Jahwe Mose offenbart, wo also Mose Jahwe begegnet. Die – noch näher zu bestimmende – Aufgabe des Zeltes ist bereits in seinem Namen zum Ausdruck gebracht.

Unter der Annahme, daß vor Ex 33,7–11 einmal ein Bericht über die Lade gestanden habe[44], und mit dem Hinweis, daß das Zelt sonst mit der Lade zusammengehöre, ist die Aufstellung des Zeltes durch Mose für die Lade und damit die Anwesenheit der Lade im Zelt behauptet worden[45].

---

38 Lev 23,4.37.44; Num 10,10; 15,3; 29,39; Ps 74,4; 102,14; 104,19; Jes 1,14; Thr 1,4; 2,7.22.

39 Auf die Parallele hat *J. A. Wilson*, The Assembly of a Phoenician City, JNES 4 (1945) S. 245 aufmerksam gemacht.

40 Hinweis und Belege bei *R. J. Clifford*, CBQ 33 (1971) S. 224.

41 *H. Greßmann*, FRLANT 18 (1913) S. 246; *G. Beer*, HAT I,3 (1939) S. 158.

42 *F. M. Cross*, BAR I (1961) S. 224; *C. U. Wolf*, JNES 6 (1947) S. 100f.

43 *M. Noth*, ATD 5 (³1965) S. 207.

44 Da die Lade in Num 10,33b als bekannt vorausgesetzt ist, haben *J. Wellhausen*, Die Composition des Hexateuchs (⁴1963) S. 93; *B. Baentsch*, HK I,2 (1903) S. 274; *M. Dibelius*, FRLANT 7 (1906) S. 45; *H. Greßmann*, FRLANT 18 (1913) S. 240; *O. Eißfeldt*, Kleine Schriften II (1963) S. 283f und III (1966) S. 527; *G. Beer*, HAT I,3 (1939) S. 157 und *W. Beyerlin*, Herkunft und Geschichte der ältesten Sinaitraditionen (1961) S. 127 angenommen, daß zwischen Ex 32 und 33,7–11 ein Bericht der alten Quellen von der Herstellung der Lade gestanden habe, der wegen der Parallelität zu der priesterschriftlichen Anordnung in Ex 25 vom Redaktor unterdrückt worden sei. Diese Hypothese ist jedoch wenig wahrscheinlich, da bereits der Abschnitt von der Einrichtung des Zeltes Ex 33,7–11 kein ursprünglicher Bestandteil der alten Quellen des Tetrateuch ist, sondern eine Sondertradition darstellt, die bei der sukzessiven Erweiterung der Sinaierzählung in diese eingestellt worden ist, vgl. *M. Noth*, Überlieferungsgeschichte des Pentateuch (²1960) S. 224f.

45 So *J. Wellhausen*, Die Composition des Hexateuchs (⁴1963) S. 93; *H. Holzinger*, KHC II (1900) S. 108–110.113; *M. Dibelius*, FRLANT 7 (1906) S. 45-47; *O. Eißfeldt*, Kleine Schriften II (1963) S. 283; *W. Beyerlin*, Herkunft und Geschichte der ältesten Sinaitraditionen (1961) S. 131–136.

Zur Begründung dieser These wurde dabei vor allem auf den Satz ונטה לו מחוץ למחנה in Ex 33,7 verwiesen, wobei in der Wendung ונטה לו das לו entsprechend 2. Sam 6,17 auf die Lade bezogen wurde. Nun ist in Ex 33,7 das לו syntaktisch zwar schwer zu verstehen, der Rückbezug auf einen vorher genannten Gegenstand ist aber ausgeschlossen. »Selbst wenn die Lade in einem vor V. 7 ausgefallenen Stück erwähnt [gewesen] wäre, wäre der Abstand des לו von dieser Erwähnung noch zu groß, um die Beziehung eindeutig erkennen zu lassen.«[46] Wenngleich in dem Satz אשר נטה לו דוד in 2. Sam 6,17 das לו auf die vorher erwähnte Lade zu beziehen ist, kann ein solcher Bezug in Ex 33,7 nicht angenommen werden. Auch sonst finden sich in Ex 33,7–11 keine Hinweise auf die Lade[47]. Es kann somit nicht wahrscheinlich gemacht werden, daß der אהל מועד die Lade enthalten hat. Vielmehr ist anzunehmen, daß dieser mit der Lade nicht verbunden gewesen ist[48].

In dem לו von Ex 33,7 einen Bezug auf das im vorausgehenden Satz genannte Zelt zu sehen, scheitert daran, daß נטה in der Bedeutung des Aufschlagens von Zelten sonst mit dem Akkusativ gebraucht ist[49]. Ebenso ist es unwahrscheinlich, daß mit לו ein Bezug auf Jahwe vorliegt, da Jahwe vorher nicht genannt ist[50]. Somit bleibt für לו nur der Bezug auf das Subjekt des vorhergehenden Satzes – Mose[51]. Die Tatsache, daß Mose ein Zelt für sich außerhalb des Lagers aufgeschlagen und es אהל מועד genannt hat, bedeutet aber, daß es sich bei diesem Zelt nur um dasjenige des Mose handeln kann. Die Septuaginta hat den Text noch in dieser Weise verstanden, wenn sie übersetzt καὶ λαβὼν Μωυσῆς τὴν σκηνὴν αὐτοῦ. Der אהל מועד ist somit nach der Auffassung des griechischen Textes Moses eigenes Zelt[52]. An diesem Zelt des Mose erscheint Jahwe, zu diesem Zelt geht man zur Befragung Jahwes heraus, in ihm ist Josua als Diener Moses ständig anwesend. Die Absicht des Stückes Ex 33,7–11 liegt darin, die Einrichtung des אהל מועד zu begründen. An einer Beschreibung des mosaischen Zeltes ist dem Verfasser des Textes nicht gelegen. Dieses Zelt wird nicht durch eine besondere Konstruktion oder Ausstattung von den anderen Zelten unterschieden, seine einzige Besonderheit ist die Aufstellung außerhalb des Lagers. Dieser Standort ist durch seine Funktion bestimmt, der אהל מועד ist die Begegnungsstätte zwischen Jahwe und Mose. Das entscheidende Moment dieser Begegnung besteht darin, daß Jahwe mit Mose »von Angesicht zu Angesicht« redet. Diese besondere Weise des Offenbarungsempfanges Moses

---

46   *M. Görg*, BBB 27 (1967) S. 157.

47   Gegen *W. Beyerlin*, Herkunft und Geschichte der ältesten Sinaitraditionen (1961) S. 137f, der damit rechnet, daß der ständige Dienst Josuas am Zelt auf die Anwesenheit der Lade deute, da seine Funktion derjenigen Samuels in Silo (1. Sam 3) entspräche.

48   Mit einem von der Lade unabhängigen Zelt rechnen *E. Sellin*, BWAT 13 (1913) S. 170f; *R. Hartmann*, ZAW 37 (1917/18) S. 213; *J. Morgenstern*, JAOS 38 (1918) S. 134f; *A. Kuschke*, ZAW 63 (1951) S. 88f; *M. Haran*, JSS 5 (1960) S. 53f.

49   Vgl. Gen 12,8; 26,25; 33,19; 35,21.

50   Gegen *G. Beer*, HAT I,3 (1939) S. 156 und *F. Dumermuth*, ThZ 19 (1963) S. 164; vgl. *M. Görg*, BBB 27 (1967) S. 156.

51   So *B. Baentsch*, HK I,2 (1903) S. 276; *M. Noth*, ATD 7 (³1965) S. 207; *M. Haran*, JSS 5 (1960) S. 53.

52   *M. Görg*, BBB 27 (1967) S. 156 nennt אהל מועד das dem »Moses zugehörige Führungszelt«, zieht aber keine Folgerungen aus dieser Einordnung.

wird ausdrücklich betont. Über sonstige kultische Vorgänge am Zelt ist nichts gesagt, kultische Verrichtungen werden in ihm nicht vorgenommen. Der Dienst Josuas am Zelt bedingt keine Kultfunktion. Das Zelt hat mit den sonst bekannten Heiligtümern nichts gemeinsam, es »erhält seine Bedeutung und Heiligkeit ausschließlich durch seine Funktion als Begegnungsort Jahwes mit Mose«[53].

Der אהל מועד ist der Ort des Offenbarungsempfanges. Dabei entspricht dem Kommen Jahwes in der Wolke die Erscheinungsweise Jahwes am Sinai. In dem jahwistischen Bericht Ex 19* kommt Jahwe in einer Wolke auf den Berg herab (Ex 19,9.16aα, vgl. Ex 34,5). Die Wolke verhüllt Jahwe, damit er den Menschen verborgen bleibt. Dieses Verborgenbleiben Jahwes in der Wolke ist eine Schutzmaßnahme, da sein Anblick nach allgemeiner Auffassung den Menschen tötet[54]. Durch die Wolke wird die numinose Macht Jahwes nicht wirksam. *Walter Beyerlin* hat für die Darstellung der Theophanie in Ex 19* J den Einfluß der Kultpraxis im Jerusalemer Tempel angenommen, wobei er auf die Handlung des Hohenpriesters am großen Versöhnungstag (Lev 16,12f) verwiesen hat[55]. Bei dem Ritus in Lev 16,12 handelt es sich aber um eine Maßnahme zum Schutz des amtierenden Hohenpriesters; die Stelle belegt lediglich, daß eine Wolke schützt, nicht aber daß Jahwe im Kult in der Wolke erscheint. Von dem Kommen Jahwes in der Wolke ist im Zusammenhang mit dem Jerusalemer Tempel nicht die Rede[56], die Erscheinung der Wolke bei der Einweihung des Tempels (1. Kön 8,10f) ist erst von einem priesterlichen Bearbeiter aus Ex 40,34f nachgetragen worden[57]. Die jahwistische Sinaitradition spiegelt darum nicht Jerusalemer Kultbräuche. Zwar geht die Schilderung der Theophanie in Ex 19,18 J über die bloße Anwesenheit der Wolke hinaus, doch ist nach jahwistischer Vorstellung die Wolke eine Erscheinungsweise Jahwes. Bereits *M. Haran* hat darauf hingewiesen, daß die Theophanie Jahwes am Zelt der Theophanie am Sinai entspricht[58], das Kommen Jahwes in der Wolke am Eingang des Zeltes wiederholt die Sinaitheophanie.

Der אהל מועד wird noch in den beiden Erzählungen Num 11,11.12. 14–17.24b–30 und Num 12,2–5a.6–8.9*.10aα.11* erwähnt[59]. In der Er-

---

53 R. *Schmitt*, a.a.O., S. 186. Darauf haben auch *J. Morgenstern*, JAOS 38 (1918) S. 132f und *M. Haran*, JSS 5 (1960) S. 56f hingewiesen.

54 Vgl. Ex 3,6; 33,20.23; Ri 6,22f; 13,22.

55 W. *Beyerlin*, Herkunft und Geschichte der ältesten Sinaitraditionen (1961) S. 154f.

56 Das לשכן בערפל des Tempelweihspruches bezieht sich nicht auf das Debir des Tempels und ist keine Theophanieschilderung, vgl. *M. Noth*, BK IX/1 (1968) S. 182. Die Einwohnung Jahwes im Wolkendunkel entspricht der Vorstellung in den ugaritischen Texten, daß Wolken, Sturm und Regen Attribute Baals sind, vgl. *A. S. Kapelrud*, Baal in the Ras Shamra Texts (1952) S. 93-98.

57 *M. Noth*, BK IX/1 (1968) S. 180f.

58 *M. Haran*, JSS 5 (1960) S. 57f; *M. Görg*, BBB 27 (1967) S. 74.

59 Die Literarkritik von Num 11 und 12 ist ausführlich begründet bei *V. Fritz*, Israel in der Wüste (1970) S. 16-19. In Num 16,19 ist der אהל מועד erst innerhalb eines Zusatzes erwähnt, die Num 16 zu Grunde liegenden Traditionen haben mit diesem Zelt ursprünglich nichts zu tun, vgl. *V. Fritz*, ebd., S. 25.

zählung von der Übertragung des Gottesgeistes auf 70 Älteste (Num 11*) wird begründet, daß nur derjenige, der am Geist Moses Anteil hat, prophetisch wirken kann. Nur von Mose kann der Geist auf andere Geistträger übergehen. Num 11* »enthält eine Art Ätiologie der frühen Prophetie: sie ist Geist von Moses Geist«[60]. In Num 12* geht es um die besondere Weise Moses, mit Gott zu sprechen. Aaron und Mirjam bestreiten den ausschließlichen Anspruch Moses, mit Jahwe »von Mund zu Mund« zu reden, werden aber am Zelt der Begegnung belehrt und bestraft.

Beide Erzählungen handeln von der Geistbegabung, das Zelt ist dabei der Ort des Erscheinens Jahwes. Die Traditionen Num 11* und 12* können nicht den alten Quellenschichten zugewiesen werden[61]. Der Elohist hat seine eigene Erzählung von der Übertragung des mosaischen Amtes auf die Ältesten in Ex 18 und kommt als Quelle nicht in Frage[62]. Der Jahwist kennt das Zelt der Begegnung nicht und hat Num 12* die Auflehnung Mirjams gegen Mose mit ganz anderen Motiven erzählt. Für die beiden Abschnitte ist deshalb mit Sonderüberlieferungen zu rechnen, die erst nachträglich in den Jahwisten eingeschaltet worden sind[63]. Ihr Thema ist der Geistbesitz Moses und die Ableitung der Prophetie von diesem Geist. Mose gilt in ihnen als der prophetische Geistträger schlechthin, und nur Anteilgabe an seinem Geist schafft weitere Propheten. Andere Ansprüche werden ausdrücklich zurückgewiesen. Die einzigartige Stellung des Mose ist von keinem anderen Propheten zu erreichen, da Jahwe nur mit Mose von Mund zu Mund geredet hat.

Auf Grund der Intention der beiden Erzählungen Num 11* und 12* ist zu vermuten, daß sie aus dem Kreis des ekstatischen Prophetentums stammen[64]. Wie die Mosetradition unter den ekstatischen Propheten gepflegt wurde, zeigen die Überlieferungen von Elia und Elisa in 1. Kön 17 – 2. Kön 13. Diese Prophetenerzählungen lassen in den Motiven wie in der Ausgestaltung gelegentlich eine Verbindung zu den Mosegeschichten erkennen, so daß Elia und Elisa als Propheten in der Nachfolge des Mose gelten können[65]. Insbesondere in der Auffassung der Propheten als Träger des Gottesgeistes gibt es Übereinstimmungen zwischen den Erzählungen von Elia und Elisa und den beiden Mosegeschichten Num 11* und 12*. Wie der Geist Elias auf Elisa übergeht (2. Kön 2,15), so wird der Geist des Mose auf die 70 Ältesten übertragen (Num 11*). Die Erzählung von der Übertragung des Mosegeistes auf 70 Älteste spiegelt also eine im ekstatischen Prophetentum

60 *G. v. Rad,* Theologie des Alten Testaments I (²1958) S. 289.
61 Num 11* und 12* werden E zugerechnet von *H. Holzinger,* KHC IV (1903) S. 42; 46f; *B. Baentsch,* HK I,2 (1903) S. 504; 510-514; *M. Haran,* JSS 5 (1960) S. 52.
62 Zu Ex 18 vgl. *R. Knierim,* Exodus 18 und die Neuordnung der mosaischen Gerichtsbarkeit, ZAW 73 (1961) S. 146-171.
63 Vgl. *M. Noth,* ATD 5 (³1965) S. 210 und ATD 7 (1966) S. 75.
64 So bereits *M. Haran,* JSS 5 (1960) S. 57f; *M. Noth,* ATD 7 (1966) S. 80.
65 *R. P. Carroll,* The Elijah-Elisha Sagas: Some Remarks on Prophetic Succession in Ancient Israel, VT 19 (1969) S. 400-415.

belegbare Auffassung[66]. Das Bild von Mose als des Propheten in Num 11*
und die Betonung des besonderen Verhältnisses von Mose zu Gott in Num
12* wird darauf zurückzuführen sein, daß eine bestimmte Prophetengruppe
Mosetraditionen ausgebildet und weitergegeben hat. Für Num 11* und 12*
kann somit die Entstehung in prophetischen Kreisen angenommen werden.
Dabei ist mit der Bildung dieser Traditionen im Nordreich zu rechnen,
wenngleich der Zeitpunkt ihrer Entstehung nicht angegeben werden kann.
Daß die Erscheinungsweise Jahwes in der Wolke an der Sinaitradition orientiert ist, widerspricht der Annahme prophetischer Kreise in der Nachfolge
Moses als Träger dieser Überlieferungen nicht. Vielmehr zeigt die Erzählung von Elia am Horeb (1. Kön 19,7–18), daß im ekstatischen Prophetentum die Bedeutung des Gottesberges als Stätte der Theophanie bekannt
war[67].

Der Abschnitt Ex 33,7–11 hat eindeutig die Absicht, die Errichtung des אהל
מועד damit zu begründen, daß dieser auf Mose zurückgeführt und seine
Funktion als Offenbarungsstätte festgelegt wird[68]. Diese Tendenz setzt voraus, daß der אהל מועד als kultische Einrichtung wirklich bestanden hat, die
beim Offenbarungsempfang eine besondere Rolle spielte. Dabei ist damit zu
rechnen, daß hinter Ex 33,7–11 die Träger dieser Institutionen stehen, wobei die kultische Funktion mit der Rückführung auf Mose legitimiert werden soll. Die Träger dieser Zelttradition sind nach ihrer theologischen Vorstellung vom Erscheinen Jahwes in der Wolke zu bestimmen. Diese Erscheinungstheologie steht eindeutig im Gegensatz zu den mit dem Tempel
von Jerusalem verbundenen Wohnvorstellungen. Die mit Ex 33,7–11 verbundenen Vorstellungen sind somit kaum in den Kreisen des zadokidischen
Priestertums am Tempel von Jerusalem ausgebildet worden. Doch auch mit
dem von David errichteten Zelt Jahwes läßt sich ein Zusammenhang nicht
nachweisen, da der אהל מועד weniger ein Heiligtum, sondern eher eine Offenbarungsstätte gewesen ist.

Der אהל מועד wird noch in Deut 31,14f erwähnt. Diese Verse sind kein ursprünglicher Bestandteil des Deuteronomiums, sondern ein versprengtes
Fragment unbekannter Zugehörigkeit, in dem es um die Nachfolge Moses
durch Josua geht[69]. Bereits Ex 33,11 wurde die Anwesenheit Josuas am Zelt
betont. Der Zusammenhang des Zeltes mit der Gestalt Josuas könnte darauf
hinweisen, daß der אהל מועד mit solchen Kreisen verbunden war, in denen

---

66   Vgl. dazu *H.-Chr. Schmitt*, Elisa (1972) S. 115f.
67   Auf die Verbindung von 1. Kön 19,7–18 mit der Sinaitradition kann hier nicht eingegangen werden. Die Frage bedarf weiterer Untersuchung, entscheidende Überlegungen finden sich
bei *O. H. Steck*, WMANT 26 (1968) S. 109–125. *O. H. Steck* nimmt an, »daß man die in
1. Kön 19 verarbeitete Horebüberlieferung in einer Fassung der Ex 32 bis 34 berichteten Ereignisse zu sehen hätte« (S. 117), was auf einen möglichen Zusammenhang für die Eliaüberlie-
ferung mit der deuteronomistischen Fassung der Sinaitradition weist.
68   Vgl. bereits *K. Koch*, ThWAT I (1973) Sp. 134. Anders hat *H.-J. Kraus*, Gottesdienst in
Israel (²1962) S. 152–159 den אהל מועד als den Mittelpunkt eines Zeltfestes angesehen, aber
Hos 12,10 ist kein Beleg für ein solches Fest, und andere Hinweise fehlen.
69   Vgl. *M. Noth*, Überlieferungsgeschichtliche Studien (²1957) S. 40.

Josua nicht so sehr als der Heerführer bei der Landnahme, sondern als Nachfolger Moses galt. Da hier die Sicherung der Sukzession im Vordergrund steht, scheidet eine Priesterschaft als möglicher Träger der Überlieferung aus, da das Priesteramt erblich und die Nachfolge durch Familienzugehörigkeit geregelt war. Nur für die Kreise des Prophetentums außerhalb der Tempel ist die Frage der rechtmäßigen Nachfolge und der Legitimation des Geistträgers von entscheidender Bedeutung. Wo der Besitz des Geistes alleiniges Kriterium für das ausgeübte Amt darstellte, konnte auch die Geistbegabung institutionalisiert werden. Das ekstatische Prophetentum, das in den Überlieferungen von Elia und Elisa näher faßbar ist, scheint eine Institution außerhalb der Jahweheiligtümer gewesen zu sein. Der Überlieferungskomplex 1. Kön 17 – 2. Kön 13 läßt eine Verbindung der ekstatischen Propheten zu einem Heiligtum nicht erkennen, vielmehr scheinen diese Gruppen eigene Siedlungen in der Jordansenke gehabt zu haben, vgl. 2. Kön 6,1f.

Wie Num 11* und 12* die Kreise des sog. ekstatischen Prophetentums als Träger der Überlieferung vom אהל מועד erkennen lassen, so verweist Ex 33, 7–11 darauf, daß dieses Zelt als eine Institution bestanden hat. Das Zelt dient כל מבקש יהוה, wodurch es als eine Orakelstätte ausgewiesen ist. Zwar wurde schon in vorstaatlicher Zeit das Orakel am Heiligtum eingeholt[70], da aber ein Altar fehlt, wird der אהל מועד nicht ein Heiligtum zur Opferdarbringung gewesen sein. Vielmehr soll gerade die Besonderheit des Offenbarungsempfangs in Ex 33,7–11 begründet werden. Demnach kann der אהל מועד eine kultische Einrichtung gewesen sein, die sich von den Heiligtümern im Lande dadurch unterschied, daß sie nicht dem Opferkult sondern der Willensoffenbarung Jahwes diente. Eine solche Institution könnte im ekstatischen Prophetentum bestanden haben[71], das in besonderer Weise die Verkündigung des Jahwewillens für sich in Anspruch genommen hat. Zwar ist der אהל מועד nirgends als die Stätte des Offenbarungsempfangs belegt, doch lassen die in den Königsbüchern erhaltenen Überlieferungen die große Bedeutung dieses Prophetentums noch erkennen. Der אהל מועד könnte eine Institution dieser Propheten gewesen sein, wobei möglicherweise sogar die Tendenz bestanden haben kann, den Offenbarungsempfang und die Orakelerteilung an dieses Zelt zu binden.

Die Tatsache, daß der Rückgriff auf Wüstenzeit und Zeltbauweise in der Königszeit tatsächlich erfolgen konnte, kann durch die Rekabiter belegt werden, die nach Jer 35 sicherlich kein Restbestand der nomadischen Vorzeit Israels, sondern eine Bewegung gegen bestimmte mit dem Kulturland verbundene Auffassungen gewesen sind[72]. Wie die Rekabiter so haben auch die Gruppen der ekstatischen Propheten gemeinsam gesiedelt. Im Zusammenhang mit diesen Siedlungen kann eine besondere Orakelstätte geschaf-

---

70 Vgl. G. *Westphal*, BZAW 15 (1908) S. 116f.
71 So bereits J. *Morgenstern*, JAOS 38 (1918) S. 316f; M. *Haran*, JSS 5 (1960) S. 57f.
72 Von einer ähnlichen Bewegung unter den Nabatäern berichtet Diodorus Sicilius XIX,94.

fen worden sein, die als Institution in der Wüstenzeit verankert wurde[73].
Nach Jos 18,1 und 19,51 soll der אהל מועד in Silo gestanden haben. Beide
Verse gehen aber auf nachträgliche Bearbeitung zurück und scheiden als Be-
lege für das Vorhandensein dieses Zeltes in Silo aus[74]. Das Heiligtum in Silo
wird 1. Sam 1,9 und 3,3 היכל genannt. Die Bemerkung in 1. Sam 2,22b mit
der Erwähnung des פתח אהל מועד ist ein sekundärer Zusatz. Gegen die Ursprünglichkeit von 1. Sam 2,22b spricht einmal, daß dieser Halbvers in
LXX[B] fehlt. Zum anderen stört die Aussage von den Frauen am Eingang des
Begegnungszeltes den Zusammenhang des Textes. Die Sünde der beiden
Söhne Elis besteht nach 1. Sam 2,12–17 vielmehr darin, daß sie ihre Vor-
rechte als Priester mißbrauchten, indem sie noch während der Zubereitung
von dem Fleisch des Opfertieres genommen und so die Opferpraxis verletzt
haben. Das Vergehen der Söhne an den Frauen des Heiligtums kann also
nur ein Zusatz sein, der ihre Verfehlung noch vergrößern soll. Aus 1. Sam
2,22b kann somit nicht abgeleitet werden, daß sich der אהל מועד einmal in
Silo befunden hat. Warum er nach Silo verlegt worden ist, kann nur vermutet werden: »Es soll eine Kontinuität zwischen dem Wüstenheiligtum und
dem Salomonischen Tempel, der das Zelt als (einzig legitime) Kultstätte ab-
löst, hergestellt werden.«[75]
Erst 2. Chr 1,3.6 wird der אהל מועד in Gibeon erwähnt[76]. Der chronistische
Bericht von dem Opfer Salomos in Gibeon (2. Chr 1,1–6) geht zurück auf
1. Kön 3,4, wo jedoch keineswegs von einem Zelt, sondern von הבמה
הגדולה zu Gibeon die Rede ist. Dieses Opfer Salomos in Gibeon ist wahrscheinlich historisch, da eine Opferhandlung Salomos außerhalb Jerusalems
kaum erfunden wurde. Gibeon war noch in der Königszeit eine Stadt mit
nichtisraelitischer Bevölkerung. Zusammen mit Kefirah, Beeroth und Kirjat Jearim hatte sich Gibeon die Erhaltung der Selbständigkeit durch einen

---

73 In mythologischen Texten aus Ugarit erscheint das Zelt (dd) als Wohnung Els. *R. Clifford,*
The Tent of El and the Israelite Tent of Meeting, CBQ 33 (1971) S. 221–227 will deshalb den
אהל מועד als Abbild eines himmlischen Zeltes verstehen. Die himmlische Wohnung Jahwes
wird aber stets היכל genannt, während sich ein Zelt im Zusammenhang mit den Vorstellungen
über das Außerirdische nicht findet. Da sich die notwendigen Zwischenglieder nicht nachweisen lassen, kann aus den ugaritischen Texten nicht einfach auf mögliche Vorstufen israelitischer Vorstellungsweisen zurückgeschlossen werden.
74 *M. Noth,* HAT I,7 ([2]1953) S. 108 und 123. Dagegen rechnet *O. Eißfeldt,* Kultzelt und
Tempel, in: Wort und Geschichte, AOAT 18 (1973) S. 51–55 damit, daß das Offenbarungszelt
von Ex 33,7–11 einmal in Silo aufbewahrt worden ist. Der literarische Befund spricht allerdings
gegen diese These.
75 *R. Schmitt,* Zelt und Lade als Thema alttestamentlicher Wissenschaft (1972) S. 190.
76 Die Lage von Gibeon ist noch immer umstritten, Zusammenfassungen der Diskussion mit
Literaturangaben finden sich bei *K. Galling,* HAT I,1 (1937) Sp. 193–197 und *M. Weippert,*
FRLANT 92 (1967) S. 21, Anm. 5. Die Identifikation von Gibeon mit *el-Ǧib* kann zwar noch
nicht als völlig gesichert gelten, hat aber die größte Wahrscheinlichkeit, da alle anderen erwo-
genen Ortslagen wegen anderer Ansetzungen oder auf Grund des Oberflächenbefundes für die
Gleichsetzung mit Gibeon ausscheiden. Vgl. dazu *J. B. Pritchard,* Gibeon's History in the
Light of Excavation, SVT 7 (1960) S. 1–12.

Vertrag mit den israelitischen Stämmen gesichert (Jos 9)[77]. Die Sage Jos 9
hat die ausdrückliche Absicht zu erklären, wie es zu diesem Vertrag der Israeliten mit Kanaanäerstädten kommen konnte. Noch zu Sauls Zeit sind die
Gibeoniten eine selbständige ethnische Gruppe, die von Saul angegriffen
worden ist, und noch während der Herrschaft Davids wird die nichtisraeliti-
sche Herkunft der Gibeoniten ausdrücklich festgestellt (2. Sam 21,2)[78]. Die
במה zu Gibeon ist somit ein nichtisraelitisches Höhenheiligtum gewesen[79],
die von den Gibeoniten verehrten Gottheiten sind nicht bekannt[80]. Wann es
zu ihrer Umwandlung in eine Kultstätte für Jahwe gekommen ist, entzieht
sich unserer Kenntnis. Die Überarbeitung am Ende von Jos 9 begründet die
Verpflichtung der Gibeoniten zu niederen Tempeldiensten, ist aber nicht zu
datieren[81].
Bereits in 1. Kön 3,3 wird versucht, das Opfer Salomos an einer Kultstätte
außerhalb Jerusalems zu entschuldigen. Der Chronist hat »eine solche Ent-
schuldigung nicht nötig«[82], da er den אהל מועד nach Gibeon verlegt und
damit Gibeon als Kultstätte Jahwes legitimiert hat[83]. Der Ausbau der Notiz
aus 1. Kön 3,4 in 2. Chr 1,1-6 geht also auf das Bestreben zurück, aus der
במה ein Jahweheiligtum zu machen und damit für das Opfer Salomos zu legitimieren. Gleichzeitig hat der Chronist einen Zusammenhang zwischen
den kultischen Institutionen der Wüstenzeit, wie sie in der Priesterschrift
beschrieben werden, und dem salomonischen Tempel hergestellt.

---

77   Zur literarkritischen und traditionsgeschichtlichen Analyse von Jos 9 vgl. M. *Noth*, HAT
I,7 (²1953) S. 53-59; J. *Liver*, The Literary History of Joshua IX, JSS 8 (1963) S. 237-243. Die
Art des Vertrages und der Inhalt der vertraglichen Abmachungen sind nicht bekannt. Der Vertrag zwischen den vier Kanaanäerstädten und den Israeliten kann nicht einfach analog zu den
hethitischen Staatsverträgen vorgestellt werden, gegen F. *Ch. Fensham*, The Treaty between
Israel and the Gibeonites, BA 27 (1964) S. 96-100; J. M. *Grintz*, The Treaty of Joshua with
the Gibeonites, JAOS 86 (1966) S. 113-126; P. J. *Kearny*, The Role of the Gibeonites in the
Deuteronomic History, CBQ 35 (1973) S. 1-19.
78   Einzelheiten über die Verfolgung Gibeons durch Saul werden nicht mitgeteilt. Zu 2. Sam
21 vgl. H. *Cazelles*, David's Monarchy and the Gibeonite Claim, PEQ 86 (1955) S. 165-175;
A. S. *Kapelrud*, King and Fertility. A Discussion of II Sam 21: 1-14, in: Interpretationes ad
Vetus Testamentum pertinentes S. Mowinckel (1955) S. 113-122.
79   Zu dem Begriff במה und dem archäologischen Material der Höhenheiligtümer vgl. oben
unter Abschnitt 3.7.
80   J. *Dus*, Gibeon – eine Kultstätte des Šmš und die Stadt des benjaminitischen Schicksals,
VT 10 (1960) S. 353-374 hat versucht, Schemesch als die Schutzgottheit von Gibeon zu erwei-
sen, doch sind die angeführten Stellen Jos 10,12; 1. Kön 8,53 LXX und Num 25,4 für diese
These nicht beweiskräftig. S. *Yeivin*, The High Place at Gibeon, Revue de l'histoire juive en
Égypte 1 (1947) S. 143-147 hat angenommen, daß in Gibeon ein Weisheitsgott verehrt wurde,
doch ist diese Annahme nicht zu beweisen.
81   Vgl. M. *Haran*, The Gibeonites, the Nethinim and the Sons of Solomon's Servants, VT
11 (1961) S. 159-169.
82   W. *Rudolph*, HAT I,21 (1955) S. 197.
83   H. W. *Hertzberg*, ZAW 47 (1929) S. 166-177 rechnet dagegen mit der historischen Zu-
verlässigkeit von 2. Chr 1,1-6, doch sind seine Rückschlüsse nicht zu halten. Völlig unhaltbar
ist auch die These von M. *Görg*, BBB 27 (1967) S. 132, die Salbung Salomos zum König habe
in Gibeon stattgefunden.

Der Chronist konnte den אהל מועד nicht zur Legitimation des Jerusalemer Heiligtums benutzen, da Jerusalem bis zur Eroberung durch David eine kanaanäische Stadt gewesen ist. Der Bau des Tempels von Jerusalem wurde darum vom Chronisten auf eine ausdrückliche Anordnung Davids zurückgeführt (1. Chr 22). Um aber die Kontinuität der Kulteinrichtungen herzustellen, hat der Chronist den אהל מועד nach Gibeon verlegt, wo noch Salomo geopfert hatte[84]. Wie wichtig die Anwesenheit des Zeltheiligtums in Gibeon dem Chronisten war, zeigt sich daran, daß er das Jerusalemer Priestergeschlecht der Zadokiden in Gibeon amtieren läßt (1. Chr 16,29f) und daß er ausführlich begründet, warum David nicht in Gibeon Opfer dargebracht hat (1. Chr 21,28–30). Da die Gründe für die Verlegung des אהל מועד nach Gibeon durch den Chronisten eindeutig zu erheben sind, muß 2. Chr 1,1–6 als Geschichtskonstruktion ohne historischen Wert gelten.

5.3
Nichtisraelitische Zeltheiligtümer

Im alten Orient haben sich Zeltheiligtümer nicht erhalten[85]. Das bei diesen Bauten verwendete Material schließt von vornherein die Erhaltung über längere Zeiträume aus. Nur auf dem Mauerwerk des Hathortempels in Timna wurden Reste einer Zeltdecke gefunden, die zur Phase der Wiederbenutzung des Heiligtums durch die Midianiter gehören[86]. Die Midianiter haben aber die bauliche Anlage des ägyptischen Tempels übernommen und lediglich den ehemaligen Hof mit einer Zeltüberdachung versehen. Dieser Kultbau gründet somit nicht in der Zeltbauweise der Midianiter, sondern wurzelt in der Bautradition ägyptischer Tempel. Als Beispiel eines außerisraelitischen Zeltheiligtums scheidet diese midianitische Kultstätte aus, da die ursprüngliche Bauform nicht auf den Zeltbau zurückgeht. Doch zeigt dieser Fund, daß auch bei der Übernahme eines vorgefundenen Kultbaus bei der Überdachung auf die Zeltbauweise zurückgegriffen werden konnte.

Aber auch bei den nomadischen Stämmen der arabischen Wüsten sind Zeltheiligtümer nicht mehr in Gebrauch, da durch das zentrale Heiligtum in Mekka alle Stammesheiligtümer verdrängt worden sind. Nur gelegentlich ist ein Zelt als kultische Einrichtung erwähnt, so in dem hethitischen Ritual von der Umsiedlung der schwarzen Gottheit und bei Diodor für die Kartha-

---

84 Nach der Samaritanischen Chronik II hat Josua den אהל מועד auf dem Berge Garizim aufgeschlagen, *J. Macdonald*, The Samaritan Cronicle No. II, BZAW 107 (1969) S. 25. Die Verlegung des Zeltes nach Gibeon durch den Chronisten hat somit wahrscheinlich auch eine antisamaritanische Tendenz, da sie gleichzeitig das Vorhandensein des Zeltes auf dem Garizim und damit die Rechtmäßigkeit des samaritanischen Heiligtums bestreitet.
85 Das sog. Reinigungszelt auf den Reliefs in Gräbern der 6. Dynastie in Ägypten gehört nicht in diesen Zusammenhang, da es seiner Funktion nach kein Heiligtum, sondern eine Einrichtung des Begräbnisrituals ist. Das bildliche und inschriftliche Material ist zusammengestellt und interpretiert durch *B. Grdseloff*, Das ägyptische Reinigungszelt (1941).
86 *B. Rothenberg*, Timna (1973) S. 161–165.

ger. Ausführlicher ist lediglich die Überlieferung von der Qubbe, einem Zeltheiligtum aus vorislamischer Zeit.

5.3.1
Das Zelt in dem hethitischen Ritual KUB XXIX 4

In dem hethitischen Ritual von der Umsiedlung der schwarzen Gottheit aus dem alten in den neu errichteten Tempel sind alle Einzelheiten für die Überführung des Gottesbildes und der damit verbundenen Opfer und Maßnahmen beschrieben[87]. Am 5. Tage der Feierlichkeiten »wird am Flusse ein Zelt als Tempelersatz errichtet und der *ulihi* als Ersatz des Götterbildes hineingebracht«[88]. Bei dem *ulihi* handelt es sich um einen verhältnismäßig kleinen, wahrscheinlich aus Wolle gefertigten Gegenstand, »eine Binde, ein Tuch, oder ein Schleier«[89]. Vor dem Zelt werden vegetarische Opfergaben dargebracht und ein Lamm verbrannt (III,52–61). Nach dem Vollzug der Opfer vor dem Zelt wird der *ulihi* in das Haus des Opferherren gebracht, wo ein erneutes Opfer stattfindet (III,64f). Danach wird der *ulihi* an das neue Götterbild gehängt (IV,4–6). Aus welchen Gründen das Zelt errichtet wird, ist nicht deutlich. Es hat die Funktion, den *ulihi* als Ersatz für das Gottesbild vorübergehend aufzunehmen. Möglicherweise ist dabei ein historisches Ereignis zum Brauch geworden und in das Ritual einbezogen worden. Die Opfer vor dem Zelt zeigen, daß dieses als ein Ersatzheiligtum galt.

5.3.2
Das Zeltheiligtum bei den Karthagern

Diodor erwähnt im Buch XX seines Geschichtswerkes ein heiliges Zelt ἱερὰ σκηνή im Lager der Karthager während des Zuges von Agathokles nach Afrika in den Jahren 310–307 v. Chr.[90]. Es handelt sich dabei um ein Zeltheiligtum, das bei Kriegszügen mitgeführt wurde. Vor ihm wurden Gefangene als Opfer verbrannt. Es stand in einer Reihe mit den Zelten des Kommandanten und der Offiziere. Als das heilige Zelt Feuer fing, gerieten die Soldaten in Verwirrung und Schrecken. Nähere Einzelheiten sind nicht bekannt, doch wird das Zelt nicht leer gewesen sein, sondern die Darstellung einer Gottheit enthalten haben. Ob dieses heilige Zelt einem alten phönikisch-punischen Brauch entspricht[91], oder den lokalen Verhältnissen in Karthago entstammt, ist ebensowenig zu entscheiden wie die Frage, ob es eine ständige Einrichtung gewesen ist.

---

87 Text und Kommentar bei *H. Kronasser*, Die Umsiedlung der schwarzen Gottheit. Das hethitische Ritual KUB XXIX 4 (des Ulippi), 1963.
88 *H. Kronasser*, ebd S. 37, Text: III, 49–51.
89 *H. Kronasser*, ebd S. 46.
90 Diodorus Sicilus XX,65,1. Hinweis bei *H. Greßmann*, FRLANT 18 (1913) S. 241f.
91 *J. Morgenstern*, HUCA 17 (1942/43) S. 228.

5.3.3
Die Qubbe

Die *Qubbe* ist ein vorislamisches Zeltheiligtum nomadischer Beduinen[92]. Das Zelt ist aus rotem Leder angefertigt und enthält die Kultstelen des Stammes oder der Sippe. Die *Qubbe* war somit das Heiligtum der in den Stelen repräsentierten Stammes- oder Hausgötter. Aufgestellt wurde die *Qubbe* gewöhnlich in der Mitte des Lagers, ihr war ein Kahin als kultischer Amtsträger zugeordnet. Bei der Wanderung wurde die *Qubbe* abgebrochen und auf ein Kamel verladen[93]. Bei entscheidenden kriegerischen Unternehmungen wurde sie mit in die Schlacht geführt und von jungen Mädchen begleitet. Dabei mußte sie unter allen Umständen verteidigt werden, da ihr Verlust dem Stamm die Schutzgötter geraubt hätte. Opfer vor oder in der *Qubbe* sind nicht belegt, das Zelt diente allein der Unterbringung der Kultstelen. Der an ihm amtierende Kahin ist denn auch nicht eigentlich ein Priester, der Opfer vollzieht, sondern ähnlich den Propheten Empfänger und Vermittler göttlicher Offenbarung.

5.3.4
Zusammenfassung

Wie die Quellen zeigen, konnten außerhalb Israels Zelte zur Unterbringung von Götterbildern oder Kultstelen benutzt werden. Während bei den nomadischen Arabern das Zelt die angemessene Behausung für die Kultstelen war, hatte das Zelt in den Stadtkulturen von Ḫattusa und Karthago nur eine zeitlich begrenzte Bedeutung. Das Zelt diente zur Unterbringung der Gottesdarstellung. Mit Ausnahme der *Qubbe* war das Zeltheiligtum auch Opferstätte.

---

92 Für Funktion und Bedeutung der *Qubbe* vgl. *H. Lammens*, Le culte des bétyles et les processions religieuses chez les Arabes préislamites, L'Arabie Occidentale avant l'Hégire (1928) S. 101–179; *J. Morgenstern*, HUCA 17 (1942/43) S. 207–229. Die *Qubbe* ist von dem Wanderheiligtum der ʿOtfe zu unterscheiden, vgl. dazu *J. Morgenstern*, HUCA 17 (1942/43) S. 157–193. Das Wort *Qubbe* entspricht dem hebräischen קבה, das allein Num 25,8 in einem nachexilischen Text eine Behausung oder deren Teil bedeutet. Inschriftlich ist das Wort als קבאת auf einem Stein aus Palmyra belegt, *H. Ingholt*, Berytus 3 (1936) S. 83-88. Die קבה von Num 25,8 muß keineswegs ein rituelles Zelt gewesen sein, gegen *J. Morgenstern*, HUCA 17 (1942/43) S. 260.
93 Die Reliefdarstellung eines zeltartigen Gestells auf einem Kamel auf einem Relief aus dem Tempel von Palmyra bei *H. Seyrig*, Syria 15 (1934) S. 159-165, Pl. XIX ist kaum eine Darstellung der *Qubbe*.

6
Das Zeltheiligtum der Priesterschrift

6.1
Literarkritik von Ex 25–31

Innerhalb der priesterschriftlichen Sinaierzählung, die Ex 24,15b–18 einsetzt, ist der Bericht von der Herstellung des Zeltheiligtums und seiner Einrichtung in Ex 35–40 der Anordnung in Ex 25–31 gegenüber literarisch sekundär[1]. Das zeigen abgesehen von den Abweichungen im Text vor allem die in Ex 35–40 vorgenommenen Umstellungen[2]. So ist der Bericht von der Anfertigung des Zeltes (Ex 36,8–38) an den Anfang der Ausführungsbeschreibung gestellt, erst danach wird Ex 37 die Herstellung des »Inventars« aus Ex 25 geschildert. Dabei ist der Räucheropferaltar, der Ex 30,1–10 verspätet genannt wird, in Ex 37,25–28 hinter Lade (Ex 37,1–5), Deckplatte (Ex 37,6–9), Tisch (Ex 37,10–16) und Leuchter (37,17–24) gestellt. Die Herstellung des Wasserbeckens, für das eine Anweisung erst in Ex 30,17–21 erscheint, wird Ex 38,8 im Anschluß an die Anfertigung des Brandopferaltars (Ex 38,1–7) berichtet. Salböl und Räucherwerk, die Ex 30,22–33 und 34-38 in zwei weiteren Zusätzen beschrieben werden, sind Ex 37,29 in einer kurzen Notiz erwähnt. Diese Umstellungen im Sinne einer sachgemäßen Ordnung zeigen[3], daß die Anweisungen Ex 25–31 dem Ausführungsbericht Ex 35–40 gegenüber literarisch primär sind[4]. Die Untersuchung des Zeltheiligtums und seiner Einrichtung muß deshalb von Ex 25-31 ausgehen[5]. Auch wenn Ex 35-40 gegenüber Ex 25-31 als sekundär anzusprechen ist,

---

1 Begründung bei *J. Wellhausen*, Die Composition des Hexateuchs (⁴1963) S. 143-149; *H. Holzinger*, KHC II (1900) S. 148; *B. Baentsch*, HK I,2 (1903) S. 286f; *M .Noth*, ATD 5 (³1965) S. 221.
2 Für die Textform der LXX hat *D. W. Gooding*, The Account of the Tabernacle (1959), nachgewiesen, daß der masoretische Text gegenüber LXX als primär gelten muß.
3 Zur Anordnung in Ex 35-40 vgl. *B. A. Levine*, JAOS 85 (1965) S. 307–310.
4 Gegenüber der Zuweisung von Ex 35-40 durch *H. Holzinger*, KHC II (1900) S. 148; *B. Baentsch*, HK I,2 (1903) S. 287 und *M. Noth*, ATD 5 (³1965) S. 225-227 an nachpriesterschriftliche Überarbeiter hat *R. Borchert*, Stil und Aufbau der priesterschriftlichen Erzählung (Masch. Diss. Heidelberg 1956) S. 28f die Auffassung vertreten, daß es sich in Ex 35–40 um den priesterschriftlichen Ausführungsbericht handelt und rechnet darum Ex 36,8–38; 37,1–24; 38,1–7.9–20; 39,2–31 zum Grundbestand von P. Da diese These unerklärt läßt, warum die Nachträge einmal in Ex 30.31 zusammengefaßt angehängt zum anderen aber in Ex 35-40 an den entsprechenden Stellen eingearbeitet sind, kann sie die hier vorliegenden literarischen Sachverhalte nicht hinreichend erklären.
5 *G. von Rad*, Die Priesterschrift im Hexateuch, BWANT IV,13 (1934), hat die Priesterschrift in zwei parallele Fäden aufgeteilt. *K. Galling* ist ihm in seinen Beiträgen zu *G. Beer*, Exodus, HAT I,3 (1939) S. 128–153 darin gefolgt. Diese Hypothese hat *P. Humbert*, Die literarische Zweiheit des Priester-Codex in der Genesis, ZAW 58 (1940/41) S. 30–57 an Einzelbei-

muß damit gerechnet werden, daß die Priesterschrift in irgendeiner Weise von der Durchführung der Mose Ex 25–31 gegebenen Anweisungen berichtet hat[6]. In Ex 35–40 wird einmal Bezalel mit der Anfertigung des Heiligtums und des Inventars beauftragt (35,30–36,7). Zum anderen heißt es aber, daß das Volk das Zeltheiligtum angefertigt habe (39,32–42). Dazu tritt noch der Bericht von der Fertigstellung durch Mose (40,1–16.18–33), während 40,17 von der Fertigstellung des מִשְׁכָּן berichtet, ohne den oder die Ausführenden zu nennen. Dieser Widerspruch in der Ausführung des Auftrages kann nur auf verschiedene Überarbeitungen des Ausführungsberichtes zurückgehen. Nun richtet sich in Ex 25–29 der Auftrag Jahwes an Mose. Bezalel wird erst 31,1–11 nachträglich zu der Ausführung der Arbeiten bestimmt. Dementsprechend muß auch die Notiz 35,30–36,7 als eine Erweiterung angesehen werden. Bezalel ist denn auch nur noch 37,1 und 38,22 in den Text eingetragen. Ebenso ist die Vorstellung von der Anfertigung des Heiligtums und seiner Einrichtung durch das Volk der Behauptung seiner Fertigstellung durch Mose gegenüber sekundär, da sie offensichtlich dem Gedanken der Hilfeleistung entspringt. Damit scheiden 39,32.42.43 als möglicher Grundbestand von P aus. Aber auch der Bericht von der Fertigstellung und Aufstellung des מִשְׁכָּן durch Mose (Ex 40) wird nicht zum ursprünglichen Bestand der Priesterschrift gehört haben, da in diesem Abschnitt die sekundären Erweiterungen innerhalb von Ex 25–27 bereits vorausgesetzt sind.

Dafür, daß zumindest in 40,17a P vorliegt, spricht die genaue Datumsangabe, die dem priesterschriftlichen Stil entspricht, vgl. Ex 16,1; 19,1; Num 10,11a; 20,1aα. Nun findet 40,17a in der Notiz von der Fertigstellung des Werkes in 40,33b seine direkte Fortsetzung, so daß P zumindest in 40,17a.33b vorliegt. Damit wird noch die Bemerkung 40,16 zusammengehören.

Es ist allgemein anerkannt und braucht hier nicht noch einmal begründet zu werden, daß in Ex 30 und 31 verschiedene Nachträge zum ursprünglichen

spielen untersucht und zurückgewiesen. Wie *K. Elliger,* Ephod und Choschen, VT 8 (1958) S. 19–35 und *W. H. Schmidt,* Die Schöpfungsgeschichte der Priesterschrift, WMANT 17 ([2]1967) S. 160–193 gezeigt haben, sind die Spannungen innerhalb der Priesterschrift nicht allein literarkritisch zu erklären, sondern müssen durch traditionsgeschichtliche Überlegungen gelöst werden. Zu dem von *G. von Rad* postulierten Toledotbuch vgl. *O. Eißfeldt,* Biblos geneseos, Kleine Schriften III (1966) S. 458–470 und Toledot, Kleine Schriften IV (1968) S. 1–7. Auf eine Auseinandersetzung mit der Aufteilung der Priesterschrift in zwei parallele Fäden durch *G. von Rad* kann hier verzichtet werden, da die folgenden Analysen die Annahme einer Doppelsträngigkeit von P widerlegen.

6 *H. Holzinger,* KHC II (1900) S. XIX rechnet zu P Ex 35,4-7.9.10 . . . 20–35; 36,2.3.8 . . .; 39,32.43; 40,1.2.16.17.33b.34. Ähnlich hat *B. Baentsch,* HK I,2 (1903) S. 286f als zu P gehörig festgestellt Ex 35,20–22abβ.23–29; 39,32b.33.42.43; 40,17.34–38. *K. Elliger,* ThB 32 (1966) S. 175 hält folgende Verse für priesterschriftlich: Ex 35,1a.4b–10.20–29; 36,2; 39,32.43; 40,17.33b.34. *M. Noth,* ATD 5 ([3]1965) S. 225-227 weist nur Ex 39,32.42.43; 40.17 dem priesterschriftlichen Grundbestand zu. Die weitergehende Entscheidung von *M. Noth,* Überlieferungsgeschichte des Pentateuch ([2]1960) S. 18f ist durch *M. Noth,* ATD 5 ([3]1965) S. 220f überholt.

Bestand der Anweisungen zum Bau des Zeltheiligtums vorliegen[7]. Beide
Kapitel gehören deshalb nicht zur Priesterschrift[8]. Auf Grund der Beobachtung, daß »es sich in Kapitel 29 nicht mehr um die Anfertigung von Einrichtungen für das künftige kultische Leben, sondern um die vorzunehmende
kultische Begehung der Priesterweihe Aarons und seiner Söhne« handelt,
und daß sich weiterhin in Ex 29 einige »Abweichungen in Sachen der Priesterkleidung von den Bestimmungen des vorangegangenen Kapitels finden«, hat *Martin Noth* Ex 29 als einen »Nachtrag zu P« angesprochen[9]. In
einem ausführlichen Vergleich von Lev 8 mit Ex 29 hat *Karl Elliger* begründet, daß Ex 29 gegenüber Lev 8 als sekundär gelten muß[10], zu der gleichen
Verhältnisbestimmung ist *Karl-Heinz Walkenhorst* nach einem sorgfälti-
gen Textvergleich gekommen[11]. Damit scheidet Ex 29 für den priesterschriftlichen Grundbestand aus[12]. Die priesterschriftliche Sinaigesetzgebung umfaßt somit nur Ex 25–28, doch auch in diesen Kapiteln sind Grundbestand und Überarbeitung zu unterscheiden. Dabei handelt Ex 28 von der
Priesterkleidung Aarons und bleibt deshalb im Rahmen dieser Arbeit unberücksichtigt[13].

Für den Abschnitt Ex 25–27 hat bereits *Klaus Koch* eine literarkritische
Analyse vorgelegt[14], deren Ergebnisse von *Manfred Görg* für Ex 26 über-
prüft und weitgehend übernommen worden sind[15]. Dabei hat *Koch* auf
Grund des Stils, den er als »formularhafte Rede« kennzeichnet, auf eine
Vorlage geschlossen, die von der Priesterschrift verarbeitet worden sei.
Koch hat diese Vorlage als »Rituale« gekennzeichnet und anhand der Stil-
form die kurzen Rituale von der priesterschriftlichen Überarbeitung ge-
trennt, wobei er damit rechnet, daß diese Rituale ursprünglich mündlich

---

7 Vgl. *J. Wellhausen*, Die Composition des Hexateuchs (⁴1963) S. 139–141; *H. Holzinger*,
KHC II (1900) S. 144–147; *B. Baentsch*, HK I,2 (1903) S. 258ff; *K. Galling*, HAT I,3 (1939)
S. 147; *M. Noth*, ATD 5 (³1965) S. 144.

8 *G. von Rad*, BWANT IV,13 (1934) S. 62 und *K. Galling* bei *G. Beer*, HAT I,3 (1939)
S. 151f haben allerdings das Sabbatgebot Ex 31,12–17 der Priesterschrift zugesprochen, doch
ist ein Sabbatgebot an dieser Stelle innerhalb der Priesterschrift undenkbar. Einmal erstreckt
sich die Jahwerede in Ex 25ff nur auf die Herstellung des Zeltheiligtums und seiner Einrichtungen, zum anderen ist für die Priesterschrift der Sabbat das Ziel der Schöpfung Gen 1,1–2,4a
und wird von Israel bereits während des Wüstenaufenthaltes beachtet Ex 16*P. Ex 31,12–17
muß darum ebenfalls als sekundärer Zusatz beurteilt werden, vgl. *H. Holzinger*, KHC II
(1900) S. 147.

9 *M. Noth*, ATD 5 (³1965) S. 187f.

10 *K. Elliger*, HAT I,4 (1966) S. 100–115.

11 *K. H. Walkenhorst*, Der Sinai im liturgischen Verständnis der deuteronomistischen und
priesterlichen Tradition, BBB 33 (1969). Diese Arbeit war bereits 1965 vor dem Erscheinen des
Leviticuskommentars von *K. Elliger* abgeschlossen, sie ist unabhängig von *K. Elligers* Ergeb-
nissen entstanden und kommt in der Bestimmung des Verhältnisses von Ex 29 zu Lev 8 zu dem
gleichen Schluß wie *K. Elliger*, wenngleich er teilweise eine andere Zuordnung in der Bestimmung des priesterschriftlichen Grundbestandes der Kapitel trifft.

12 So auch *B. A. Levine*, JAOS 85 (1965) S. 312.

13 Zur Analyse von Ex 28 vgl. *K. Elliger*, Ephod und Choschen, VT 8 (1958) S. 19–35.

14 *K. Koch*, Die Priesterschrift von Exodus 25 bis Leviticus 16, FRLANT 71 (1959) S. 7–38.

15 *M. Görg*, BBB 27 (1967) S. 8–34.

überliefert gewesen und erst von der Priesterschrift schriftlich fixiert worden seien[16].
Gegen die Herausarbeitung einer solchen Vorlage und ihrer Kennzeichnung als Rituale durch *Klaus Koch* erheben sich jedoch Bedenken[17].

1. Die Bezeichnung der herausgestellten Stilform als »Ritual« ist als Gattungsbestimmung nicht zu halten. Bereits *Manfred Görg* hat darauf hingewiesen, daß die Anweisungen zur Anfertigung des Zeltheiligtums und seiner Einrichtung auf eine einmalige und nicht auf eine wiederholte Ausführung zielen[18]. Die sog. Rituale sollen gerade nicht wiederholbare Riten festlegen. *Görg* vermutet aber, daß diese Anweisungen »in Anlehnung an die Opferrituale gebildet sind« und nennt sie »Quasi-Rituale«[19]. Ist die Gattung aber aus dem Stil allein nicht ableitbar und widerspricht der Inhalt der Anweisungen ihrer Bestimmung als »Ritual«, so ist diese Gattungsbezeichnung für eine in Ex 25–31 verarbeitete Vorlage nicht möglich[20].
2. Zwar ist bereits die Gattungsbestimmung als solche fraglich, für die angenommene Gattung der »Rituale« hat *Klaus Koch* aber einen Sitz im Leben nicht aufzeigen können. Zwar hat er die Rituale »als eine Art von Kultätiologie mit der Absicht die ›richtigen‹ Riten zu legitimieren« bezeichnet[21] und erwogen, »daß an einem anderen israelitischen Heiligtum [als dem Tempel von Jerusalem] solche von Gott in der Urzeit gebotenen Rituale zum Ausweis ordentlicher und berechtigter Kultübung von der Priesterschaft überliefert wurden«[22]. Dementsprechend rechnet *Koch* mit der Überlieferung der »Rituale« durch Priester an einem Heiligtum außerhalb Jerusalems[23]. Diese Bestimmung eines Sitzes im Leben für die sog. Rituale ist aber nicht zu halten. Die Annahme ihrer Überlieferung durch Priester außerhalb von Jerusalem setzt voraus, daß die in den »Ritualen« beschriebenen Kultgegenstände einmal an diesem Heiligtum vorhanden gewesen sind. Das ist aber im Hinblick auf die Geschichte dieser Gegenstände ausgeschlossen. *Koch* kommt denn auch mit seiner These vor allem bei der Lade in Schwierigkeiten, da diese seit ihrer Überführung nach Jerusalem durch David dort ihren Platz hatte. Um diesen Widerspruch zwischen dem historischen Befund und seiner Hypothese zu umgehen, stellt *Koch* als weitere These die Behauptung auf, daß es »in Israel mehr als eine Lade gegeben« habe[24]. Dafür gibt es schlechthin keinen Beleg, da aus Jos 3–6; Ri 26,26f und Jos

---

16 *K. Koch*, FRLANT 71 (1959) S. 97.
17 *K. Elliger*, Leviticus, HAT I,4 (1966), hat auf eine direkte Auseinandersetzung mit der These von *K. Koch* verzichtet. In der Einleitung zu seinem Kommentar findet sich S. 8 nur die Feststellung: »Der vorliegende Kommentar bestätigt diese Ansicht nicht.« *J. G. Vink*, OTS 15 (1969) S. 101f hat die These von *K. Koch* zurückgewiesen allerdings ohne hinreichende Widerlegung oder Begründung. Zur Kritik an *Kochs* These vgl. jetzt *R. Schmitt*, Zelt und Lade als Thema alttestamentlicher Wissenschaft (1972) S. 251f.
18 *M. Görg*, BBB 27 (1967) S. 8–21.
19 *M. Görg*, BBB (1967) S. 26.
20 Baurituale sind im Alten Testament nicht erhalten. Das Kapitel 1. Kön 6 über den salomonischen Tempel ist ein erzählender Bericht mit eingestreuten Beschreibungen in Form von Nominalsätzen, vgl. *M. Noth*, BK IX/1 (1968) S. 103–105. Ob diesem Bericht ein »Planungsentwurf« zugrunde liegt, wie *M. Noth* annimmt, erscheint zweifelhaft. Als Beispiel für ein Bauritual vgl. *R. Borger*, Das Tempel-Bauritual K 48+, ZA 61 (1971) S. 72-80. In diesem Bauritual aus der Zeit Assurbanipals geht es im wesentlichen um die beim Bau darzubringenden Opfer.
21 *K. Koch*, FRLANT 71 (1959) S. 97 (im Original teilw. gesperrt).
22 *K. Koch*, FRLANT 71 (1959) S. 32.
23 *K. Koch*, FRLANT 71 (1959) S. 16.
24 *K. Koch*, FRLANT 71 (1959) S. 17 (Im Original teilw. gesperrt).

8,30ff nicht auf eine Lade außerhalb Silos geschlossen werden kann[25]. Der Ort und die Träger einer Ritualüberlieferung außerhalb Jerusalems sind somit nicht nachweisbar. Die Annahme der Existenz dieser Formulare würde vielmehr Jerusalem als Ort ihrer Überlieferung voraussetzen. Mit der unausweichlichen Folgerung, daß die Formulare nur in Jerusalem weitergegeben sein können, wird aber ihre Existenz fraglich. Einmal ist es unwahrscheinlich, daß sich diese Formulare auf den Tempel von Jerusalem beziehen. Zum anderen ist es kaum denkbar, daß gerade in Jerusalem solche »Rituale« für ein Heiligtum neben dem salomonischen Tempel überliefert worden sein sollen. Nicht nur muß die von *Koch* vorgeschlagene Bestimmung des Sitzes im Leben der Rituale als verfehlt angesehen werden, die Frage nach ihrem möglichen Überlieferungskreis stellt die Existenz solcher Rituale überhaupt in Frage.

3.   Zwar ist die von *Klaus Koch* herausgestellte Stilform des konsekutiven Perfekt (Suffixkonjugation mit *w*) am Satzanfang unverkennbar, diese Aktionsart entspricht jedoch dem Gebrauch der Präfixkonjugation, wenn das Verb nicht am Satzanfang steht[26]. Da die Stellung des Verbums über die Zeitstufe mitentscheidet, können die Sätze mit Imperfektformen im Satzverlauf oder am Satzende stilistisch nicht von den Sätzen mit Perfektformen am Satzanfang getrennt werden. Beide Male handelt es sich um die gleiche Aktionsart. Als Kriterium für den von *Koch* »Ritual« genannten Stil reicht die Stellung des Verbums am Satzanfang nicht aus. Ein Stilbruch liegt erst da vor, wo die Form der Anweisung in der 2. Pers. sing. verlassen ist. Der entscheidende stilistische Unterschied liegt somit nicht im Gebrauch der verschiedenen Aktionsformen, sondern zwischen Anweisungen und beschreibenden Stücken. Bei der literarkritischen Analyse müssen dabei neben das Unterscheidungsmerkmal des Stils auch sachliche Argumente treten. Der Stil allein ist für die Literarkritik nicht ausreichend, da er leicht nachgeahmt werden kann.

4.   Trotz der feststellbaren Stilisierung weiter Abschnitte in Ex 25–31 und der Herausarbeitung literarisch sekundärer Sätze und Abschnitte ist der von *Klaus Koch* gezogene Schluß auf eine von der Priesterschrift verarbeitete Vorlage unbegründet[27]. *Koch* hat diese Vorlage deshalb angenommen, weil einmal der Vergleich zwischen 26,1–6 und 7–11 zeigt, daß das erste Stück literarisch von dem zweiten abhängig und damit diesem gegenüber sekundär sei und zum anderen 26,1–6 die gleichen Stilmerkmale wie die Anweisung zum Bau der Arche Gen 6,14-16 P aufweise und darum der Priesterschrift zugehören soll. Daraus hat *Koch* gefolgert, daß in 26,7–11 eine ältere literarische Schicht vorliege, die von der Priesterschrift aufgenommen und verarbeitet worden sei. Nun ist mit Ausnahme des einleitenden Verbums Gen 6,14-16 stilistisch einheitlich in der 2. Pers. sing. abgefaßt, wenngleich das Verbum nicht immer am Anfang des Satzes steht. Gerade die Anweisung für den Bau der Arche zeigt, daß die Priesterschrift in solchen Anordnungen einen einheitlichen Stil benutzt, wie er auch über weite Strecken in Ex 25–27 gebraucht ist. Der Stil weist somit nicht auf eine vorgegebene literarische Quelle, sondern auf die Priesterschrift als den Verfasser der Anweisungen.

Wenngleich die Beobachtung der stilistischen Einheitlichkeit durch *Klaus*

---

25   Zur Lade vgl. unten Abschnitt 6.2.1.

26   Dazu *O. Rößler*, Die Präfixkonjugation Qal der Verba I^ae Nun im Althebräischen und das Problem der sogenannten Tempora, ZAW 74 (1962) S. 125-141. *O. Rößler* hat nachgewiesen, daß die Präfixkonjugation am Satzanfang (*yiqtol-x*) und die Suffixkonjugation in beliebiger Stellung innerhalb des Satzes (*x-qatal*) akkadischem *iprus* und die Suffixkonjugation am Satzanfang (*qatal-x*) sowie die Präfixkonjugation im Verlauf des Satzes akkadischem *iparras* entspricht. *O. Rößler* bezeichnet demgemäß *yiqtol-x* und *qatal-x* als Ḥameṭ und *x-yiqtol* als Mare^c. Gemäß dem akkadischen *iprus* drückt Ḥameṭ den Punktualis der Vergangenheit und der Zukunft aus und entsprechend akkadischem *iparras* bezeichnet Mare^c den Aktualis der Gegenwart, die Dauer in der Vergangenheit und das sichere Futur.

27   K. Koch, FRLANT 71 (1959) S. 9.

Koch das entscheidende Kriterium für die Herausarbeitung des Grundbestandes in Ex 25-27 darstellt, so machen doch die genannten Überlegungen eine neue Durcharbeitung dieses Abschnittes erforderlich. In Ex 25 beginnt nach der Einleitung (V. 1) die Gottesrede (V. 2–9) mit einer Anweisung an Mose für das Volk. Inhaltlich geht es dabei um die Bereitstellung des Materials durch eine Abgabe (תרומה) und um die Interpretation der von Ex 25,10 an folgenden Anordnungen als Modell (תבנית). Der Vorgang der תרומה taucht sonst erst wieder in dem sekundären Abschnitt Ex 30,13-15 auf und wird Ex 35 ausführlich behandelt. Sprachlich sind die Begriffe in V. 3-7 aus den folgenden Abschnitten gewonnen. Dabei zerreißen V. 6 und 7 insofern den Zusammenhang, als die hier genannten Einzelheiten über das Öl und die Steine sich nicht auf die Einrichtung des Heiligtums, um das es V. 8f allein geht, beziehen. Die beiden Verse setzen den Nachtrag Ex 30.31 bereits voraus und werden erst als ein Zusatz nachträglich eingefügt worden sein[28]. Aber auch das verbleibende Stück 25,2–5.8.9 ist wegen der sprachlichen Beziehungen zu den sekundären Erweiterungen kaum priesterschriftlich, sondern gehört einer nachträglichen Überarbeitung an. Mit 25,1 liegt die ursprüngliche Einleitung von P vor.

In den Anweisungen für die Herstellung der Lade (Ex 25,10-16) fällt nur V. 15 aus dem Zusammenhang heraus[29]. Die Bemerkung über den Verbleib der Stangen entspricht stilistisch nicht den übrigen Anweisungen und ist sachlich überflüssig. Ex 25,15 ist deshalb als sekundärer Zusatz dem ursprünglichen Bestand von Ex 25,10–16 abzusprechen. In dem Abschnitt über die Deckplatte (Ex 25,17–22) wiederholt V. 19 das in V. 18 Gesagte. Der Vers ist eigentlich eine Dublette, und da außerdem der Stil der 2. Pers. sing. verlassen ist, muß er mit *Martin Noth* als nicht ursprünglich angesehen werden[30]. Die Näherbestimmung der Haltung der Keruben V. 20 ist eine Beschreibung mit dem Verbum היה, der Vers ist deshalb als sekundär auszuscheiden. Ex 25,21b wiederholt V. 16, dieser Halbvers stört den Zusammenhang und ist als ein erklärender Zusatz anzusehen. Ebenso ist V. 22b ein erklärender Zusatz, der die Gottesrede inhaltlich bestimmen will. In 25,22a sind die Worte מבין שני הכרבים eine Glosse, da der אשר-Satz auf הכפרת zu beziehen ist.

Innerhalb der Anweisungen für die Anfertigung des Tisches (Ex 25,23-30) ist V. 27 eine Näherbestimmung für den Platz der Ringe und muß als sekundärer Nachtrag gelten. Die Nennung der Gefäße in V. 29 erfolgt ohne nähere Erklärung für ihre Herstellung und steht im Gegensatz zur Verwendung des Tisches als Auslage für die Schaubrote (V. 30). In dem Ausführungsbericht besteht Ex 37,16 diese Spannung nicht, da vor der Nennung der Gefäße die Erklärung את הכלים אשר על השלחן erscheint und der Satz aus

---

28 *M. Noth*, ATD 5 (³1965) S. 164.
29 In Ex 25,10 ist mit Sam und LXX ועשית statt ועשו zu lesen.
30 *M. Noth*, ATD 5 (³1965) S. 165. In 25,19b lesen statt תעשה Sam und verschiedene Handschriften תעשה, während LXX ועשה bietet. In jedem Falle ist somit der vorherrschende Stil verlassen.

25,30, der den Tisch für die Schaubrote bestimmt, fehlt. Nun fehlen im Ausführungsbericht häufig Teile, die am Ende der Anweisungen für den jeweiligen Kultgegenstand stehen, so sind 25,15.16 und 25,21.22 in ihm ebenso weggelassen wie 25,37b.40. Ex 37 kann somit für die Frage nach dem ursprünglichen Bestand in Ex 25 nicht herangezogen werden, da im Ausführungsbericht Erweiterungen innerhalb der Anweisungen auch sonst wiedergegeben sind. Das Fehlen der genannten Verse in Ex 37 geht somit auf bewußte Kürzung zurück. Nun ist zwar Ex 25,29 als Anweisung formuliert, die herzustellenden Gegenstände sind aber mit dem Suffix der 3. Pers. sing. als zum Tisch gehörig gekennzeichnet. Dieser Bezug widerspricht der üblichen Form der Anweisungen, da sonst jeder Teil einzeln genannt ist und die Verbindung der verschiedenen Teile durch weitere·Anweisungen hergestellt wird. Damit ist V. 29 als ein Nachtrag erwiesen, der die Herstellung der Kultgefäße sicherstellen will.

Der Abschnitt über den Leuchter (Ex 25,31–40)[31] unterscheidet sich stilistisch von den vorausgegangenen Stücken, da die Form ועשית nur in V. 31a und 37a erscheint. Von V. 31b bis V. 36 ist der Leuchter lediglich beschrieben, während in V. 37b bis 40 die 3. Pers. sing. vorherrscht[32]. Der Text bringt somit keine Anweisung für die Herstellung des Leuchters, sondern bietet weitgehend eine Beschreibung dieses Gegenstandes. Entweder ist hier eine ursprünglich kurze Anweisung über die Herstellung des Leuchters durch eine umfangreiche Beschreibung erweitert worden, oder der gesamte Abschnitt ist unter stilistischer Anlehnung an die vorausgegangenen Stücke sekundär gebildet und in den Zusammenhang eingefügt worden. Da nun aber die Herstellung des Leuchters mit V. 31a und 37a völlig unzulänglich angeordnet wäre und diese beiden Halbverse den Leuchter in keiner Weise ausreichend kennzeichnen, ist damit zu rechnen, daß der gesamte Abschnitt 25,31–40 eine sekundäre Erweiterung darstellt, wobei V. 37b–40 ein Zusatz innerhalb des Abschnittes sind. In Ex 25,31a und 37a liegt somit die Aufnahme des in dem Rest des Kapitels vorherrschenden Stils vor, um diese Erweiterung an die Ausdrucksweise der vorausgehenden Stücke wenigstens teilweise anzupassen.

In Ex 25 ist somit außer V. 1 nur folgender Grundbestand zu erkennen:
1. Die Anweisung für die Herstellung der Lade und ihrer Deckplatte: Ex 25,10–14.16–18.21a.22a.
2. Die Anweisung für die Herstellung des Tisches: Ex 25,23–26.28.30.

---

31 M. Noth, ATD 5 (³1965) S. 169f hält Ex 25,37b–40 für einen Nachtrag und rechnet dementsprechend damit, daß der ursprüngliche Schluß des Abschnittes weggebrochen wurde. Da aber Ex 25,31–40 insgesamt stilistisch kein einheitliches Stück ist, bleibt diese Annahme fraglich. Dennoch besteht die Möglichkeit weiterer Überarbeitung innerhalb des Abschnittes über den Leuchter. S. McEvenue, Semitics 4 (1974) S. 3–7 verkennt bei seiner Zuweisung des Stückes Ex 25,31–36.40 an P, daß der priesterschriftliche Stil auch von einer priesterschriftlichen Schule leicht nachgeahmt werden konnte.
32 Sam, LXX und Syr lesen in 25,37b והעלית statt והעלה, eine Änderung des masoretischen Textes empfiehlt sich jedoch wegen der darauf folgenden Verbformen nicht. In V. 31 ist mit Sam der Plural ירכיה קניה zu lesen.

In Ex 26 sind V. 1–6 und V. 7–11 Dubletten. Der von *Manfred Görg* durchgeführte Vergleich der beiden Abschnitte hat ergeben, daß der erste »eine stilistisch geglättete Umprägung des zweiten« darstellt[33]. Ex 26,1–6 muß somit dem darauf folgenden Stück gegenüber als literarisch sekundär gelten. Der Abschnitt ist sachlich durch die Einstellung des hölzernen משכן in das Zelt bedingt. Ex 26,1–6 findet in 26,15ff seine Fortsetzung und beschreibt die Abdeckung der Holzkonstruktion des משכן.
Innerhalb von 26,7–14 fällt die Anweisung für den Überhang V. 12.13 völlig aus dem Zusammenhang des Textes heraus. Einmal widersprechen V. 12.13 der in V. 9b gegebenen Anordnung, sodann setzen die beiden Verse die Einfügung des von V. 15 an beschriebenen משכן in den אהל bereits voraus[34]. Ex 26,12.13 sind somit eine Ergänzung, die der Reflexion über die Möglichkeit der Einfügung des משכן in den אהל entstammt. In dem Stück V. 7–11 bringt V. 8 genaue Maße für die einzelnen Bahnen in Form von Nominalsätzen, die Angaben können auf Grund des Stils als eine sekundäre Erweiterung ausgeschieden werden[35]. Außerdem sind die Worte על המשכן in V. 7 durch die Voranstellung von V. 1–6 bedingt und darum dem ursprünglichen Text abzusprechen.
In dem Abschnitt über das Brettergerüst (Ex 26,15–30) unterbrechen die Anweisungen über die Fußgestelle (V. 19.21.25aβ.b) die Anordnungen für die Bretter. Diese Anweisungen sind von der Nennung der Fußgestelle zu den Säulen bei der Umfriedung des Vorhofes (Ex 27,9–19) abhängig, da Fußgestelle für die vorausgesetzte Holzkonstruktion sinnlos sind. Bei den Angaben über die Eckbretter (V. 23.24.25aα) ist V. 24b eine Wiederholung aus V. 23 und wahrscheinlich ein erklärender Zusatz. Ebenso ist die Summe der Bretter an der Rückseite in V. 25aα ein Zusatz, der die beiden Eckbretter zu den übrigen sechs Brettern der Rückseite hinzuzählt. Diese neue Summenangabe ist dadurch bedingt, daß die Zahl der Fußgestelle in V. 23aβ.b eine Festlegung der Zahl der Bretter nötig machte.
Aber auch nach Ausscheidung dieser als Einschübe erkennbaren Verse und Versteile bleibt der Abschnitt Ex 26,15–18.20.22.23.24a.26–30 unausgeglichen. Die Anweisungen für die einzelnen Teile gehen durcheinander. So werden bereits V. 17 die ידות genannt, während die ברחים erst V. 26–28 folgen, der Vers ist somit wohl ein Zusatz. Die Anweisung für den Goldüberzug der Bretter klappt V. 29 nach und ist wohl sekundär. Die Anweisungen für die Anzahl der Bretter sind V. 18.20.22 stilistisch keineswegs einheitlich. Der bei den Anweisungen für Lade, Deckplatte, Tisch und Zelt vorherrschende Stil findet sich nur V. 15.18.26.30. Entweder ist also mit

---

33 M. *Görg*, BBB 27 (1967) S. 10–15, Zitat S. 15. Der Vergleich braucht hier nicht wiederholt zu werden.
34 Vgl. M. *Görg*, BBB 27 (1967) S. 16.
35 M. *Görg*, BBB 27 (1967) S. 15 scheidet außerdem die Zahlenangaben in Ex 25,10f aus dem ursprünglichen Bestand der Anweisungen für die Anfertigung des Zeltes aus, doch ist ein solcher Verzicht auf alle konkreten Angaben nicht zu rechtfertigen.

Klaus Koch[36] und *Manfred Görg*[37] mit einem äußerst knappen ursprünglichen Bestand zu rechnen, oder der ganze Abschnitt ist bereits wie Ex
25,31–40 in Wiederaufnahme des Stils von Ex 26,7.9–11 geschaffen. Da
nun die Anweisungen für פרכת und מסך in 26,31–37 das Brettergehäuse
nicht voraussetzen und da das Zelt durch den Einbau des משכן eigentlich
funktionslos wird, muß der gesamte Abschnitt Ex 26,15–30 als sekundärer
Einschub angesprochen werden, der wiederum noch durch V. 17.19.
21.24b.25.29 überarbeitet worden ist.

In dem Abschnitt über den Vorhang (Ex 26,31–35) schließen sich die Angaben V. 32 und 33a gegenseitig aus: nach V. 33 a wird der Vorhang an den
Ringen der Zeltdecke befestigt[38], während Vers 32 mit der Einstellung von
vier Säulen in das Brettergerüst rechnet. Da V. 32 den Text Ex 26,15–30
voraussetzt und da in diesem Vers die Herstellung der Säulen nicht wie in
V. 37 angeordnet wird, ist er als sekundär auszuscheiden. In V. 33 klappt
der zweite Versteil nach. Die Unterscheidung von Heiligem und Allerhei-
ligstem (V. 33b) ist eine nachträgliche Interpretation des Gebäudes, ursprünglich trennte der Vorhang nur den Ort der Lade ab. Ex 26,34 wiederholt Ex 25,21a und ist darum sekundär. In V. 35 setzt die Anweisung für
den Leuchter den Abschnitt Ex 25,31–40 voraus, Ex 26,35αβγ ist darum
ebenfalls sekundär, dieser Versteil hat die Bemerkung V. 35b nach sich gezogen. Mit V. 35aα liegt der ursprüngliche Bestand vor, erst die nachträgliche Einstellung des Leuchters in das Zelt hat das Problem, auf welcher Seite
welcher Gegenstand stehen soll, aufgeworfen. In V. 31 ist das Wort כרבים
eine Glosse[39]. Mit Ex 26,31.33a.35aα liegt dann die Anweisung für den
Vorhang innerhalb des Zeltes und für die Stellung von Lade und Tisch vor.
In welchem Verhältnis der Innenraum des Zeltes unterteilt werden soll,
wird nicht gesagt. Die V. 32.33b.35αβγ bringen dann die Anpassung des ursprünglichen Bestandes an den erweiterten Text von Ex 25, während V. 34
und 35b sekundäre Zusätze sind.

In Ex 26,36.37 sind die Worte וזהב ווידם eine Glosse. Der übrige Text für die
Herstellung der »Decke« gehört zu dem in Ex 25.26 erkennbaren Grundbestand. Mit dieser Anweisung für die Gestaltung des Eingangs 26,36aαb.37
ist für das Zelt der Abschluß erreicht. Über die Lage des Eingangs verlautet
nichts. Die Anweisungen für das Zelt umfassen somit lediglich Ex
26,7.9–11.31.33a.35aα.36.37. Möglicherweise ist jedoch bei der Erweite-

---

36 *K. Koch*, FRLANT 71 (1959) S. 15 rechnet nur Ex 26,15a zur Vorlage und nimmt an, daß
dieser Satz »einst wohl von den S t ü t z p f o s t e n für das Zelt gesprochen« habe. Dagegen spricht jedoch, daß die Vorlage in Ex 26,37 das Wort עמוד für »Pfosten«, »Pfeiler« verwendet.

37 *M. Görg*, BBB 27 (1967) S. 17f gibt keine genaue Festlegung.

38 In Ex 26,33a liest LXX ἐπὶ τοὺς στύλους = על הקרסים statt תחת הקרסים. Eine Entscheidung zwischen den Lesarten ist schwer zu treffen, da einerseits der masoretische Text leicht
durch Verschreibung entstanden sein kann, er andererseits aber die lectio difficilior darstellt.
Die Übersetzung von LXX ist somit am ehesten als eine Angleichung an den vorausgehenden
Text und damit als nicht ursprünglich anzusehen.

39 In Ex 26,31 b ist statt יעשה mit LXX und Syr תעשה zu lesen.

rung durch die Anweisungen für den משכן ein Teil des ursprünglichen Textbestandes unterdrückt worden.

Bei dem Abschnitt über den Altar (Ex 27,1–8) paßt die Anweisung für die verschiedenen Gegenstände in V. 3 nicht in den Zusammenhang. Wahrscheinlich handelt es sich bei V. 3 wie bereits in Ex 25,29 um die nachträgliche Einbeziehung des »Zubehörs«[40]. Überflüssig ist die Bemerkung V. 8, sie entspricht den sekundären Notizen Ex 25,40 und 26,30 und ist als Zusatz zu beurteilen. Der Stil kennzeichnet die Wendung תהיין קרנתיו in V. 2 und die Bemerkungen V. 5b und 7 als nachträgliche Erweiterungen. Die Anweisungen für den Altar umfassen somit ursprünglich nur V. 1.2.4.5a.6.

In dem Rest des Kapitels sind Ex 27,20.21 ein Zusatz, der »außerhalb des Zusammenhangs« steht[41]. Das Stück 27,9–19 gibt mit Ausnahme des einleitenden Satzes V. 9a eine Beschreibung des Vorhofes, die nicht dem Stil der Anweisungen für Lade, Tisch, Zelt und Altar entspricht. Dabei ist die Beschreibung mit den Maßangaben in V. 18a abgeschlossen. Die noch folgenden Worte שש משזר ואדניהם נחשת und V. 19 sind ein erklärender Zusatz. Der Abschnitt über den Vorhof (27,9–18a) gehört somit nicht zum ursprünglichen Textbestand, sondern stellt eine Erweiterung dar.

In Ex 25–27 ist somit ein nicht gerade umfangreicher Grundbestand erkennbar, der nachträglich aufgefüllt und mehrfach überarbeitet worden ist. Diese Schicht ist entweder der ursprüngliche Bestand der Priesterschrift oder ein vorpriesterschriftliches literarisches Stadium. *Klaus Koch* und *Manfred Görg* haben auf Grund des Vergleichs von Ex 26,1–6 mit den Anweisungen für den Bau der Arche (Gen 6,14–16) diesen Abschnitt als von der Priesterschrift verfaßt angesprochen[42]. Dann wäre der Grundbestand von Ex 26 eine von der Priesterschrift übernommene und bearbeitete Vorlage. Gegen eine solche Vorlage erheben sich aber nicht nur grundsätzliche Bedenken, da die Priesterschrift nirgends die wörtliche Übernahme schriftlich vorliegender Traditionen erkennen läßt. Auch der Befehl Jahwes an Noah (Gen 6,14–16) ist mit Ausnahme des einleitenden Verbums in V. 14 in der 2. Pers. sing. abgefaßt, wenngleich das Verbum nicht immer am Satzanfang steht. Die Anweisungen an Mose zur Herstellung des Zeltheiligtums entsprechen dem Befehl an Noah zum Bau der Arche so weitgehend, daß auch die Anweisungen zum Bau des Zeltheiligtums als von der Priesterschrift verfaßt gelten müssen. Da eine von der Priesterschrift aufgenommene Vorlage in Ex 25–27 nicht nachgewiesen werden kann, muß die herausgearbeitete Grundschicht in der vorliegenden Form als priesterschriftlich angesprochen werden. Dabei kann jedoch die Übernahme älterer Vorstellungen und Überlieferungen durch die Priesterschrift nicht ausgeschlossen werden.

---

40 Vgl. *M. Noth*, ATD 5 (³1965) S. 176.

41 *B. Baentsch*, HK I,2 (1903) S. 236; *M. Noth*, ATD 5 (³1965) S. 177.

42 *K. Koch*, FRLANT 71 (1959) S. 8f; *M. Görg*, BBB 27 (1967) S. 10–15. Vgl. jetzt aber die stilistische Analyse der priesterschriftlichen Fluterzählung durch *S. E. McEvenue*, The Narrative Style of the Priestly Writer, AnBib 50 (1971) S. 22–78, bes. 43–45.

Zur Erhebung der priesterschriftlichen Konzeption muß die Grundschicht traditionsgeschichtlich untersucht werden. Der priesterschriftliche Grundbestand ist um die Abschnitte über den Leuchter (Ex 25,31–40), die Abdeckung des משכן (Ex 26,1–6), den משכן (Ex 26,15–30) und den Vorhof (Ex 27,9–19) erweitert worden. Der übrige Text ist ergänzt und stellenweise überarbeitet. Die Erweiterungen und Ergänzungen nehmen den vorgegebenen Stil teilweise auf[43]. In diesen Bearbeitungen ist letztlich eine priesterschriftliche Schule als Träger und Ausleger der Tradition erkennbar. Die durch die Erweiterungen bedingte Veränderung der priesterschriftlichen Konzeption soll ebenfalls auf Herkunft und Absicht hin untersucht werden.

Die Ergebnisse der Literarkritik lassen sich in folgender Übersicht zusammenfassen:

	Priesterschrift	Erweiterung	sek. Zusätze
Einleitung	25,1	2–5.8.9	6.7
Lade und			
Deckplatte	25,10–14.16–18.		15.19.20.21b.22b.
	21a.22a.		
Tisch	25,23–26.28.30		27.29
Leuchter	25,	31–37a	37b–40
Zelt	26,7.9–11.14	1–6	8.12.13
mškn	26,	15.16.18.20.	17.19.21.24b.25.29
		22.23.24a.26–28.30	
Vorhänge	26,31.33a.35aα.		32.33b.34. 35aβγ.b
	36.37		
Altar	27,1.2.4.5a.6		3.5b.7.8.
Vorhof	27,	9–18a	18b.19.20.21

In der folgenden Synopse wird der Text nach priesterschriftlichem Grundbestand und Erweiterung aufgeteilt. Die in der Literarkritik herausgearbeiteten sekundären Zusätze werden durch Kursivdruck gekennzeichnet, wobei die verschiedenen Redaktionen nicht voneinander unterschieden werden, da eine eindeutige Zuweisung der Überarbeitung nicht immer möglich ist. Vor allem in Ex 26,31–37 ist die Überarbeitung von der Erweiterung abhängig, so daß in jedem Falle mit zwei verschiedenen Redaktionen zu rechnen ist. Der gegebene Text folgt der Übersetzung von *Martin Noth*, wobei diejenigen textkritischen Eingriffe, die nicht in der Literarkritik begründet worden sind, mit übernommen wurden.

Priesterschrift	Erweiterung
Ex 25	
1 Jahwe aber sagte zu Mose:	2 Sage den Israeliten, daß sie für mich eine Darbringung erheben; von jedem, den sein Herz dazu treibt, sollt ihr die Darbringung für mich erheben; 3 und dies soll die Darbringung sein, die ihr von ihnen erhebt: Gold

43 Vgl. Ex 25,17.18.21a.22a.29.31.37; 26,4.6a.6b.15.18.26.30.32; 27,3.9a.

und Silber und Bronze   4 und violette Purpurwolle und rote Purpurwolle und Karmesinstoff und feines Leinen und Ziegenhaare   5 und rot gefärbte Widderhäute und Tachaschhäute und Akazienhölzer   6 *Öl für den Leuchter, Spezereien für das Salböl und für das wohlriechende Räucherwerk;* 7 *Karneolsteine und Besatzsteine für den Ephod und für die Brusttasche.* 8 So sollen sie mir ein Heiligtum herstellen, daß ich in ihrer Mitte wohne.   9 Genauso, wie ich dir das Modell der Wohnung und das Modell aller ihrer Geräte zeigen werde, sollt ihr es herstellen.

10 ›Du sollst‹ eine Lade aus Akazienhölzern herstellen, zweieinhalb Ellen lang und anderthalb Ellen breit und anderthalb Ellen hoch.   11 Du sollst sie mit reinem Gold belegen; von innen und außen sollst du sie so belegen, und du sollst auf ihr ringsum eine goldene Einfassung anbringen.   12 Du sollst für sie vier Ringe aus Gold gießen und sie an ihren vier Füßen anbringen, und zwar zwei Ringe an ihrer einen Seite und zwei Ringe an ihrer zweiten Seite.   13 Und du sollst Stangen aus Akazienhölzern anfertigen und sie mit Gold belegen,   14 und sollst die Stangen in die Ringe an den Seiten der Lade einführen, damit man mit ihnen die Lade tragen könne.   15 *In den Ringen der Lade sollen die Stangen verbleiben; sie sollen nicht von ihr entfernt werden.*   16 In die Lade sollst du das Zeugnis legen, das ich dir geben werde.   17 Sodann sollst du eine Deckplatte aus reinem Gold anfertigen, zweieinhalb Ellen lang und anderthalb Ellen breit.   18 Und du sollst zwei Keruben aus Gold anfertigen; als getriebene Arbeit sollst du sie an den Enden der Deckplatte anfertigen;   19 *und zwar mache einen Kerub an einem Ende und den anderen Kerub an dem anderen Ende; als zugehörig zur Deckplatte sollt ihr die Keruben an ihren Enden machen.*   20 *Und die Keruben sollen so sein, daß sie Flügel nach oben hin ausbreiten, mit ihren Flügeln die Deckplatte beschirmend, und ihre Gesichter sollen sich einander zuwenden; zur Deckplatte hin sollen die Gesichter der Keruben gerichtet sein.*   21 Du

sollst die Deckplatte oben auf die Lade setzen,
und in die Lade sollst du das Zeugnis legen,
das ich dir geben werde. 22 Ich will dir dort
begegnen und mit dir von der Deckplatte aus,
zwischen den beiden Keruben, die über der
Lade des Zeugnisses ist, reden *alles das, was*
ich dir für die Israeliten auftragen werde.
23 Du sollst einen Tisch aus Akazienhölzern
herstellen, zwei Ellen lang und eine Elle breit
und anderthalb Ellen hoch. 24 Du sollst
ihn mit reinem Gold belegen und für ihn
ringsum eine goldene Randleiste anfertigen. 25 Du sollst für ihn eine ringsum laufende Verstrebung von einer Handbreite anfertigen und eine goldene Randleiste für
seine   Verstrebung   ringsum   anfertigen. 26 Du sollst für ihn vier Ringe aus
Gold anfertigen und sollst die Ringe an den
vier Ecken anbringen, die seine vier Füße haben; 27 *dicht an der Verstrebung sollen die*
Ringe sein als Ösen für die Stangen zum Tra-
gen des Tisches. 28 Du sollst die Stangen
aus Akazienhölzern anfertigen und sie mit
Gold belegen, und mit ihnen soll man den
Tisch tragen. 29 *Du sollst seine Schüsseln*
und seine Näpfe und seine Kannen und seine
Schalen anfertigen, mit denen man Libation
spendet; aus reinem Gold sollst du sie anfer-
tigen. 30 Du sollst auf dem Tisch »Brot des
Angesichts« ständig vor mir hinlegen.

31 Du sollst einen Leuchter aus reinem Gold
anfertigen; als getriebene Arbeit soll der
Leuchter, ›seine Schenkel und seine Arme‹,
angefertigt werden; seine Schalen, seine Kapitelle und seine Blüten, sollen aus einem
Stück mit ihm sein; 32 und sechs Arme
sollen von den beiden Seiten ausgehen, drei
Leuchterarme von der einen Seite aus und
drei Leuchterarme von der anderen Seite
aus. 33 Drei mandelblütenförmige Schalen an dem einen Arm, Kapitel und Blüte,
und drei mandelblütenförmige Schalen an
dem anderen Arm, Kapitel und Blüte; so an
den sechs Armen, die von dem Leuchter ausgehen; 34 und an dem Leuchter selbst vier
Schalen, mandelblütenförmig, seine Kapitelle und seine Blüten; 35 und zwar ein
Kapitel unter den (ersten) zwei von ihm ausgehenden Armen und ein Kapitel unter den

(anderen) zwei von ihm ausgehenden Armen und ein Kapitel unter den (dritten) zwei von ihm ausgehenden Armen, so bei den sechs Armen, die von dem Leuchter ausgehen. 36 Ihre Kapitelle und ihre Arme sollen aus einem Stück mit ihm sein. Er soll ganz eine getriebene Arbeit aus reinem Gold sein. 37 Du sollst seine Lampen anfertigen, sieben an der Zahl. *Er soll seine Lampen oben aufsetzen und ihn leuchten machen an der Vorderseite.* 38 *Und seine Dochtscheren und seine Schalen aus reinem Gold.* 39 *Aus einem Talent reinen Goldes soll er ihn machen, alle diese Geräte;* 40 *und siehe und fertige sie an nach ihrem Modell, das dir auf dem Berg gezeigt worden ist.*

Ex 26

1 Die Wohnung sollst du herstellen aus zehn Zeltbahnen; aus gezwirntem feinem Leinen und violettem Purpur und rotem Purpur und Karmesinstoff, mit Keruben, der Arbeit eines Stickers, sollst du sie anfertigen. Die Länge der einzelnen Zeltbahn soll achtundzwanzig Ellen sein, und eine Breite von vier Ellen soll die einzelne Zeltbahn haben; ein und dasselbe Maß gilt für alle Zeltbahnen. 3 Fünf Zeltbahnen sollen miteinander verbunden und (weitere) fünf Zeltbahnen miteinander verbunden sein. 4 Du sollst Schleifen aus violettem Purpur am Rande der einen Zeltbahn am ›Ende des verbundenen Stücks‹ anbringen; und ebenso sollst du es machen am Rande der äußeren Zeltbahn an dem zweiten verbundenen Stück. 5 Fünfzig Schleifen sollst du an der einen Zeltbahn anbringen, und fünfzig Schleifen sollst du anbringen am Ende der Zeltbahn, die sich an dem zweiten verbundenen Stück befindet; die Schleifen sollen einander gegenüber sein. 6 Du sollst fünfzig goldene Haken anfertigen und mit den Haken die Zeltbahnen miteinander verbinden, so daß die Wohnung ein Ganzes wird.

7 Du sollst Zeltbahnen aus Ziegenhaaren für das Zelt *über der Wohnung* anfertigen; in der Zahl von elf Zeltbahnen sollst du sie anfertigen. 8 *Die Länge der einzelnen Zeltbahnen soll dreißig Ellen sein, und eine Breite*

von vier Ellen soll die einzelne Zeltbahn ha-
ben; ein und dasselbe Maß gilt für elf Zelt-
bahnen; 9 und du sollst verbinden die fünf
Zeltbahnen für sich und die sechs Zeltbahnen
für sich un¹ dabei die sechste Zeltbahn an der
Vorderseite des Zeltes doppelt le-
gen. 10 Du sollst fünfzig Schleifen am
Rande der einen, und zwar der äußeren, ›der
verbindenden‹ Zeltbahn anbringen und fünfzig Schleifen am Rande der zweiten verbindenden Zeltbahn; 11 und du sollst fünfzig
bronzene Haken anfertigen und die Haken in
die Schleifen einführen und so das Zelt zusammenfügen, daß es zu einem Ganzen
wird. 12 *Was den überschüssigen Überhang an den Bahnen des Zeltes betrifft, so*
sollst du die Hälfte der überschüssigen Zelt-
bahn an der Rückseite der Wohnung ›über-
hängen lassen‹. 13 *Die eine Elle auf der ei-*
nen Seite und die eine Elle auf der anderen
Seite an dem Überschuß an der Länge der
Bahnen des Zeltes soll an den beiden Seiten
der Wohnung überhängen, um sie zu bedek-
ken. 14 Du sollst eine Überdecke für das Zelt
aus rot gefärbten Widderhäuten anfertigen
und darüber noch eine Überdecke aus Ta-
chaschhäuten.

15 Du sollst die Bretter für die Wohnung anfertigen, aus Akazienhölzern, zum Stehen
eingerichtet; 16 zehn Ellen die Länge des
Brettes und anderthalb Ellen die Breite jedes
Brettes. 17 *Zwei Zapfen soll jedes Brett*
haben, miteinander verzahnt; so sollst du es
für alle Bretter der Wohnung ma-
chen. 18 Du sollst die Bretter für die Wohnung anfertigen: zwanzig Bretter für die
Südseite, 19 *und vierzig silberne Fußge-*
stelle sollst du anfertigen unter den zwanzig
Brettern, jeweils zwei Fußgestelle unter je-
dem einzelnen Brett für seine zwei Zap-
fen. 20 Und für die zweite Seite der Wohnung, für die Nordseite, zwanzig Bretter 21 *und ihre vierzig Fußgestelle aus Sil-*
ber, jeweils zwei Fußgestelle unter jedem
einzelnen Brett. 22 Für die Hinterseite der
Wohnung, nach Westen zu, sollst du sechs
Bretter anfertigen; 23 und zwei Bretter
sollst du anfertigen für die Ecken der Wohnung an der Hinterseite. 24 Und es sollen

Zwillinge sein unten, und gleichermaßen sollen es ›Zwillinge‹ sein an der Oberseite, für den einen Ring. *So soll es bei ihnen beiden sein, für die beiden Ecken sollen sie sein.* 25 *So sollen es acht Bretter sein mit ihren Fußgestellen aus Silber, sechzehn Fußgestellen, jeweils zwei Fußgestelle unter jedem einzelnen Brett.* 26 Du sollst Querbalken aus Akazienhölzern anfertigen, fünf für die Bretter der ›einen‹ Seite der Wohnung 27 und fünf Querbalken für die Bretter der zweiten Seite der Wohnung und fünf Querbalken für die Bretter der Wohnung an der Hinterseite nach Westen zu. 28 Der mittlere Querbalken soll in der Mitte der Bretter (angebracht) sein, und zwar so, daß er (sie) von einem Ende bis zum anderen verriegelt. 29 *Die Bretter aber sollst du mit Gold belegen, und Ringe für sie sollst du anfertigen aus Gold als Ösen für die Querbalken, und du sollst die Querbalken mit Gold belegen.* 30 Dann sollst du die Wohnung aufstellen nach ihrer Ordnung, wie sie dir auf dem Berg gezeigt worden ist.

31 Du sollst einen Vorhang aus violettem Purpur und rotem Purpur und Karmesinstoff und gezwirntem feinem Leinen anfertigen; als Arbeit eines Stickers ›sollst du‹ ihn *mit Keruben* anfertigen 32 *und sollst ihn an vier mit Gold belegten Akaziensäulen, deren Nägel aus Gold sein sollen, anbringen auf vier silbernen Fußgestellen.* 33 Du sollst den Vorhang unter den Haken anbringen und sollst dorthin auf die Innenseite hinter dem Vorhang die Lade des Zeugnisses einbringen, *und der Vorhang soll für euch die Trennung bilden zwischen dem Heiligen und dem Allerheiligsten.* 34 *Du sollst die Deckplatte auf die Lade des Zeugnisses setzen im Allerheiligsten,* 35 und du sollst den Tisch außerhalb des Vorhangs aufstellen *und dazu den Leuchter gegenüber dem Tisch an der südlichen Seite der Wohnung, den Tisch aber sollst du setzen an die nördliche Seite.* 36 Du sollst eine Decke für den Eingang des Zeltes anfertigen aus violettem Purpur und Karmesinstoff und gezwirntem feinem Leinen, Arbeit eines Buntwirkers. 37 Du sollst für die Decke fünf Akaziensäulen an-

fertigen und sie mit Gold belegen, *und ihre
Nägel sollen aus Gold sein,* und du sollst für
sie fünf bronzene Fußgestelle gießen.

Ex 27

1 Du sollst den Altar aus Akazienhölzern anfertigen, fünf Ellen lang und fünf Ellen breit
– der Altar soll quadratisch sein – und drei Ellen hoch.   2 Du sollst an seinen vier oberen
Ecken seine Hörner anbringen; *sie sollen
seine Hörner sein.* Und du sollst ihn mit
Bronze belegen.   3 *Du sollst die für ihn erforderlichen Töpfe anfertigen, um ihn vom
Fett zu reinigen, ferner die für ihn erforderlichen Schaufeln und Becken und Gabeln und
Schalen; alle seine Geräte sollst du aus
Bronze anfertigen.*   4 Du sollst für ihn ein
Gitter anfertigen, bronzenes Netzwerk, und
auf dem Netzwerk vier bronzene Ringe an
seinen vier Enden anbringen   5 und es unter der Einfassung des Altars anbringen, *und
das Netzwerk soll bis zur halben Höhe des
Altars reichen.*   6 Du sollst Stangen für den
Altar anfertigen, und zwar Stangen aus Akazienhölzern, und sie mit Bronze belegen; 7 *und seine Stangen sollen in die
Ringe eingeführt werden, und die Stangen
sollen sich an den beiden Seiten des Altars
befinden, wenn man ihn trägt.*   8 *Als einen
Hohlkörper aus Platten sollst du ihn anfertigen. Wie es dir auf dem Berg ›gezeigt worden
ist‹, so sollen sie (ihn) anfertigen.*

9 Weiter sollst du den Vorhof für die Wohnung herstellen; an der Südseite soll der
Vorhof Vorhänge haben von gezwirntem
feinem Leinen, hundert Ellen Länge an der
einen Seite.   10 Und seine Säulen, zwanzig
an der Zahl, und deren Fußgestelle, zwanzig
an der Zahl, aus Bronze, und die Nägel und
die Verbindungen der Säulen aus Silber.   11 Ebenso an der Nordseite in (ihrer
ganzen) Länge Vorhänge auf eine Länge von
hundert (Ellen), und seine Säulen, zwanzig
an der Zahl, und deren Fußgestelle, zwanzig
an der Zahl, aus Bronze und die Nägel und
Verbindungen der   Säulen   aus   Silber.   12 Die Breite des Vorhofs an der
Westseite in Vorhängen soll fünfzig Ellen
sein und ihre Säulen zehn an der Zahl und de

ren Fußgestelle zehn an der Zahl. 13 Die
Breite des Vorhofs an der Vorderseite,
der Ostseite, soll fünfzig Ellen betragen, 14 und zwar fünfzehn Ellen in Vorhängen an der einen Schulter, mit ihren Säulen drei an der Zahl, und deren Fußgestellen,
drei an der Zahl, 15 und an der zweiten
Schulter fünfzehn (Ellen) in Vorhängen mit
allen Säulen, drei an der Zahl, und deren
Fußgestellen, drei an der Zahl. 16 Das Tor
des Vorhofs soll eine Decke von zwanzig Ellen haben aus violettem Purpur und rotem
Purpur und Karmesinstoff und gezwirntem
feinem Leinen, Arbeit eines Buntwirkers; ihrer Säulen sollen vier und ihrer Fußgestelle
vier sein. 17 Alle Säulen des Vorhofs sollen ringsum verbunden sein mit Silber, und
ihre Nägel sollen aus Silber und ihre Fußgestelle aus Bronze sein. 18 Die Länge des
Vorhofs hundert Ellen und die Breite fünfzig
›Ellen‹ und die Höhe fünf Ellen, *gezwirntes
feines Leinen und ihre Fußgestelle aus Bronze.* 19 *Alle Geräte für die Wohnung bei ihrem ganzen kultischen Dienst und alle ihre
Pflöcke sowie alle Pflöcke des Vorhofs sollen
aus Bronze sein.*
20 *Du aber sollst den Israeliten befehlen,
daß sie für dich reines gestoßenes Olivenöl
aufbringen für die Leuchte, damit man ständig eine Lampe aufsetzen kann; 21 im Zelt
der Begegnung außerhalb des Vorhangs, der
sich vor dem Zeugnis befindet, soll Aaron
mit seinen Söhnen sie herrichten vom Abend
bis zum Morgen vor Jahwe, eine dauernde
Anforderung an die Israeliten für (alle) ihre
Generationen soll es sein.*

6.2
Das Zelt und seine Einrichtung

6.2.1
Die Lade und die Deckplatte

Als erster Kultgegenstand soll die Lade angefertigt werden (Ex
25,10–14.16). Als Material soll Holz dienen, doch soll der Holzkasten einen
Überzug aus Gold erhalten. Die Maße der Lade sind mit 2,5 Ellen für die
Länge und je 1,5 Ellen für die Breite und Höhe angegeben. Zwei Stangen
sollen dazu dienen, sie zu tragen, und schließlich erhält die Lade einen gol-
denen Aufsatz mit zwei Keruben.

Als westsemitisches Lehnwort bedeutet אֲרוֹן wie das akkadische arānu eigentlich »Kasten«[44]. In diesem Sinne ist das Wort nur 2. Kön 12,10f par. 2. Chr 24,8.10f gebraucht. Mit Ausnahme von Gen 50,26 in der Bedeutung »Sarg« bezeichnet das Wort sonst stets den Kultgegenstand »Lade«, der in der Geschichte Israels eine hervorragende Rolle gespielt hat[45]. Aussehen und Form der Lade sind nicht bekannt, doch kann sie am ehesten als hölzerner Kasten vorgestellt werden[46].
Über die Herkunft der Lade läßt sich nichts ermitteln. Die Lade ist zwar Num 10,33b.35a im Zusammenhang mit der Wüstenwanderung erwähnt, doch stellt Num 10,33b einen Zusatz zu der jahwistischen Notiz über den Aufbruch vom Sinai (Num 10,33a) dar[47]. Da Num 10,33b ein sekundärer Zusatz ist, müssen auch die sog. Ladesprüche Num 10,35.36 und die Nennung der Lade in Num 14,44b als Erweiterungen des ursprünglich jahwistischen Bestandes angesehen werden[48]. In Jos 3.4 ist die Lade nur in einer jüngeren Rezension der Erzählung vom Jordanübergang genannt[49], aus der ihr Vorhandensein in Gilgal nicht erschlossen werden kann[50]. In die Erzählung von der Eroberung Jerichos Jos 6 ist die Lade samt den anderen Kultgegenständen erst sekundär in den Text eingetragen worden[51]. In Jos 7,6 ist die Erwähnung der Lade eine Glosse, die noch in LXX fehlt[52]. Jos 8,33 ist

---

44 Vgl. *W. von Soden*, AHW I (1965) S. 65.
45 Eine auf eingehende traditionsgeschichtliche Untersuchung gegründete Geschichte der Lade und der mit ihr verbundenen Vorstellungen gibt *J. Maier*, Das altisraelitische Ladeheiligtum, BZAW 93 (1965). Eine umfassende Darstellung der Geschichte der Forschung bietet *R. Schmitt*, Zelt und Lade als Thema alttestamentlicher Wissenschaft (1972) S. 49–174.
46 Nur *J. Morgenstern*, HUCA 17 (1942/43) S. 249–265 hält die Lade für ein kleines Zelt, das der *Qubbe* entsprochen haben soll.
47 Darauf, daß Num 10,33b sekundär in den Text eingefügt ist, verweist vor allem der Sprachgebrauch. Außerdem steht die Vorstellung von der Führung des Volkes durch die Lade im Gegensatz zu der jahwistischen Anschauung von der Führung durch die Wolke Ex 13,21f. Vgl. dazu *G. von Rad*, ThB 8 (³1965) S. 119f; *J. Maier*, BZAW 93 (1965) S. 62f.
48 Vgl. *G. Westphal*, BZAW 15 (1908) S. 55–59; *J. Maier*, BZAW 93 (1965) S. 4–7; *E. Nielsen*, SVT 7 (1960) S. 57f; *H. Brongers*, NTT 25 (1971) S. 12f. Dagegen haben an der Ursprünglichkeit von Num 14,44b festgehalten *M. Noth*, ATD 7 (1966) S. 98; *B. Baentsch*, HK I,2 (1900) S. 532; *H. Holzinger*, KHC IV (1903) S. 59. Aber selbst, wenn dieser Halbvers zum ursprünglichen Bestand der Erzählung gehört haben sollte, so setzt er keinesfalls für die Lade voraus, »daß sie schon zur Zeit der Wanderung existierte« (*R. Schmitt*, Zelt und Lade als Thema alttestamentlicher Wissenschaft ⟨1972⟩ S. 60).
49 Vgl. die literarkritischen Analysen von *E. Vogt*, Die Erzählung vom Jordanübergang, Biblica 46 (1965) S. 125–148; *J. Maier*, BZAW 93 (1965) S. 21–32. – *M. Noth*, HAT I,7 (²1953) S. 31–39 und *J. Dus*, Die Analyse zweier Ladeerzählungen des Josuabuches, ZAW 72 (1960) S. 107–134, rechnen dagegen damit, daß die Lade bereits im älteren Bestand der Erzählung erwähnt ist.
50 Gegen *H.-J. Kraus*, VT 1 (1951) S. 191–193.
51 *M. Noth*, HAT I,7 (²1953) S. 41; *J. Maier*, BZAW 93 (1965) S. 32–39. Der Eintrag der Lade in Jos 3.4 und 6 zeigt wie auch die Ausgestaltung von 1. Kön 8,1–11 das Interesse des Verfassers des deuteronomistischen Geschichtswerkes an diesem Gegenstand, vgl. *M. Noth*, Überlieferungsgeschichtliche Studien (²1957) S. 104.
52 *H. Holzinger*, KHC VI (1901) S. 20; *C. Steuernagel*, HK I,3 (²1923) S. 232; *M. Noth*, HAT I,7 (²1953) S. 45.

kein ursprünglicher Bestandteil des Kapitels und scheidet für die Geschichte der Lade aus[53]. Für die Zeit vor der Landnahme ist die Lade somit nicht zu belegen. Die Versuche, die Lade in den verschiedenen Texten vor und während der Einnahme des Kulturlandes zu verhaften, zeigen die große Bedeutung, die sie in staatlicher Zeit besessen haben muß.

Nach Ri 20,27f stand die Lade in der späten Richterzeit in Bethel, doch geht ihre Erwähnung an dieser Stelle möglicherweise auf einen sekundären Einschub zurück[54], der Bethel als Treffpunkt des Heerbannes legitimieren soll. Nach 1. Sam 3,3 befand sich die Lade zur Zeit Samuels im Tempel von Silo. Auch wenn der nachklappende Satz אשר שם ארון אלהים nicht zum ursprünglichen Bestand der Jugendgeschichte Samuels gehören sollte, so ist doch auf Grund der sog. Ladeerzählung 1. Sam 4–6; 2. Sam 6[55] das Heiligtum von Silo als Standort der Lade vorauszusetzen. Weiteres läßt sich über Herkunft und Bedeutung der Lade aus 1. Sam 4–6; 2. Sam 6 nicht entnehmen, da dieser Erzählkomplex in seiner Tendenz, Jerusalem als den Standort der Lade zu legitimieren, die Rolle der Lade in der vorstaatlichen Zeit nach ihrer Funktion in davidischer Zeit gestaltet hat[56] und somit als historische Quelle ausscheidet.

Der ältesten Überlieferung nach stand die Lade somit in der Mitte des 11. Jh.s v. Chr. im Tempel zu Silo, der ein genuin israelitisches Heiligtum gewesen ist[57]. Wahrscheinlich hatte sie in Silo ihren festen Standort, da die Überführung der Lade in das Lager während der Philisterkriege anscheinend nicht einem allgemeinen Brauch entsprach[58]. Aus 1. Sam 4 läßt sich somit nicht entnehmen, daß die Lade in vorstaatlicher Zeit als Kriegspalladium gedient hat, da die Erzählung lediglich den Verlust der Lade erklären will[59]. Nach der Auffassung des Erzählers verbürgt die Lade die Anwesenheit Jahwes. Aber auch wenn die Gegenwart Jahwes in besonderer Weise mit der Lade verbunden gewesen ist, so war doch die Anwesenheit Jahwes unter seinem Volk nicht auf die Lade beschränkt, die – einmal verlorengegangen –

---

53 Vgl. *H. Holzinger*, KHC VI (1901) S. 28f; *C. Steuernagel*, HK I,3 (²1923) S. 228; *M. Noth*, HAT I,7 (²1953) S. 51f.

54 Vgl. *K. Budde*, KHC VII (1897) S. 136 und ZAW 39 (1921) S. 27–29; *W. Nowack*, HK I,4 (1902) S. 170; *M. Noth*, Das System der zwölf Stämme Israels (Nachdruck 1966) S. 166f; *J. Maier*, BZAW 93 (1965) S. 41; *R. Smend*, FRLANT 84 (²1966) S. 68.

55 Zur Analyse der Ladeerzählung vgl. *L. Rost*, Das kleine Credo und andere Studien zum Alten Testament (1965) S. 122–159. Zur Interpretation der Ladeerzählung durch den Deuteronomisten vgl. *H. Timm*, Die Ladeerzählung (1. Sam 4–6; 2. Sam 6) und das Kerygma des deuteronomistischen Geschichtswerks, EvTheol 26 (1966) S. 509–526.

56 Vgl. *L. Rost*, Das kleine Credo und andere Studien zum Alten Testament (1965) S. 147–154.

57 Vgl. *A. Alt*, Kleine Schriften I (1953) S. 59; *O. Eißfeldt*, Kleine Schriften III (1966) S. 417f.

58 Der Brauch einer Ladewanderung in vorstaatlicher Zeit, wie sie *J. Dus*, Der Brauch der Ladewanderung im alten Israel, ThZ 17 (1961) S. 1–16 und Noch zum Brauch der »Ladewanderung«, VT 13 (1963) S. 126–132 postuliert, läßt sich aus den vorhandenen Überlieferungen nicht feststellen.

59 Vgl. Jer 7,12.14; 26,6.9; Ps 78,60.

bis zu ihrer Überführung nach Jerusalem durch David keine Rolle mehr gespielt hat[60].

Über den Ursprung der Lade verlautet in 1. Sam 4–6 und 2. Sam 6 nichts.
Ob dieselbe erst im Kulturland nach der Landnahme entstanden ist[61], oder
von den einwandernden Stämmen aus der Wüste mitgebracht wurde, läßt
sich aus den vorliegenden Überlieferungen nicht entnehmen[62]. Vielleicht
handelt es sich bei der Lade um ein altes Stammessymbol[63], das einst von
dem später in Mittelpalästina seßhaften Stamm Ephraim bei der Transhu-
manz mitgeführt[64] und schließlich nach der Seßhaftwerdung seiner ursprünglichen Funktion beraubt im Tempel von Silo aufgestellt worden ist.
Obwohl sich kein Hinweis auf den Ursprung der Lade in der Wüstenzeit findet, darf ein solcher angenommen werden, da ihre Übernahme aus dem Bereich der kanaanäischen Religion nicht wahrscheinlich gemacht werden
kann und da sich in der Zeit nach der Landnahme kein besonderer Grund für
ihre Herstellung angeben läßt. Die Lade scheint also israelitischen Ursprungs gewesen zu sein[65], auch wenn ihre Geschichte nicht über den Aufenthalt in Silo hinaus zurückverfolgt werden kann. Gesamtisraelitische Bedeutung hat sie in vorköniglicher Zeit nicht besessen, da Silo nicht als Zentralheiligtum der Stämme in vorstaatlicher Zeit gelten kann[66].

In bewußter Wiederaufnahme silonischer Tradition hat David die Lade aus
Kirjat Jearim nach Jerusalem überführt (2. Sam 6)[67]. Damit ist die Lade
nicht nur der Vergessenheit entrissen, sondern gleichzeitig zu gesamtisra-

---

60   In 1. Sam 14,18 ist statt ארון nach LXX אפוד zu lesen. Zum Aufenthaltsort der Lade bis zu
ihrer Überführung nach Jerusalem durch David vgl. *J. Blenkinsopp*, Kiriath-Jearim and the
Ark, JBL 88 (1969) S. 143–156.
61   Mit der Entstehung der Lade im Kulturland rechnen *M. Dibelius*, FRLANT 7 (1906)
S. 111–119; *G. Westphal*, BZAW 15 (1908) S. 85–91; *R. Hartmann*, ZAW 37 (1917/18)
S. 236f; *G. von Rad*, ThB 8 (³1965) S. 120f.
62   Die Herkunft der Lade aus der Wüstenzeit erwägen *W. Reimpell*, OLZ 19 (1916) Sp. 328;
H. Schmidt, FRLANT 36,1 (1923) S. 143; *M. Noth*, Das System der zwölf Stämme Israels
(Nachdruck 1966) S. 96; *E. Klamroth*, Lade und Tempel (o. J.) S. 28–40; *H. J. May*, AJSL 52
(1940/41) S. 215–234; *J. Morgenstern*, HUCA 17 (1942/43) S. 247; *O. Eißfeldt*, Kleine
Schriften II (1963) S. 289f; *V. Maag*, SVT 7 (1960) S. 139; *W. Beyerlin*, Herkunft und Geschichte der ältesten Sinaitraditionen (1961) S. 119–143; *R. de Vaux*, Das Alte Testament und
seine Lebensordnungen II (²1966) S. 118f; *R. Smend*, FRLANT 84 (²1966) S. 94f.
63   Die Funktion der Lade als Stammessymbol kann nach der Rolle vorgestellt werden, die der
ʿOtfe unter beduinischen Stämmen zukommt, wenngleich dieselbe ihrem Aussehen nach nicht
als religionsgeschichtliche Parallele für die Lade in Frage kommt. Bei der ʿOtfe handelt es sich
um eine Sänfte, die von dem jeweiligen Stamm beim Weidewechsel auf einem Kamel mitgeführt wird und der während kriegerischer Auseinandersetzungen eine besondere Bedeutung
zukommt; vgl. die ausführliche Zusammenstellung des Materials bei *J. Morgenstern*, HUCA
17 (1942/43) S. 157–193.
64   Als Wanderheiligtum vor der Landnahme versteht die Lade *K. H. Bernhardt*, ThA 2
(1956) S. 136–139, vgl. *J. Morgenstern*, JAOS 38 (1918) S. 135.
65   Vgl. *J. Meinhold*, Die »Lade Jahves« (1900) S. 5–18; *J. Maier*, BZAW 93 (1965) S. 58.
66   Mit *W. H. Irwin*, RB 72 (1965) S. 176–178 und *G. Fohrer*, BZAW 115 (1969) S. 97f gegen *M. Noth*, Das System der zwölf Stämme Israels (Nachdruck 1966) S. 96.
67   Die Ladeüberführung hat nichts mit dem Neujahrsfest oder sonstigen kultischen Bege-
hungen zu tun gegen *A. Bentzen*, The Cultic Use of the Story of the Ark in Samuel, JBL 67

elitischer Bedeutung erhoben worden[68]. Beim Übergang vom Stämmebund
zum Königtum stellte die Lade aus dem mittelpalästinensischen Heiligtum
in Silo ein entscheidendes Bindeglied dar[69], um die Stämme auf ein politi-
sches Zentrum unter judäischer Vorherrschaft zu vereinigen[70]. David hat
die Lade in ein Zelt eingestellt (2. Sam 6,17, vgl. 2. Chr 1,4)[71]. Nach
2. Sam 11,11 findet sich die Lade während eines Kriegszuges gegen die
Ammoniter innerhalb des Lagers, wobei sie zusammen mit dem Heerbann-
aufgebot von Israel und Juda genannt ist, während die Söldnertruppe Davids
unter der Führung Joabs getrennt davon lagert. Eine Mitnahme der Lade in
die Schlacht ist nicht belegt, kann aber auch nicht ausgeschlossen werden.
Dennoch kann die Lade kaum als Kriegspalladium gelten[72], sie ist vielmehr
das Jahwesymbol der Stämme. Bei der Flucht vor der Revolte des Absalom
sendet David Zadok und Ebjathar, die sich als die Priester des von David errichteten Zeltheiligtums dem fliehenden König anschließen wollen, in die
Stadt zurück (2. Sam 15,24–29)[73]. Zur Zeit der davidischen Herrschaft hat
die Lade somit erneut in einem Kultbau ihren Platz gefunden, dennoch
konnte sie bei der Gelegenheit des Jahwekrieges mitgeführt werden. In beiden Fällen galt die Lade als Symbol für die Gegenwart Jahwes und verbürgte
seine Anwesenheit: »Wo die Lade ist, da ist Jahwe.«[74]
Während der Regierung Salomos, als die Bedeutung des Heerbannes wegen
der Aufstellung eines Berufsheeres ohnehin zurückging, wurde die Lade in
den neuerbauten Tempel eingestellt, wo sie unter oder vor den Keruben im
Debir zu stehen kam (1. Kön 8,1–11)[75]. »Der Tempel ist nicht für die Lade

(1948) S. 37–53; *J. R. Porter*, The Interpretation of 2 Samuel VI and Psalm CXXXII, JThS 5
(1954) S. 161–173.
68 Vgl. *O. Eißfeldt*, Silo und Jerusalem, Kleine Schriften III (1966) S. 417–425; *E. Otto*, Silo
und Jerusalem, ThZ 32 (1976) S. 65–77.
69 Die Identität der davidischen Lade mit derjenigen von Silo hat *S. Mowinckel*, AcOr 8
(1929/30) S. 260 bestritten. Mit verschiedenen Laden rechnet auf Grund von 1. Sam 14,18
W. R. Arnold, Ephod and Ark (1917), doch ist an dieser Stelle mit LXX אפוד zu lesen.
70 Vgl. *W. Caspari* in: Theologische Studien Theodor Zahn (1908) S. 44–46; *J. Morgenstern*, HUCA 17 (1942/43) S. 244f; *M. Noth*, Das System der zwölf Stämme Israels (Nachdruck 1966) S. 116–118 und ThB 6 (²1966) S. 175f; *R. Smend*, FRLANT 84 (²1966) S. 64.
71 Entgegen der Nachricht von 2. Sam 6,17 rechnen *H. H. Rowley*, JBL 58 (1939)
S. 123–128 und *E. Nielsen*, SVT 7 (1960) S. 64 mit der Einbringung der Lade in das alte jebusitische Heiligtum von Jerusalem. Zum Zelt vgl. oben Abschnitt 5.1.
72 Mit *H. A. Brongers*, NTT 25 (1971) S. 19–21 gegen *J. Maier*, BZAW 93 (1965) S. 63,
vgl. auch *M. Dibelius*, FRLANT 7 (1906) S. 56f und 120f.
73 Die Gründe dafür sind nicht mehr zu ermitteln. *G. von Rad*, ThB 8 (³1965) S. 166; *R.
Smend*, FRLANT 84 (²1966) S. 61f. *J. Maier*, BZAW 93 (1965) S. 62 denken daran, daß sich
die Mitnahme der Lade ohne das Aufgebot des Heerbannes verbot. *O. Eißfeldt*, Kleine Schriften V (1973) S. 84 rechnet mit einem möglichen Spionagedienst der Priestersöhne.
74 *G. von Rad*, ThB 8 (³1965) S. 115. Zur Verbundenheit Jahwes mit der Lade vgl. auch die
Erwägungen von *R. Schmitt*, Zelt und Lade als Thema alttestamentlicher Wissenschaft (1972)
S. 131–138: »Die Lade hat wirksam real teil an der Gegenwart, Macht und Heiligkeit Jahwes«
(S. 135).
75 Der Text von 1. Kön 8,1–11 ist stark überarbeitet, vgl. *M. Noth*, BK IX/1 (1968)
S. 177–180. Die Verse 10 und 11 entsprechen priesterschriftlichen Vorstellungen und sind

erbaut worden«[76], die Überführung der Lade in den Tempel von Jerusalem zeigt aber die große Bedeutung, die diesem alten Gegenstand der Jahweverehrung beigemessen wurde. Eine wirkliche Bedeutung hat die Lade im Jerusalemer Staatsheiligtum nicht mehr besessen[77], mit ihrer Aufstellung im Tempel ist auch keine Umdeutung der Lade erfolgt[78]. Sie ist unter den Keruben verschwunden. Die Verwendung der Lade bei kultischen Anlässen läßt sich mit Ps 24 und 132 nicht belegen[79]. Die Vorstellung von der Gegenwart Jahwes bei der Lade wird durch die Theologie vom Wohnen Gottes

deshalb ein nachdeuteronomistischer Zusatz. Die Mitteilung V. 9 über den Inhalt der Lade geht auf Deut 10,1–5 zurück und ist hier sicher eine Einschaltung. V. 8 ist eine nähere Erklärung zu den V. 7 erwähnten Stangen und kaum ursprünglich, aber bereits V. 7 ist eine Näherbestimmung zu V. 6a und wohl ebenfalls ein Zusatz. Doch gilt für V. 7 und 8 die Bemerkung von M. *Noth*, BK IX/1 (1968) S. 179: »Allerdings sind die hier mitgeteilten Einzelheiten so konkret, daß sie auf reale Anschauung zurückgeführt werden müssen; und wenn es sich um einen Nachtrag handelt . . ., dann ist er jedenfalls in vordeuteronomistischer Zeit gemacht worden, als der salomonische Tempel noch existierte.« Der übrige Text zeigt das Bestreben, die Überführung der Lade allein den Priestern zuzuschreiben, dabei klappen V. 3b und 4b nach und sind sicher sekundär. Weiterhin unterbricht V. 5 den Fortgang des Geschehens, der Vers zeigt mit עדת ישראל הנועדים priesterschriftliche Terminologie und ist somit ebenfalls kaum ein ursprünglicher Bestandteil des Berichtes. In dem verbleibenden Stück V. 1.2.3a.4a.6 finden sich außerdem noch einige Glossen, die aus sprachlichen Gründen gekennzeichnet werden können:

V. 1   את כל ראשי המטות נשיאי האבות לבני ישראל אל המלך שלמה
V. 2   הוא חדש השביעי
V. 4   ואת אהל מועד
V. 6   אל קדש הקדשים

Wie der Vergleich mit dem Text des chronistischen Geschichtswerkes 2. Chr 5 zeigt, setzen die Auslassungen in LXX keinen ursprünglich kürzeren Text voraus, sondern stellen Streichungen dar, um die durch die Erweiterungen bedingten Wiederholungen des masoretischen Textes zu vermeiden. Es bleibt zu fragen, ob der verbleibende Bericht nicht erst durch den Verfasser des deuteronomistischen Geschichtswerkes, der ohnehin durch die Überarbeitungen in Jos 3.4 und 6 ein besonderes Interesse an der Lade erkennen läßt, abgefaßt worden ist, um den Verbleib der Lade zu erklären und dem salomonischen Tempel die Jahwegemäßheit zu bescheinigen. Falls der Bericht von der Überführung der Lade in den Tempel auf den Verfasser des deuteronomistischen Geschichtswerkes zurückgehen sollte, hätte die Lade niemals im Tempel von Jerusalem gestanden. Doch ist in dieser Frage keine eindeutige Entscheidung möglich, nur *J. Gutmann*, ZAW 83 (1971) S. 26f rechnet damit, daß die Lade nicht in den Tempel überführt wurde.

76 *J. Maier*, BZAW 93 (1965) S. 69 (im Original gesperrt).
77 Vgl. *E. Klamroth*, Lade und Tempel (o. J.) S. 5-7.73; *O. Eißfeldt*, Kleine Schriften II (1963) S. 287 und Kleine Schriften V (1973) S. 84-87; *J. Maier*, BZAW 93 (1965) S. 69–72.
78 Die Annahme von *J. Maier*, BZAW 93 (1965) S. 70, daß die Lade Symbol der Erwählung von Jerusalem und der davidischen Dynastie geworden sei, ist nicht zu belegen.
79 In Ps 24 ist die Lade nicht genannt. Die Erwähnung der Lade in Ps 132 ist auf ihre Überführung nach Jerusalem zu beziehen, wie *O. Eißfeldt*, Psalm 132, Kleine Schriften III (1966) S. 481-485 gezeigt hat. Dagegen rechnen mit einer aktiven Rolle der Lade im Kult *A. Bentzen*, The Cultic Use of the Ark in Samuel, JBL 67 (1948) S. 37-53; *T. E. Fretheim*, Psalm 132: A Form-Critical Study, JBL 86 (1967) S. 289-300. Als Prozessionsheiligtum hatte bereits *H. Greßmann*, Die Lade Jahves und das Allerheiligste des salomonischen Tempels, BWAT I,1 (1920) die Lade angesprochen. Die Möglichkeit einer Ladeprozession und einer »dramatischen« Verwendung der Lade im Jerusalemer Tempelkult haben eindeutig zurückgewiesen *J. Maier*, BZAW 93 (1965) S. 76-80 und *D. R. Hillers*, Ritual Procession of the Ark and Ps 132, CBQ 30 (1968) S. 48-55.

auf dem Zion verdrängt, die Zionstradition hat die Lade abgelöst[80]. Spätestens bei der Eroberung Jerusalems durch Nebukadnezar 598 oder 587 ist die Lade vernichtet worden, vgl. Jer 3,16[81]. Der Debir des zweiten Tempels war leer[82].

Die Form der Lade schließt ihre Auffassung als Thronsitz Jahwes aus[83]. Die Prädikation Jahwes ישב הכרובים, die 1. Sam 4,4 und 2. Sam 6,2 im Zusammenhang mit der Lade erscheint, geht auf die Vorstellung zurück, daß Jahwe im Tempel von Jerusalem als über den Keruben gegenwärtig vorgestellt ist, vgl. 2. Kön 19,15 = Jes 37,16; Ps 80,2; 99,1[84]. Mit der Wendung ישב הכרובים ist also die mit den Keruben verbundene Gottesbezeichnung auf die Lade, die unter den Keruben gestanden hat, übertragen worden, ohne daß damit eine Umdeutung der Lade in einen Gottesthron erfolgt ist. Diese Prädikation Jahwes belegt somit nicht eine mit der Lade verbundene Thronvorstellung, sondern bezeichnet die Anwesenheit Jahwes über den Keruben und zeigt die Übertragung der kultischen Terminologie des Tempels auf die Lade. Ebensowenig kann die Lade als der Fußschemel des im Himmel thronenden Gottes gedeutet werden[85], da dazu die Belege nicht ausreichen[86].

---

80 Vgl. dazu *J. Jeremias*, Lade und Zion, in: Probleme biblischer Theologie (1971) S. 183-198.

81 Da die Lade nicht in den Berichten über die Beute in 2. Kön 24,8–25,21 und Jer 52,1–30 erwähnt ist, hat *O. Eißfeldt*, Kleine Schriften V (1973) S. 85 vermutet, daß die Lade bereits bei den Plünderungen des Jerusalemer Tempels durch Schoschenk I. (1. Kön 14,25-28) oder durch Joas von Israel (2. Kön 14,8–14) verloren gegangen, oder aber bei den Reformen Hiskias (2. Kön 18,1–7) und Josias (2. Kön 22,1–23,30) entfernt worden sei. Die These von der Entfernung der Lade aus dem Tempel durch Schoschenk hatte bereits *S. Mowinckel*, AcOr 8 (1929/30) S. 272–275 vertreten. *M. Haran*, The Disappearance of the Ark, IEJ 13 (1963) S. 46–58 hat die Entfernung der Lade durch Manasse im Zuge der Verfolgung einer antiisraelitischen Religionspolitik erwogen. Gegen diese Thesen spricht einmal, daß die Lade für die Zeit Josias noch erwähnt wird (2. Chr 35,3). Zum anderen setzt das Wort Jer 3,16 die Beschäftigung mit der Lade in exilischer Zeit voraus, legt also den Verlust der Lade bei der Eroberung Jerusalems durch die Babylonier nahe. Die Datierung von Jer 3,16 in vorexilische Zeit ist jedenfalls ausgeschlossen, vgl. *M. Dibelius*, FRLANT 7 (1906) S. 27f.35.126 und *R. Hartmann*, ZAW 37 (1917/18) S. 230f.

82 Josephus, Bell. V, § 219 und Joma V. 21.

83 Vgl. *K. Budde*, War die Lade ein leerer Thron?, ThStKr 79 (1906) S. 488–507 und Die ursprüngliche Bedeutung der Lade Jahwes, ZAW 21 (1901) S. 193-197; *G. Westphal*, BZAW 15 (1908) S. 90f; *H. Schmidt*, FRLANT 36,1 (1923) S. 143; *J. Maier*, Vom Kultus zur Gnosis (1964) S. 59.61–86. Als Thronsitz haben die Lade gedeutet *J. Meinhold*, Die Lade Jahwes (1900) S. 29–34.43; *M. Dibelius*, FRLANT 7 (1906) S. 50–59; *H. Gunkel*, ZMR 21 (1906) S. 35-42; *K. Galling*, HAT I,1 (1937) Sp. 343f. – *L. Dürr*, Ursprung und Bedeutung der Bundeslade, BZThS 1 (1924) S. 17–32; *E. Nielsen*, Some Reflexions of the History of the Ark, SVT 7 (1960) S. 61–74 und *J. Dus*, Die Thron- und Bundeslade, ThZ 24 (1960) S. 241–251 haben versucht, die Vorstellung von der Lade als eines Gottesthrones und eines Gesetzesbehälters miteinander zu verbinden.

84 Vgl. dazu *J. Maier*, BZAW 93 (1965) S. 54. Dagegen rechnen *O. Eißfeldt*, Kleine Schriften III (1966) S. 120 und *E. Otto*, ThZ 32 (1976) S. 75f damit, daß das Epitheton ישב הכרובים bereits in Silo mit der Lade verbunden worden ist. Die Übertragung kanaanäischer Vorstellungen auf die Lade kann jedoch erst nach ihrer Einstellung in den Debir des Tempels erfolgen.

Obwohl die Lade ein hölzerner Kasten gewesen ist, wird sie kaum zur Aufbewahrung von Gegenständen gedient haben[87]. Über ihren möglichen Inhalt läßt sich jedenfalls nichts mehr ermitteln. Erst in Deut 10,1–5 und in dem deuteronomistischen Nachtrag 1. Kön 8,9 werden die beiden Tafeln des Bundes als in der Lade enthalten erwähnt. Die Verbindung der beiden Tafeln aus Ex 32 und 34 mit der Lade ist somit erst in der deuteronomisch-deuteronomistischen Theologie vorgenommen worden. Die Lade ist damit in einen Zusammenhang mit dem Geschehen am Sinai gebracht[88]. Dieser Zusammenstellung von Tafeln und Lade entspricht die Benennung der Lade als ארון ברית יהוה im deuteronomistischen Geschichtswerk[89]. Diese Neuinterpretation der Lade entstammt der deuteronomisch-deuteronomistischen Bundestheologie, in der Bund und Gesetz zusammengeschlossen und an den Sinai verlegt wurden[90]. Die Lade ist somit im Deuteronomium zum Symbol des Sinaibundes geworden[91].

Die in Ex 25,10 gemachten Maßangaben sind anhand der Quellen ebensowenig zu prüfen, wie der Überzug aus Gold. Die Erwähnungen der Lade in davidischer Zeit lassen erkennen, daß sie von zwei Männern leicht getragen werden konnte. Dabei sind Stangen zwar nicht erwähnt, können aber auf Grund von 1. Kön 8,7.8 vorausgesetzt werden. Diese beiden Verse, in denen die Sichtbarkeit der beiden Stangen der Lade genau beschrieben wird, gehören zwar nicht zum ursprünglichen Bestand des Abschnitts 1. Kön 8,1–11, der Zusatz wird aber gemacht worden sein, »als der salomonische Tempel noch existierte«[92]. Wahrscheinlich werden Stangen von Anfang an zur Lade gehört haben.

Die Bedeutung von זר ist nicht zu klären. Das Wort kommt nur bei P und in sekundär zu P gebildeten Stücken vor (Ex 25,11 [37,2]; 25,24f [37,26f]), es wird allgemein mit »Randleiste« übersetzt. Was mit זר gemeint ist, kann nicht von der Beschreibung des Tisches (Ex 25,23–26.28.30) her bestimmt

85 Gegen M. *Haran*, IEJ 9 (1959) S. 89; R. *de Vaux*, MUSJ 37 (1960/61) S. 96f, 123.
86 Vgl. J. *Maier*, BZAW 93 (1965) S. 68f.
87 Die verschiedenen Auffassungen über den Inhalt der Lade sind bei J. *Maier*, BZAW 93 (1965) S. 55–57 zusammengestellt. Der Vorschlag von J. *Maier*, BZAW 93 (1965) S. 59, die Lade habe als Behälter für den Bundesschatz gedient, um die Kriegsausrüstung der Israeliten zu finanzieren, hat in den Texten keinen Anhaltspunkt.
88 Die Lade ist somit keineswegs das ursprüngliche Verbindungsglied zwischen Sinai und Tempel, gegen F. *Dumermuth*, ZAW 70 (1958) S. 74; A. *Weiser*, ZAW 77 (1965) S. 163–165.
89 Deut 10,8; 31,9.25.26; Jos 3,3; 4,7.18; 6,8; 8,33; 1. Kön 6,19; 8,1.6, vgl. auch ארון ברית אדני Num 10,33; 14,44; Jos 4,17; Ri 20,24; 1. Kön 3,15 und ארון ברית Jos 3,6 (bis).8; 4,9; 6,6.
90 Vgl. dazu L. *Perlitt*, Bundestheologie im Alten Testament, WMANT 36, 1969.
91 T. E. *Fretheim*, The Ark in Deuteronomy, CBQ 30 (1968) S. 1–14 hält die Neuinterpretation der Lade für einen Gegenschlag zu ihrer Verwendung im Jerusalemer Kult. Dagegen scheint die Füllung der Lade mit einem neuen Inhalt gerade ihre Bedeutungslosigkeit im Tempel anzuzeigen. Ihre kultische Verwendung ist nicht eindeutig zu belegen, in jedem Fall ist mit der deuteronomistischen Deutung der Lade eine Kritik an dem Vorhandensein der Keruben und der mit ihnen verbundenen Vorstellung gegeben.
92 M. *Noth*, BK IX/1 (1968) S. 179.

werden, wo זר die Einfassung der Tischplatte bedeuten kann, da eine solche Leiste an der Lade wenig sinnvoll ist. Der mit זר bezeichnete Teil steht in Zusammenhang mit dem Belag der hölzernen Lade mit Blattgold und soll selber aus Gold sein.

Die Lade ist ein altes Jahwesymbol, sie hat in den Tempeln von Silo und Jerusalem bei einem Zwischenaufenthalt in dem von David errichteten Zelt Jahwes gestanden[93]. Die einzelnen Angaben über Maße, Vergoldung und Leisten können an der Überlieferung nicht nachgeprüft werden. Erst in der deuteronomisch-deuteronomistischen Theologie erhält die Lade mit den Tafeln des Bundes einen Inhalt (Deut 10,1–5; 1. Kön 8,9), wodurch sie mit der deuteronomistischen Fassung der Sinaitradition Ex 32.34 verbunden wird. Nach Ex 25,16 soll העדת in die Lade gelegt werden, die Lade heißt demnach ארון העדות (Ex 25,22a; 26,33a). Mit dieser Bestimmung des Inhalts der Lade ist ihre Deutung durch die deuteronomisch-deuteronomistische Theologie von der Priesterschrift aufgenommen und weitergeführt worden[94]. Was von der Priesterschrift mit עדת gemeint ist, läßt sich nicht ermitteln[95]. Wahrscheinlich handelt es sich um schriftlich fixierte Bestimmungen, doch sind diese inhaltlich nicht näher festzulegen. Trotz der Neuinterpretation des Inhalts der Lade sind die Anweisungen zum Bau der Lade letztlich an der historischen Lade orientiert.

Zur Lade soll nach Ex 25,17.18.21a eine goldene Deckplatte, an deren Enden zwei goldene Keruben stehen, angefertigt werden[96]. Eine solche Deckplatte ist für die Lade in vorexilischer Zeit nicht zu belegen. Das Wort כפרת kann von dem Stamm כפר abgeleitet werden, dessen Grundbedeutung nicht sicher zu ermitteln ist, doch wird כפר im Piʿel als terminus technicus für die Sühnehandlung vorwiegend von der Priesterschrift gebraucht[97]. Zwar erscheint כפרת Lev 16 im Zusammenhang mit dem Sühneritus des großen Versöhnungstages, doch ist dieses Kapitel kein ursprünglicher Bestandteil der Priesterschrift[98]. Mit der כפרת wird die Lade keineswegs zum Sühnein-

---

93 Wenngleich die Möglichkeit eines Ersatzes der Lade im Laufe ihrer Geschichte nicht auszuschließen ist, so bleibt die Annahme mehrerer Laden doch rein hypothetisch, da eine Neuanfertigung aus den Quellen nicht zu belegen und auch aus sachlichen Gründen kaum wahrscheinlich ist, gegen *J. Gutmann*, The History of the Ark, ZAW 83 (1971) S. 22–29, der mit Neuanfertigungen der Lade unter Josia und in nachexilischer Zeit rechnet. Zu der immer wieder vertretenen Annahme mehrerer Laden in Israel vgl. Referat und Kritik bei *R. Schmitt*, Zelt und Lade als Thema alttestamentlicher Wissenschaft (1972) S. 168–173.

94 Vgl. *O. Eißfeldt*, Lade und Gesetzestafeln, Kleine Schriften III (1966) S. 526–529.

95 *B. Volkwein*, Masoretisches ʿēdūt, ʿēdwōt, ʿēdōt – »Zeugnis« oder »Bundesbestimmungen« BZ 13 (1969) S. 18–40 hat das gesamte Material ohne eindeutiges Ergebnis untersucht.

96 Ob die Veränderung der Lade und die Stellung der Keruben an dem ägyptischen Götterschrein orientiert sind, kann nicht mehr festgestellt werden, gegen *J. Maier*, BZAW 93 (1965) S. 82.

97 Belege bei *K. Elliger*, HAT I,4 (1966) S. 71. *F. Maass*, THAT I (1971) Sp. 842-857 hat Bedeutung und Gebrauch von כפר eingehend untersucht und auf die Schwierigkeit der Ermittlung einer Grundbedeutung ausdrücklich hingewiesen. Zum Vergleich mit dem Stamm kommen akk. *kuppuru* »ausroden«, »abwischen« und arab. *kfr* »bedecken«, »verhüllen« in Frage.

98 Vgl. *K. Elliger*, HAT I,4 (1966) S. 202-210.

strument[99], doch könnte diese Bezeichnung einen Ersatz der Sühnehandlung durch die Lade andeuten. Die כפרת trägt die Keruben, die ihre Flügel über die Deckplatte ausbreiten und sich gegenseitig das Gesicht zuwenden sollen.

Darstellungen von Keruben haben im salomonischen Tempel gestanden, wo zwei Keruben im Debir aufgestellt waren (1. Kön 6,23–28)[100]. Als Träger Jahwes haben sie seine Anwesenheit im Tempel verbürgt. Da die Gegenwart Gottes im salomonischen Tempel ebenfalls mit der Lade verbunden war, haben die Keruben in Konkurrenz zur Lade gestanden, da diese nach ihrer Überführung in den Tempel unter den Keruben zu stehen kam. Zur Überbrückung der bestehenden Spannung ist bereits in der Königszeit durch die Verbindung der Wendung יהוה צבאות ישב הכרבים mit der Lade in 1. Sam 4,4 und 2. Sam 6,2 der Versuch gemacht worden, Keruben und Lade miteinander in Einklang zu bringen. In den Anweisungen Ex 25,17.18. 21a.22a werden die Keruben der Lade zugeordnet. Damit ist die Unterordnung der Lade unter die Keruben insofern aufgehoben, als die einst übergroßen Gestalten zu einem Bestandteil der Deckplatte auf der Lade geworden sind. Auch ihre Stellung ist gegenüber der Anordnung der Keruben im Tempel verändert: sie sollen einander ansehen und mit ihren Flügeln die Lade bedecken. Während die Keruben im salomonischen Tempel eine selbständige kultische Einrichtung gewesen sind, bilden sie nun nur noch einen Bestandteil der Lade. Mit Ex 25,17.18.21a.22a ist somit die zwischen Lade und Keruben bestehende Spannung durch die Zuordnung der Keruben zur Lade gelöst. Die ursprüngliche Bedeutung der Keruben als Träger der Gottheit hat sich aber darin niedergeschlagen, daß nun die Deckplatte und damit die Lade zur Stätte des Erscheinens Jahwes geworden ist (Ex 25,22a)[101]. In der Priesterschrift ist die Lade sowohl mit der עדת gefüllt, als auch mit der Deckplatte und den Keruben versehen. Die Priesterschrift ist somit bestrebt, die verschiedenen Vorstellungen im Umkreis der Lade miteinander in Einklang zu bringen und zu verbinden. Dadurch ist die Lade nicht nur der wichtigste Gegenstand des gesamten Zeltheiligtums, sondern geradezu das innerste Zentrum des Volkes, das um das Zeltheiligtum herum lagert[102]. *Johann Maier* hat mit Recht darauf hingewiesen, daß »die Lade zum ersten Mal in ihrer Bedeutungsgeschichte eine kultarchitektonische Funktion zugeschrieben« erhält[103]. Im Unterschied zum Jerusalemer Tempel, der nicht für die Lade gebaut wurde und dessen Debir von den Keruben ausgefüllt

99 Für die Annahme, die כפרת sei ursprünglich ein selbständiger Kultgegenstand gewesen, fehlt jeder Hinweis auf eine solche Einrichtung in vorexilischer Zeit, gegen *H. A. Brongers,* NTT 25 (1971) S. 9.
100 Vgl. oben Abschnitt 2.3.1.
101 Vgl. *J. Maier,* Vom Kultus zur Gnosis (1964) S. 88f, der jedoch damit rechnet, daß die Lade lediglich »Sockel« der Deckplatte gewesen ist.
102 Vgl. dazu *A. Kuschke,* Die Lagervorstellung der priesterschriftlichen Erzählung, ZAW 63 (1951) S. 74–105.
103 *J. Maier,* BZAW 93 (1965) S. 82 (im Original gesperrt).

war, ist nun die Lade der Mittelpunkt des Heiligtums wie des Volkes, die Keruben sind ihr auf der Deckplatte zugeordnet. Sie birgt die עדת und ist die Erscheinungsstätte Jahwes. Wie Jahwe einst mit der Lade verbunden war, so wird sie erneut der Ort seiner Gegenwart[104]. Die Priesterschrift hat die Lade von ihrer Bedeutung und von ihrer Stellung im Heiligtum her neu bestimmt.

6.2.2
Der Tisch

Die Anweisungen für die Herstellung des Tisches (Ex 25,23–26.28.30) entsprechen im Aufbau den Anweisungen für die Lade (Ex 25,10–14.16). Wie die Lade so soll der Tisch aus Holz hergestellt, mit Gold überzogen und mit einer Randleiste versehen werden. Desgleichen sollen für den Tisch Ringe, die an den Ecken der Füße angebracht werden sollen, und Tragestangen angefertigt werden. Die Größe des Tisches ist mit 2 x 1 Ellen für die Platte angegeben, die Höhe soll 1,5 Ellen betragen. Nähere Angaben über die Stärke der Tischplatte und die Form der Beine werden nicht gemacht. Nur für die מסגרת wird die Breite von 1 Handbreit vorgeschrieben. Diese Angaben reichen für eine genaue Beschreibung des Tisches nicht aus, wenngleich deutlich ist, daß der Tisch aus einer etwa 1 x 0,5 m großen Platte auf vier Beinen mit einer Höhe von ungefähr 0,75 m bestanden haben muß.

An Einzelheiten wird noch mitgeteilt, daß der Tisch mit einer מסגרת zu versehen sei, die wiederum von einer Randleiste umgeben sein soll. Die Bedeutung von מסגרת ist unklar, da das Wort nur hier erscheint, ohne daß ersichtlich ist, um welchen Teil des Tisches es sich handelt. Das Wort ist eine Bildung von סגר, was zu der Übersetzung »Verschlußleiste« geführt hat. *August Dillmann* und *Bruno Baentsch* denken dabei an eine Querleiste unterhalb der Tischplatte[105], meinen also den eigentlichen »Rahmen«[106]. *Heinrich Holzinger* weist auf »eine in halber Höhe der Füße laufende Leiste . . . zum Halt der Füße« bei dem Tisch aus dem herodianischen Tempel auf dem Relief des Titusbogens hin[107], doch ist die Deutung der beiden Ansätze, auf denen die Trompeten ruhen, umstritten[108]. *Martin Noth* deutet מסגרת als »Randleiste«, die »auf die Ränder der Tischplatte aufgesetzt zu denken« sei[109], was aber wegen der mit זר bezeichneten Randleiste nicht möglich ist, da diese dann unter der מסגרת läge.

---

104 Vgl. *W. Zimmerli*, Das Bilderverbot in der Geschichte des alten Israel, in: Schalom, ATh I,46 (1971) S. 86–96.

105 *A. Dillmann*, KeH 12 (²1880) S. 283; *B. Baentsch*, HK I,2 (1903) S. 226, dagegen bereits *B. Stade*, ZAW 21 (1901) S. 161.

106 *J. A. Scott*, The Pattern of the Tabernacle (Diss. Pennsylvania 1965) S. 202 denkt ebenfalls an eine solche Umrandung unterhalb der Tischplatte. Seine Rekonstruktion Fig. 38 auf S. 205 ist jedoch wertlos, da sie nicht von den erhaltenen Abbildungen altorientalischer Tische des 1. Jt. ausgeht.

107 *H. Holzinger*, KHC II (1900) S. 125, vgl. *H. Holzinger*, Der Schaubrottisch des Titusbogens, ZAW 21 (1901) S. 341f.

108 Vgl. *B. Stade*, ZAW 21 (1901) S. 161.

109 *M. Noth*, ATD 5 (³1965) S. 167.

Bereits *Bernhard Stade* und *Rudolf Kittel* haben darauf aufmerksam gemacht, daß die מסגרת von Ex 25,25 mit den מסגרות aus 1. Kön 7,27–39 zusammengestellt werden muß[110]. Bei der Beschreibung der sog. Kesselwagen des salomonischen Tempels werden die מסגרות (1. Kön 7,28.29.
31.32.35.36) als Teil der Konstruktion erwähnt. Unter Heranziehung der
bronzenen Fundstücke aus Zypern konnten die bei den Kesselwagen verwendeten Gestelle mit großer Wahrscheinlichkeit rekonstruiert werden[111],
dabei ließen sich die מסגרות nur als waagerechte Verbindungsstreben zwischen den senkrechten Streben (שלבים) deuten[112]. Demnach kann die
מסגרת für den Tisch nur eine Verstrebung der Beine des Tisches meinen. In
welcher Höhe diese Verbindungsstreben angebracht waren, ist nicht gesagt.
Durch die Verstrebung der Beine erhält der Tisch erst die notwendige Stabi-
lität. Über die weitere Ausführung des Tisches werden keine Angaben gemacht.
Unter den verschiedenen Tischformen sind Tische mit einer rechteckigen
Platte, vier Beinen und Verbindungsstreben zwischen den Beinen im alten
Orient weit verbreitet[113]. In Ägypten ist dieser Typ des rechteckigen Tisches neben dem runden Tisch ebenfalls gebräuchlich gewesen, wie die zahlreichen Abbildungen in den Gräbern und auf den Särgen aus verschiedenen
Epochen belegen[114]. Die gleiche Form eines vierbeinigen Tisches mit rechteckiger Platte und Verbindungsstreben auf halber Höhe der Beine haben erhaltene Tische aus Ägypten[115]. Der Vergleich der Beschreibung in Ex
25,23–26.28.30 mit den aus der Umwelt Israels bekannten Tischen zeigt,
daß der hier beschriebene Tisch nicht von dem im alten Orient gebräuchlichen Tisch abweicht.
Der Tisch ist ein Gegenstand des alltäglichen Lebens und aus diesem in den
Kult übernommen worden. Er wurde zum Essen benutzt (1. Kön 13,20)[116],
wenngleich nicht auszumachen ist, ob ein Tisch zur allgemeinen Ausstattung des israelitischen Hauses gehört hat. Er ist sicherlich eine »Errungen-
schaft« des Kulturlandes, da er unter Nomaden nicht gebräuchlich ist. Da
Bett, Tisch, Stuhl und Lampe in 2. Kön 4,10 die Einrichtung eines Raumes

---

110 B. *Stade*, ZAW 21 (1901) S. 160–168; R. *Kittel*, BWAT 1 (1908) S. 209–213. Auf die
textkritischen Probleme des Abschnitts 1. Kön 7,27–39 braucht hier nicht eingegangen zu
werden, vgl. M. *Noth*, BK IX/1 (1968) S. 144f.

111 Vgl. dazu oben Abschnitt 2.3.3.

112 B. *Stade*, ZAW 21 (1901) S. 164; R. *Kittel*, BWAT 1 (1908) S. 213; M. *Noth*, BK IX/1
(1968) S. 157.

113 Vgl. ANEP Nr. 529 und 624; A. *Paterson*, The Palace of Sinacherib (1925) Pl. 83–84
und 100; S. *Salonen*, Die Möbel des alten Mesopotamien nach sumerisch-akkadischen Quellen (1963) Taf. XXXIII,2. Für die griechische, etruskische und römische Kultur vgl.
G. M. A. *Richter*, Ancient Furniture (1926) S. 76–88.112f und 137–142.

114 W. *Wreszinski*, Atlas zur altägyptischen Kulturgeschichte I (1923) Taf. 391.85a.86.
213.218.251.257.263.306.318; ANEP Nr. 133.

115 W. *Wreszinski*, ebd., Taf. 3c und 96b; N. *Scott*, The Metropolitan Museum of Art, Bulletin XXIV/4 (1965) S. 139 mit Abb. 46 auf S. 146.

116 Vgl. auch die Wendung ערך שלחן für die Bereitstellung der Mahlzeit Jes 21,5; Ez 23,41;
Ps 23,5; 78,19; Prov 9,2.

bilden, kann der Gebrauch von Tischen als allgemein üblich angesehen werden. Für den königlichen Hof ist das Essen am Tisch ausdrücklich bezeugt, wobei die Wendung שלחן המלך die Gesamtheit der am königlichen Hof lebenden und ernährten Leute bezeichnete[117]. Im salomonischen Tempel hat ein Tisch gestanden[118], der für diesen angefertigt worden ist (1. Kön 7,48)[119]. Über den Verbleib dieses Tisches bei der Zerstörung des Tempels im Jahre 587 verlautet nichts. Für den zweiten Tempel ist ein Tisch auf Grund von 1. Makk 1,22 ebenfalls vorauszusetzen. Der Tisch des herodianischen Tempels, der von Josephus, Bell. V, § 217 erwähnt wird, stammt wahrscheinlich von Judas Makkabäus (1. Makk 4,49f). Dieser ist auf dem Titusbogen sowie auf einer Münze des Mattathias Antigonus abgebildet[120]. Die beiden verschiedenen Darstellungen des Tisches können wegen des zeitlichen Abstandes nicht zur Rekonstruktion des Tisches im salomonischen Tempel herangezogen werden, doch stimmen sie in wesentlichen Merkmalen wie rechteckige Tischplatte, vier Beine und Verbindungsstreben mit den Anweisungen in Ex 25,23-26.28.30 überein. Der Tisch im Jerusalemer Tempel diente dazu, das לחם הפנים genannte Brot zu tragen (1. Kön 7,48), das ein Jahwe dargebrachtes Brotopfer ist[121]. Als terminus technicus begegnet לחם הפנים bereits 1. Sam 21,7. Aus dem Zusammenhang der Erzählung von David in Nob (1. Sam 21,2-8) geht hervor, daß diese Brote nur unter der Voraussetzung kultischer Reinheit gegessen werden durften und in regelmäßigen Abständen ausgewechselt wurden, vgl. 1. Chr 9,32. Daraus kann geschlossen werden, daß die Brote nach dem Ersatz durch frische an die Priester fielen, von der Auslage der Brote auf einem Tisch ist allerdings nichts gesagt. Ebenso muß offenbleiben, ob diese Brote von den am Heiligtum tätigen Priestern gebacken und dargebracht wurden, oder ob sie den Opfergaben der Tempelbesucher entstammen. Jedenfalls ist damit zu rechnen, daß mit dem Schaubrot im Tempel von Jerusalem ein Brauch der israelitischen Heiligtümer in vorstaatlicher Zeit über-

117 Vgl. 1. Sam 20,29.34; 2. Sam 9,7.10.11.13; 19,29; 1. Kön 2,7; 5,7; 10,5 (= 2. Chr 9,4); 18,19.
118 Die in 2. Chr 4,8 erwähnten 10 Tische haben in 1. Kön 7 keine Entsprechung, werden aber auch nicht von Josephus für den herodianischen Tempel erwähnt. \V. *Rudolph*, HAT I,21 (1955) S. 209 denkt an ihre Verwendung als Träger der Leuchter.
119 *M. Noth*, BK IX/1 (1968) S. 166 hat 1. Kön 7,48 als eine sekundäre Einführung beurteilt. Dem gegenüber ist jedoch daran festzuhalten, daß dieser Vers zum ursprünglichen Bestand des Kapitels gehört, wenngleich das zweimalige זהב eine Ergänzung ist. Das ergibt sich einmal daraus, daß das zweite זהב an unpassender Stelle verspätet nachklappt und zum anderen sind 1. Kön 6 und 7 im Sinne der Vergoldung des Bauwerkes und seiner Einrichtung überarbeitet worden.
120 Vgl. die Abbildungen des Reliefs im Titusbogen in BZNW 26 (1960) nach S. 70 und der Münze bei *B. Kanael*, BAR III (1970) Pl. 3, Nr. 14 und 14a.
121 Vgl. dazu *G. Westphal*, BZAW 15 (1908) S. 31f. In Ex 33,12-15 ist פנים eine Erscheinungsform Jahwes, doch liegen in diesem Text Reflexionen deuteronomistischer Theologie vor, so daß er nicht zur Erklärung der Wendung לחם הפנים herangezogen werden kann. Die Übersetzung Luthers mit »Schaubrot« ist beibehalten, vgl. dazu jedoch *P. A. H. de Boer*, SVT 23 (1972) S. 32-36.

nommen wurde. Ob dabei die Brote auch auf Tischen ausgelegt wurden, ist nicht bekannt.

Das Schaubrot war eine Form des Speiseopfers. Für den zweiten Tempel ist denn auch das Schaubrot ausdrücklich neben dem Speiseopfer erwähnt (Neh 10,34). Auch Ez 41,21b.22 setzt einen Tisch im zweiten Tempel voraus, der allerdings einem Altar nachgebildet zu sein scheint. Es muß offen bleiben, ob die Abstellung eines Tisches im salomonischen Tempel eine Neuerung ist oder ob in den israelitischen Heiligtümern außerhalb Jerusalems bereits Tische für die Auslage der Brote benutzt worden sind. Die Darbringung der Opfergaben auf einem Tisch ist in der Umwelt Israels allgemein üblich[122] und wird von Israel aus der kanaanäischen Kultpraxis übernommen worden sein.

Die Anzahl der im salomonischen Tempel auf den Tisch gelegten Brote ist nicht bekannt. Im herodianischen Tempel wurden nach Josephus zwölf Brote ausgelegt[123], die gleiche Anzahl ist auch Lev 24,5 genannt, diese wurden jede Woche am Sabbat ausgewechselt und fielen dann den Priestern zu[124]. Das Schaubrot ist als Opfer zu verstehen[125]. Das Brotopfer wurde nicht verbrannt, sondern der Gottheit als Speise vorgesetzt, diese Vorstellung von der Speisung der Gottheit ist im alten Orient allgemein geläufig[126].

Mit dem Schaubrot liegt ein »Ritus des Kulturlandes« vor[127], der Brauch ist kein »Residuum aus . . . der Halbnomadenzeit in der Steppe«[128], da »diese Art, Gott zu opfern, in das Kulturland gehört, in das Land der Gerste und des Weizens«[129]. Die Übernahme der Vorstellung und des Brauchs der Speisung der Gottheit mit dem Brot im alten Israel aus der kanaanäischen Umwelt läßt sich nicht mehr festlegen, sie wird jedoch bereits in vorstaatlicher Zeit erfolgt sein. Am Tempel von Jerusalem wurde mit dem Schaubrot eine an den israelitischen Heiligtümern geübte Praxis aufgenommen. Nur das Legen des Schaubrotes auf einen Tisch läßt sich für Israel nicht außerhalb Jerusalems nachweisen, wenngleich das Vorhandensein eines Tisches

---

122 Vgl. die Abbildungen ANEP Nr. 529.624.625.626.627.628.

123 Josephus, Bell. V, § 217.

124 Lev 24,9; Josephus, Ant. III,10.7, vgl. dazu *P. A. H. de Boer*, SVT 23 (1972) S. 30–32 und 35, der diesen Brauch theologisch als »a gift presented by the deity« zu interpretieren versucht hat. Die Übernahme des Brotes durch die Priester gründet aber in der praktischen Notwendigkeit des Unterhalts der Priester.

125 Zum Brot als Opfergabe vgl. *L. Rost*, Zu den Festvorschriften von Numeri 28 und 29, ThLZ 83 (1958) Sp. 329–334; *P. A. H. de Boer*, An Aspect of Sacrifice, SVT 23 (1972) S. 27–47.

126 Zum Speiseopfer vgl. *F. Blome*, Die Opfermaterie in Babylonien und Israel I (1934) S. 220–269; *W. Herrmann*, Götterspeise und Göttertrank in Ugarit und Israel, ZAW 72 (1960) S. 205–216. In babylonischen Opfertexten ist die Zwölfzahl der Brote belegt, ohne daß daraus Schlüsse gezogen werden können, vgl. *F. Blome*, ebd., S. 247f.

127 *L. Rost*, ThLZ 83 (1958) Sp. 330.

128 So *K. Elliger*, HAT I,4 (1966) S. 329.

129 *L. Rost*, ThLZ 83 (1958) Sp. 330.

in den israelitischen Kultstätten in vorstaatlicher Zeit nicht ausgeschlossen werden kann.

In dem Nachtrag zur Priesterschrift Lev 24,5-7 wird das Schaubrot als אשה-Opfer gedeutet[130]. Mit אשה werden die eßbaren Opfergaben bezeichnet, die Jahwe ganz oder teilweise zufallen[131]. Das Anzünden von לבנה זכה auf den Broten bedeutet eine Änderung im Verständnis der Brote als Opfer. Der Weihrauch stellt eine אזכרה dar, und das Anzünden des Weihrauchs ist ein Ersatz für das Verbrennen der Brote[132]. Die Zugabe von Weihrauch betont den Aspekt des Brotopfers als Speise der Gottheit[133]. Lev 24,4-7 spiegelt die nachexilische Kultpraxis, was die ausdrückliche Erwähnung des Weihrauchs zum Schaubrot in Joma II,5 bestätigt. Das Verständnis des Brotopfers in nachexilischer Zeit könnte auch die Änderung der Terminologie im chronistischen Geschichtswerk bedingt haben, wo לחם הפנים durch לחם מערכת ersetzt ist (Neh 10,34; 1. Chr 9,32; 23,29; vgl. 2. Chr 2,3; 13,11).

Ein Tisch zur Ablage von Opfergaben ist in Israel zuerst für den Jerusalemer Tempel belegt. Ob bereits bei den Heiligtümern in vorstaatlicher Zeit Brotopfer auf Tischen ausgelegt wurden, kann nicht mehr ermittelt werden. In Ex 25,23-26.28.30 ist der Tisch in Analogie zur Lade mit Ringen und Stangen versehen, um ihn transportabel zu machen. Ebenso wie die Lade ist er mit Gold überzogen. Der Tisch soll wie derjenige im Jerusalemer Tempel zur Auslage der Schaubrote dienen, damit entspricht die Benutzung des Tisches seiner Stellung im Tempel von Jerusalem. Die Einrichtung und Bedeutung des Tisches sind von der Jerusalemer Kultpraxis bestimmt. Wie weit der beschriebene Tisch seinem Aussehen nach mit demjenigen im Tempel übereinstimmt, läßt sich nicht mehr feststellen[134].

6.2.3
Das Zelt

Die Beschreibung des Zeltes in Ex 26,7.9–11.14.31.33a.35aα.36aαb.37 ist äußerst knapp. Es werden nur wenige Einzelheiten über die Zeltbahnen und ihre Verknüpfung durch Haken und Ösen mitgeteilt. Ein genaues Bild von dem Zelt läßt sich aus den Anweisungen nicht gewinnen. Die Anordnung der beiden einmal aus fünf und zum anderen aus sechs Bahnen bestehenden Teile ist nicht deutlich. Außerdem sind ihre Abmessungen in dem ursprünglichen Text nicht angegeben. Da auch über die Aufstellung des Zeltes keine näheren Angaben gemacht werden, kann seine Größe nicht

---

130 *J. Hoftijzer*, Das sogenannte Feueropfer, SVT 16 (1967) S. 114-134.
131 Vgl. *J. Hoftijzer*, SVT 16 (1967) S. 118-120.
132 Vgl. *G. R. Driver*, JSS 1 (1956) S. 99f.
133 Vgl. Lev 2,2.16; 6,8.
134 Auch im sog. Verfassungsentwurf des Ezechiel findet sich Ez 41,21b.22 ein Tisch. Die von Ex 25,23 abweichenden Maße von 3 Ellen Höhe und je 2 Ellen Länge und Breite sind dadurch bedingt, daß in Ez 41,21b.22 der Tisch als Altar verstanden ist, vgl. *W. Zimmerli*, BK XIII/2 (1969) S. 1051f.

festgestellt werden. Aus 26,9b ist zu erschließen, daß die Eingangsfront an
der Längsseite der sechsten Bahn und damit an der Schmalseite des Zeltes
gelegen hat. Das setzt auch die Unterteilung des Zeltes durch die פרכת voraus (26,31.33a.35aα). Durch diesen Vorhang ist das Zeltinnere in zwei
Räume geteilt, die Abtrennung kann aber nur parallel zur Schmalseite erfolgt sein. Der Vorhang für den Eingang (26,36aαb.37) soll ebenfalls an einer Schmalseite angebracht werden. Die Ausrichtung des Zeltes entspricht
somit der Bauform des Langhauses. Aus den Anweisungen für die Zeltbahnen ist ein Bild von dem Aussehen des Zeltes zu gewinnen. Weitere Einzelheiten über die Maße und die für ein Zelt notwendigen Stangen und Stricke
werden nicht mitgeteilt. Da das Zelt im jetzigen Zusammenhang des Textes
nur noch zur Bedeckung des Brettergerüstes dient, ist ein Verlust von näheren Angaben über die Pfosten und das Zubehör anzunehmen[135].
Für das Zelt von Ex 26 schließt die Breite der Zeltbahnen die Annahme eines
Firstzeltes mit einer einzigen Reihe von Mittelstützen aus. Nur mehrere
parallele Pfostenreihen können eine genügend breite Konstruktion gebildet
haben. Auch die fünf Säulen am Eingang lassen auf mehrere Pfostenreihen
und damit auf das Firstdachzelt schließen. Die Anweisungen von Ex 26 setzen somit ein Firstdachzelt voraus, wobei allerdings der Eingang an der
Schmalseite liegt. Die Zeltbahnen sollen aus Ziegenhaaren gewebt sein. Die
beiden Decken aus Lederhäuten in V. 14 haben demnach die Funktion eines
Schutzes. Eine nähere Darstellung der Zeltkonstruktion ist nicht möglich.
Zeltheiligtümer sind dem Material ihrer Herstellung entsprechend nicht
erhalten, waren aber auch außerhalb Israels gebräuchlich[136]. In Israel kann
das von David in Jerusalem errichtete Zelt Jahwes als ein vollgültiges Heiligtum gelten[137]. Der אהל מועד dagegen ist Stätte prophetischen Offenbarungsempfangs, an dem kein Priester anwesend war und an dem keine Opfer dargebracht wurden[138]. Damit ist das israelitische Vergleichsmaterial
bereits erschöpft. Der אהל מועד kommt als Vorbild für den priesterschriftlichen Zeltbau nicht in Frage, da er selber nur die Begründung für eine nicht
näher faßbare Institution gewesen ist. Das von David errichtete Jahwezelt
ist bereits zu Salomos Zeiten verschwunden, da es durch den Tempelbau ersetzt worden ist. Der Rückgriff auf dieses Zeltheiligtum durch die Priesterschrift ist nicht nachweisbar, wenngleich es dem Verfasser aus der Literatur
bekannt gewesen sein wird. Doch gehen aus den Erwähnungen keinerlei
Einzelheiten hervor, so daß eine traditionsgeschichtliche Abhängigkeit
nicht behauptet werden kann. Die Errichtung eines Zeltheiligtums durch
David zeigt aber, daß eine Tradition für diese *Bauform* noch zu Beginn der
Königszeit bestanden hat und daß auch nach einer langen Zeit der Seßhaftigkeit ein Zeltbau für die Kultausübung errichtet werden konnte, ohne daß

---

135 Mit der Unterdrückung eines Teils der ursprünglichen Anweisungen für das Zelt rechnet
K. *Galling*, HAT I,3 (1937) S. 135.
136 Vgl. oben Abschnitt 5.3.
137 Vgl. oben Abschnitt 5.1.
138 Vgl. oben Abschnitt 5.2.

mit einer besonderen Überlieferung für das Zeltheiligtum gerechnet werden muß. Die Übernahme einer alten Zelttradition durch die Priesterschrift ist somit nicht zu belegen, da für die Bewahrung einer solchen Überlieferung in der Königszeit jeder Hinweis fehlt.

Wie bei Lade und Tisch so ist auch für das Zelt anzunehmen, daß die Priesterschrift bei den Anweisungen für die Herstellung auf eine bestehende Einrichtung zurückgegriffen hat. Die Anordnung und Unterteilung des Zeltes ist am Tempel von Jerusalem orientiert, denn allein bei diesem Langbau liegt der Eingang an der Schmalseite und ist der Innenraum in zwei verschieden große Räume unterteilt. Der Tempel von Arad scheidet als Vorbild für das priesterschriftliche Zeltheiligtum aus, da er den Typ des Breitraumtempels repräsentiert, die Anweisungen für die Anfertigung des Zeltheiligtums aber keineswegs ursprünglich auf einen einräumigen Zeltbau mit dem Eingang an der Längsseite gezielt haben[139]. Das Zelt von Ex 26 kopiert vielmehr ohne Rücksicht auf die Erfordernisse der Zeltbauweise die bauliche Gliederung des salomonischen Tempels. Dieser Tempel hat jedoch seinem Ursprung nach nichts mit dem Zeltbau zu tun[140]. Die Zeltbauweise ist eine Anpassung an die vorausgesetzten Verhältnisse der Wüstenzeit und geht nicht auf die Bautradition eines Zeltheiligtums zurück.

Zum ersten Mal wird das Zeltheiligtum in Ex 27,21 mit dem Ausdruck אהל מועד bezeichnet, doch ist dieser Vers ein Zusatz[141]. Hinter Ex 25–27 hat die Priesterschrift aber den gesamten Komplex des Zeltheiligtums stets אהל מועד[142] und niemals משכן[143] genannt. Die Priesterschrift hat somit zumindest terminologisch auf den אהל מועד zurückgegriffen[144], der bereits durch Zusätze zum Jahwisten in der Wüstenüberlieferung verankert worden war. Doch bleibt das Zelt nicht mehr außerhalb des Lagers, da für die Priesterschrift das Volk insgesamt kultisch rein ist und das Zeltheiligtum somit in der Mitte des Lagers stehen kann und soll. Auch ist für die Priesterschrift nicht mehr das Zelt als solches die Stätte des Offenbarungsempfangs, vielmehr erscheint nach Ex 25,22a Jahwe über der Lade zwischen den Keru-

---

139 Dagegen rechnet Y. *Aharoni*, The Solomonic Temple, the Tabernacle and the Arad Sanctuary, in: Orient and Occident, AOAT 22 (1973) S. 1–8 mit einer breiträumigen Vorform des Zeltheiligtums und führt beide – den Tempel von Arad und das priesterschriftliche Zelt – auf die gleiche Bautradition zurück.

140 Vgl. oben Abschnitt 2.4.

141 B. *Baentsch*, HK I,2 (1903) S. 236; M. *Noth*, ATD 5 (³1965) S. 177.

142 Lev 8,3.4.31.33.34; 9,5.23; Num 1,1; 2,2; 4,3.35.37.39.41.43.47; 14,10; 16,2.18; 20,6.

143 In Ex 35–40 gehören alle Erwähnungen zu den Schichten der nachpriesterschriftlichen Bearbeiter. Lev 8,10ab ist ein Nachtrag, vgl. K. *Elliger*, HAT I,4 (1966) S. 113. Lev 15,31 gehört nicht zu P. Lev 17,4 und 26,11 stehen innerhalb des Heiligkeitsgesetzes. Für Num 1–10 vgl. die Analyse von D. *Kellermann*, Die Priesterschrift von Num 1,1 bis 10,10, BZAW 120 (1970). Num 10,11b ist sekundär zu P, wie auch Num 17.21; 16,9.24.27.28; 19,13; 24,5; 31,30.47 nicht zum ursprünglichen Bestand der Priesterschrift gehören.

144 Vgl. J. *Morgenstern*, HUCA 18 (1943/44) S. 26; A. *Kuschke*, ZAW 63 (1951) S. 83; R. E. *Clements*, God and Temple (1965) S. 114–117; K. *Elliger*, ThB 32 (1966) S. 186; M. *Noth*, Überlieferungsgeschichte des Pentateuch (²1960) S. 264f.

ben, also innerhalb des Zeltes. Das Zelt von Ex 26 ist nicht allein Offenbarungsstätte, sondern auf Grund seiner Einrichtung vollgültiges Heiligtum. In Einzelheiten hat der priesterschriftliche Entwurf Elemente der Zeltbauweise übernommen. Dabei hat die Priesterschrift den Zeltbau insofern an den Jerusalemer Tempel angepaßt, als sie die Lage des Eingangs an der Schmalseite und die Unterteilung in zwei Räume diesem nachgebildet hat. Das Zelt spiegelt den Tempel. Für die Terminologie hat die Priesterschrift außerdem die Tradition vom אהל מועד aufgenommen. Das priesterschriftliche Zelt ist somit ein mixtum compositum aus verschiedenen Elementen unter dem theologischen Leitgedanken des reinen Heiligtums in der Wüste.

6.2.4
Der Altar

Die Anweisung für die Herstellung des Altars (Ex 27,1.2.4.5a.6) ist in einer deutlich erkennbaren Ordnung gegeben. Der aus Holz hergestellte Altar soll die Maße 5 x 5 Ellen bei einer Höhe von 3 Ellen haben (V. 1), er soll mit Hörnern versehen sein und mit Kupferblech überzogen werden (V. 2). Ferner wird er mit einem Gitternetz ausgestattet (V. 4.5a) und mit Stangen versehen (V. 6). Aus der Größe des Altars ist zu schließen, daß es sich dabei um einen Brandopferaltar handelt, zumal ein Räucheropferaltar erst in Ex 30, 1–10 nachgetragen worden ist.

Wie Lade und Tisch soll der Altar aus Holz gefertigt sein. Ein Altar aus Holz mit einem Überzug von Metall ist insofern ungewöhnlich, als Altäre im alten Israel wie im alten Orient sonst aus Steinen gebaut, aus dem Felsen herausgeschlagen oder durch eine Erdaufschüttung hergestellt wurden[145]. Ein Bronzealtar ist nur für den Hof des salomonischen Tempels bezeugt (1. Kön 8,64), dieser wurde von Ahas durch einen Steinaltar ersetzt und an einen anderen Platz gestellt (2. Kön 16,10–16). Die in Ex 27,1 angegebenen Maße von 5 x 5 Ellen bei 3 Ellen Höhe finden sich 2. Chr 6,13 für die כיור genannte Kulteinrichtung, doch hat sich in dieser Angabe wahrscheinlich die ursprüngliche Abmessung des Bronzealtars im salomonischen Tempel erhalten[146]. Der Altar von Ex 27,1.2.4.5a.6 entspricht somit wahrscheinlich dem מזבח נחשת im Tempel von Jerusalem, für den Altar hat die Priesterschrift wohl auf den salomonischen Altar im Jerusalemer Tempel zurückgegriffen.

Von den weiteren noch mitgeteilten Einzelheiten sind die Hörner an den Ekken des Altars herausragende Spitzen, die sich häufig an Altären finden.

---

145 Vgl. die Materialsammlungen von *K. Galling*, Der Altar in den Kulturen des alten Orients (1925) und *D. Conrad*, Studien zum Altargesetz Ex 20: 24-26 (Diss. theol. Marburg 1968) S. 58–84.

146 Vgl. die Begründung oben Abschnitt 2.3.2. Denkbar bleibt allerdings, daß der Chronist die Maße aus Ex 27,1 übernommen hat. Auch die Abmessungen des Altars im Tempel von Arad mit 4,5 Ellen im Quadrat kommen der Angabe von Ex 27,1 nahe, doch scheidet dieser als Steinaltar ohne Hörner als Vorbild für den priesterschriftlichen Bronzealtar aus.

Der Ursprung dieser Hörner ist noch ungeklärt. Für den Altar in dem von David errichteten Zelt Jahwes sind sie 1. Kön 1,50; 2,28 ebenso erwähnt, wie für den Altar in Bethel Am 3,14. Spitz zulaufende Erhebungen an den Ecken finden sich an dem auf dem *Tell es-Seba^c* gefundenen Altar[147], dagegen weist der Steinaltar von Arad keine Hörner auf. Solche Hörner finden sich auch an den eisenzeitlichen Räucheraltären von Megiddo und vom *Tell Qedes*, während sie bei den israelitischen Räucheraltären von Arad und Lachisch fehlen[148]. Die Bedeutung dieser Hörner ist unbekannt[149].
Über Aussehen und Funktion des מכבר ist wenig auszumachen. Er kann ein Netz in halber Höhe des Altars unterhalb der Altarplatte gewesen sein[150] oder auch ein Gitter um den Altar[151]. Wie Lade und Tisch wird auch der Altar mit Tragstangen versehen, um ihn aufheben und bewegen zu können. Während somit die Hörner auch sonst für die Altäre belegt sind, kann der מכבר nicht nachgewiesen werden. Da die Altäre stets einen festen Platz im Tempelhof haben, ist ihre Ausstattung mit Tragstangen von vornherein unwahrscheinlich. Die Tragstangen entstammen somit priesterschriftlicher Anschauung entsprechend ihrer sonstigen Konzeption der Beweglichkeit der Kultgegenstände des Zeltheiligtums.

6.3
Die Konzeption der priesterschriftlichen Sinaierzählung
und die Frage nach ihrem Verfasser

In der Priesterschrift hat das Zeltheiligtum neben dem Zeltbau nur Lade, Tisch und Altar umfaßt. Bis auf den Tisch ist die Kulteinrichtung des Zeltheiligtums in Israel bereits vor der Königszeit nachweisbar. Beim Tisch war aber die mit ihm verbundene Opfergabe der Schaubrote während der Herrschaft Sauls für das Heiligtum in Nob zu belegen (2. Sam 21,2–8). Während ein Altar für jedes israelitische Heiligtum anzunehmen ist, bildet die Lade einen einzigartigen Kultgegenstand. Ihre Herkunft ist nicht bekannt, in vorköniglicher Zeit hat sie im Tempel von Silo gestanden und ist nach einem Zwischenaufenthalt bei den Philistern und in Kirjath-Jearim in ein von David errichtetes Zelt nach Jerusalem überführt worden (2. Sam 6). Wenngleich die Lade von Salomo im Tempel aufgestellt worden ist, so hat sie doch als ein alter Kultgegenstand gegolten, mit dem Jahwes Gegenwart in besonderer Weise verbunden war, vgl. Jer 3,14.
Die Lade ist durch die Priesterschrift mit einer Deckplatte versehen worden, auf der zwei Keruben angebracht waren. Diese Deckplatte war für die Lade vor und während der Königszeit nicht zu belegen, sondern stellt eine Neue-

---

147 Y. *Aharoni*, Tel Aviv 2 (1975) S. 154-156 mit Pl. 33,2.
148 H. G. *May*, OIP XXVI (1935) Pl. XII; E. *Stern*, Qadmoniot 2 (1969) S. 96; Y. *Aharoni*, IEJ 17 (1967) Pl. 47; Y. *Aharoni*, Lachish V (1975) Pl. 27,3.
149 J. *de Groot*, BWANT II,6 (1924) S. 76-88 denkt an eine apotropäische Wirkung.
150 J. A. *Scott*, The Pattern of the Tabernacle (Diss. Pennsylvania 1965) S. 215f.
151 H. *Holzinger*, KHC II (1900) S. 132; M. *Noth*, ATD 5 (³1965) S. 176.

rung der Priesterschrift dar, mit der die überlebensgroßen Keruben im Debir des salomonischen Tempels der Lade zugeordnet werden. Mit Tisch und
Altar hat die Priesterschrift Einrichtungen des Jerusalemer Tempels übernommen, so daß die Ausstattung des Zeltheiligtums insgesamt am Tempel
von Jerusalem orientiert ist[152].
Der Zeltbau spiegelt in seiner Ausrichtung und Raumeinteilung ebenfalls
den Tempel von Jerusalem, doch kann das Zelt selbst nicht von diesem Bauwerk aus Steinen und Holz abgeleitet werden. Mit dem Zelt hat die Priesterschrift vielmehr auf die Zeltbauweise zurückgegriffen. Aber auch die kultische Einrichtung des Zeltes ist nicht einfach eine Kopie der Jerusalemer
Verhältnisse. Vielmehr läßt die Auswahl das Bestreben erkennen, nur solche Kulteinrichtungen in das Zelt zu übernehmen, die bereits vor dem Tempelbau durch Salomo in Gebrauch waren. So liegt mit der Lade ein Kultgegenstand aus vorstaatlicher Zeit vor. Ein Altar ist für alle altisraelitischen
Heiligtümer vorauszusetzen, und der Tisch dient der Einrichtung der
Schaubrote, die ebenfalls in vorstaatliche Zeit zurückreicht. Dagegen ist ein
großer Teil der für den salomonischen Tempel angefertigten Kultgegenstände nicht in das Zelt übernommen worden, so fehlen das eherne Meer,
die Kesselwagen, der Räucheraltar und die Leuchter[153]. Die bewußte Aus-
lassung dieser Kultgegenstände zeigt, daß die Priesterschrift nicht einfach
ein Abbild des Jerusalemer Tempels schaffen wollte. Das Zeltheiligtum ist
keine bloße Projektion des Tempels in die Wüstenzeit, um diesen als eine
Einrichtung der Vorzeit zu legitimieren[154].
Obwohl das Zeltheiligtum nicht in allen Einzelheiten dem Jerusalemer
Tempel entspricht, ist es doch in Anlage und Ausstattung an diesem orientiert. Die Priesterschrift hat somit in ihrem Entwurf eines Heiligtums eine
bewußte Auswahl getroffen und verschiedene Elemente miteinander verbunden. Die priesterschriftliche Sinaierzählung ist damit gekennzeichnet
durch die Auswahl aus dem vorgegebenen Material und die Zusammenfü-
gung verschiedener Elemente[155]. Dabei ist eine Wechselwirkung erkennbar: einmal wird der Tempelbau durch die Zeltkonstruktion ersetzt und als
אהל מועד interpretiert, und zum anderen wird das Zelt dem Jerusalemer
Tempel angepaßt.
Kennzeichnend für den priesterschriftlichen Entwurf ist der Verzicht auf
jede Art von Gottesdarstellung. Selbst die Keruben, die im Jerusalemer
Tempel in einem gewissen Grade die Gegenwart Jahwes repräsentierten,
sind zum Bestandteil der Lade »degradiert«. Kein Gegenstand garantiert

---

152 Für alle Einzelheiten vgl. oben Abschnitt 6.2.
153 Vgl. dazu oben Abschnitt 2.3.
154 Vgl. *K. Elliger*, ThB 32 (1966) S. 184.
155 Vgl. auch die Feststellung von *A. Kuschke*, ZAW 63 (1951) S. 102 für die Lagerord-
     nung: »Die Lagerordnung ist zwar in ihrer vorliegenden Form eine durchaus eigene Schöpfung
     des priesterschriftlichen Erzählers; er hat sich jedoch bei ihrem Ausbau übernommener Über-
     lieferungselemente bedient. Das Wesen seiner Lagervorstellung gibt sich nicht erst in der Ver-
     arbeitung, sondern bereits in der Auswahl dieser Elemente zu erkennen.«

Jahwes Gegenwart. In seinem Erscheinen über dem Zelt oder über der Lade ist Jahwe frei und unverfügbar. Zwar sind mit Tisch und Altar die Voraussetzungen für Opfer geschaffen, aber alles, was im Jerusalemer Tempel der Durchführung der Opfer und der Lustration diente, fehlt. Nicht die Ausübung kultischer Handlungen seitens der Menschen ist für die Priesterschrift von Wichtigkeit, das Zeltheiligtum dient vielmehr dem Kommen Jahwes inmitten seines Volkes.

Das Zeltheiligtum der Priesterschrift ist von dem Jerusalemer Tempel nicht zu trennen, eindeutig »hat der Tempel Modell gestanden«[156]. Die Priesterschrift hat aber den Tempel nicht einfach kopiert, sondern mit der getroffenen Auswahl bei der Übernahme der kultischen Einrichtungen einen eigenständigen Entwurf für ein Heiligtum vorgelegt. Wegen ihrer Abweichungen von der Ausstattung des Jerusalemer Tempels haben *Martin Noth* und *Arnulf Kuschke* der Priesterschrift eine korrigierende oder sogar polemische Absicht gegenüber dem einstigen Staatsheiligtum zuschreiben wollen. So meint *Martin Noth*, die Priesterschrift habe zurückgegriffen auf »das numinose Element des Sinaigottes, der im Zeltheiligtum in Wirklichkeit nicht wohnt, sondern nur erscheint in der Wolke mit seinem כבוד« in der Absicht, den Wohngedanken zu überwinden[157]. *Arnulf Kuschke* sieht den Ursprung dieser Absicht in »jenem nie ganz verstummten Protest südisraelitischer Kreise gegen den Tempel und gegen die mit ihm eingedrungene Vorstellung von dem in der Cella gegenwärtigen und alle Zeiten dem Dynasten dienstbaren Staatsgott«[158]. An eine Opposition gegen den Tempel von Jerusalem durch Träger der Zeltüberlieferung denkt auch *Terence E. Fretheim*[159]. Doch war die Aufnahme und Verarbeitung einer alten Zeltüberlieferung durch die Priesterschrift nicht zu erkennen[160], so daß in dem priesterschriftlichen Entwurf kaum theologische Vorbehalte gegen den Tempel bewahrt sind. Die Intention der Priesterschrift ist nicht gegen den Jerusalemer Tempel gerichtet, sondern will über diesen hinausweisen.

Wenngleich die Priesterschrift nicht einfach eine Begründung des von Salomo erbauten Tempels nachliefern oder die mit ihm verbundene Vorstellung korrigieren will, so ist der Entwurf doch möglicherweise auf einen Kultbau ausgerichtet. Wie die Priesterschrift Sabbat und Beschneidung fest in der Geschichte verankert hat, so kann sie mit den ausführlichen Anweisungen auf eine bestimmte kultische Einrichtung zielen[161]. Dennoch darf die priesterschriftliche Sinaitradition nicht einfach als Programm für den Wiederaufbau des Tempels gekennzeichnet werden[162]. Wenngleich nicht

---

156　*K. Elliger*, ThB 32 (1966) S. 197.
157　*M. Noth*, Überlieferungsgeschichte des Pentateuch (²1960) S. 266.
158　*A. Kuschke*, ZAW 63 (1951) S. 88.
159　*T. E. Fretheim*, VT 18 (1968) S. 329.
160　Vgl. oben Abschnitt 6.2.3.
161　Vgl. *K. Elliger*, ThB 32 (1966) S. 197f.
162　Gegen *R. E. Clements*, God and Temple (1965) S. 122; *P. R. Ackroyd*, Exile and Restauration (1968) S. 98; *T. E. Fretheim*, VT 18 (1968) S. 315; *A. H. J. Gunneweg*, FRLANT 89 (1965) S. 144 und 185.

ausgeschlossen werden kann, »daß die Priesterschrift auf ihre Weise der *Legitimation* des nachexilischen Jerusalemer Kultes dienen wollte, dessen Urbild sie in der Mosezeit suchte«[163], so ist der eindeutige Bezug auf den Tempel der nachexilischen Zeit doch erst durch die nachpriesterschriftlichen Erweiterungen hergestellt worden[163a].

Mit der Kundgebung des Zeltheiligtums am Sinai ist der Tempel in der Geschichte des Volkes verankert und zum dauernden und gültigen Mittelpunkt Israels gemacht. Das Zeltheiligtum hat das Volk vom Sinai an begleitet, der Kult kommt Israel aus der Geschichte zu. Beim Jahwisten waren zwar die Vorbereitungen des Volkes für die Theophanie die ersten kultischen Handlungen Israels, der Kult selber aber ist nicht am Sinai ergangen. Die Priesterschrift dagegen hat mit der Stiftung des Heiligtums den Anfang allen Kultes an den Sinai verlegt. Während beim Jahwisten Jahwe sich selber offenbart, stiftet er in der Priesterschrift das Heiligtum und damit den gesamten Kult. Die Kultstätte wird an der Stätte der Theophanie durch Jahwes Anweisungen geschaffen, der Kult ist von Mose am Sinai vermittelt. Damit ist alles kultische Geschehen in einer ausdrücklichen Willenskundgebung Jahwes verankert. Offenbarung und Kult fallen zusammen. Die Priesterschrift hat den Kult als Offenbarung gedeutet.

Die Priesterschrift hat also den Tempel wie den Kult theologisch begründet und als göttliche Stiftung legitimiert. Die Intention dieser Begründung hat vor allem *Klaus Koch* hervorgehoben[164]. Der Kult und seine Einrichtungen dienen dem Opfer und damit der Sühne. Nur durch Sühne wird der Mensch rein. Die Reinheit verbürgt die Heiligkeit. »Der Kult soll *Heiligkeit* ermöglichen. Nach der Auffassung der Priesterschrift gibt es vor der Errichtung des sinaitischen Kultes und außerhalb seiner keine Heiligkeit auf Erden.«[165] Mit dem Zeltheiligtum in seiner Mitte ist Israel heiliges Gottesvolk.

In ihrer theologischen Neubestimmung des Heiligtums zeigt die Priesterschrift gewisse Beziehungen zur deuteronomisch-deuteronomistischen Kulttheologie[166]. Schon Deut 10,1-5 war die Lade mit dem Sinai verbunden worden, und im deuteronomistischen Geschichtswerk ist dann die Bedeutung der Lade in der Geschichte bis auf David besonders betont. Ebenso war bereits im Deuteronomium die Forderung der Reinheit des Kultes und der

---

163   O. *Kaiser*, Einleitung in das Alte Testament (1969) S. 95 (Hervorhebung von mir).
163a Vgl. dazu unten Abschnitt 6.4.
164   K. *Koch*, Die Eigenart der priesterschriftlichen Sinaigesetzgebung, ZThK 55 (1958) S. 36–51.
165   K. *Koch*, ZThK 55 (1958) S. 41.
166   Vgl. zur Kulttheologie des Deuteronomiums und des deuteronomistischen Geschichtswerkes A. *Bentzen*, Die josianische Reform und ihre Voraussetzungen (1926); G. *von Rad*, Das Gottesvolk im Deuteronomium, BWANT III, 11 (1929); V. *Maag*, Erwägungen zur deuteronomistischen Kultzentralisation, VT 6 (1956) S. 10–18; F. *Dumermuth*, Zur deuteronomistischen Kulttheologie und ihren Voraussetzungen, ZAW 70 (1958) S. 59–98; E. *Nicholson*, The Centralisation of Cult in Deuteronomy, VT 13 (1963) S. 380–389; R. E. *Clements*, Deuteronomy and the Jerusalem Cult Tradition, VT 15 (1965) S. 300–312; E. W. *Nicholson*, Deuteronomy and Tradition (1967).

Darbringung des Opfers an einer einzigen Kultstätte erhoben worden. Aber auch die Stellung der Leviten und die Betonung des Landbesitzes sind im Deuteronomium vorgeprägt[167]. Außerdem ist bereits im Deuteronomium die mit dem Tempel verbundene Wohnvorstellung durch die םש-Theologie korrigiert.

Mit dem beweglichen Zeltheiligtum, an dem Jahwe erscheint, hat die Priesterschrift die Vorstellung vom Wohnen Jahwes im Tempel ersetzt. Zwar ist das Zeltheiligtum der einzige Mittelpunkt des Volkes, und mit dem Zeltheiligtum ist Jahwe inmitten Israels, doch bleibt Jahwe unverfügbar. Der priesterschriftliche Entwurf stellt also einen Versuch dar, den Verlust des Tempels als des kultischen Mittelpunktes zu bewältigen. Indem die Wohnvorstellung durch die Erscheinungstheologie abgelöst wird, ist die Frage nach der Gegenwart Jahwes beantwortet: nicht ein bestimmter Ort ist heilig, sondern das Volk, sofern es an den kultischen Einrichtungen festhält und damit bei Jahwe bleibt. »Und wo Israel um Jahwe geschart ist, dort ist es wirklich Israel, an welchem Ort es auch immer ist.«[168] Jahwe ist somit die einzige Mitte Israels. Das Zeltheiligtum ist die Verwirklichung dieser Mitte, da Jahwe in ihm gegenwärtig wird.

Das Neue des priesterschriftlichen Entwurfes ist aber nicht nur die Verlegung des Kultes an den Sinai und die Beweglichkeit des Heiligtums, sondern auch die Begründung des Heiligtums durch die Anweisungen Jahwes. Die Zurückführung des Kultes auf das Wort Jahwes entspricht der priesterschriftlichen Auffassung vom Wort Gottes, die *Andreas Eitz* herausgearbeitet hat: »Jahwes spezifisches Tun ist sein Reden. Sein Eingriff in die Geschichte selbst ist erst auf sein Wort hin entstanden. Nicht nur das jeweilige Einzelgeschehen, sondern das Ganze aller Geschichte ist Produkt des Wortes Jahwes.«[169] Die Sinaierzählung der Priesterschrift ist von der Worttheologie ihres Verfassers bestimmt. Jahwes Wort ist geschichtsmächtig, indem es vom Anfang der Schöpfung an die Geschichte Israels wie der Menschheit gewirkt hat. Mit der Kundgabe des Heiligtums am Sinai ist dieses in der Geschichte begründet und bleibt dem Volk erhalten. Die Geschichtsmächtigkeit des Wortes Jahwes bedingt aber gleichzeitig auch die Hoffnung auf ein neues Heiligtum.

Die Priesterschrift hat somit für Einrichtung und Ausübung des Kultes einen eigenständigen Entwurf vorgelegt. Die Besonderheit der priesterschriftlichen Konzeption zeigt sich vor allem im Vergleich mit dem sog.

---

167 Vgl. dazu *G. Chr. Macholz*, Israel und das Land, Habil. theol. Heidelberg 1969. Das Verhältnis zwischen Deuteronomium und Priesterschrift und die Frage der möglichen Beeinflussung und Abhängigkeit bedarf weiterer Untersuchung. Da hier nur theologische Anschauungen und Lösungen verglichen werden sollen, kann die Frage nach Alter und Herkunft des Deuteronomiums und dem Träger dieser Überlieferung offen bleiben, vgl. dazu *O. Kaiser*, Einleitung in das Alte Testament (1969) S. 100–113.
168 *G. Chr. Macholz*, Israel und sein Land (Habil.theol. Heidelberg 1969) S. 159.
169 *A. Eitz*, Studien zum Verhältnis von Priesterschrift und Deuterojesaja (Diss. theol. Heidelberg 1969) S. 85–95, Zitat S. 90.

Verfassungsentwurf des Ezechiel. In Ez 40-48 liegt mit 40,1-37.47-49; 41,1-4 eine Vision des Tempels vor, in der das Tempelgebäude, die Höfe und die Tore vermessen und auf diese Weise beschrieben werden[170]. Die Beschreibung dieses Tempels ist am Tempel von Jerusalem orientiert und gibt für die Innenmaße der Tempelräume mit Ausnahme einer kleinen Abweichung bei der Vorhalle die Abmessungen des salomonischen Baus wieder[171]. Für Ezechiel ist der Jerusalemer Tempel die Norm, von der nicht abgewichen werden darf. Der Tempel wird »dem Propheten als das geheimnisvoll von Jahwe selber gestaltete Werk in der Schau gezeigt«[172]. In dieser Vision gewinnt das zerstörte Heiligtum erneut Gestalt. Diese Vision Ezechiels ist dann zu einem umfangreichen Programm für den Wiederaufbau des Tempels in Jerusalem ausgestaltet worden[173], wobei die Nachkommen Zadoks ausdrücklich als Priester am Heiligtum eingesetzt werden[174], während die Lade nicht mehr erwähnt wird. Das geschaute Abbild des Jerusalemer Tempels ist Ezechiels Trost an die Exilierten.

Wie auch die sonstige Geschichtserzählung so hat die Priesterschrift die Sinaierzählung auf die Situation nach der Katastrophe von 587 zugeschnitten. Das Ausmaß dieser Katastrophe geht aus den Klageliedern deutlich hervor, in denen der erlittene Verlust zur Sprache gebracht ist[175]. Die Zerstörung von Stadt und Tempel ist Gottes Gericht wegen der Verfehlung seines Volkes, vgl. Thr 2,21; 4,11.16. Königtum und Tempel sind gleichermaßen von Jahwe verworfen, vgl. Thr 2,6-9. Wie die Stadt so liegt die Hoffnung des Volkes in Trümmern, die Erwählung des Königs wie die Erwählung des Volkes sind gleichermaßen zerbrochen. Jahwes Wohnsitz auf Erden ist von Jahwe selber den Feinden preisgegeben worden. Der gleiche Gedanke der Verwerfung des Volkes durch Jahwe findet sich auch in den sicher nachexilischen Psalmen 44 und 89. Daß trotz der Zerstörung möglicherweise weiter

---

170   Zur Literarkritik vgl. *W. Zimmerli*, BK XIII/2 (1969) S. 976ff; vgl. auch *W. Eichrodt*, Der neue Tempel in der Heilshoffnung Hesekiels, in: Das ferne und das nahe Wort, BZAW 105 (1967) S. 37-48.

171   Zur Maßangabe für die Tiefe der Vorhalle vgl. *W. Zimmerli*, BK XIII/2 (1969) S. 990. In Ez 40,48.49; 41,1-4 fehlen allerdings die Höhenangaben. *W. Zimmerli*, Ezechieltempel und Salomostadt, SVT 16 (1967) S. 389-414 hat auch für die Tore den Rückgriff auf die in Israel zu belegende Bauweise des Dreikammertores nachgewiesen. Auf die Bestrebung, alle Abmessungen auf die Hälfte oder ein Vielfaches von 50 Ellen abzustimmen, braucht hier nicht eingegangen zu werden.

172   *W. Zimmerli*, VT 18 (1968) S. 234.

173   Für die Intentionen dieses Programms vgl. *W. Zimmerli*, Planungen für den Wiederaufbau nach der Katastrophe von 587, VT 18 (1968) S. 229-255; *G. Ch. Macholz*, Noch einmal: Planungen für den Wiederaufbau nach der Katastrophe von 587, VT 19 (1969) S. 322-352.

174   Vgl. *J. Bowmann*, Ezechiel and the Zadokite Priesthood, TGUOS 16 (1955/56 ⟨1957⟩) S. 1-14; *A. H. J. Gunneweg*, FRLANT 89 (1965) S. 188-203. Die Leviten sind dagegen Priester am Altar, vgl. *W. Zimmerli*, BK XIII/2 (1969) S. 1128-1133.

175   Vgl. *H.-J. Kraus*, BK XX (²1966) S. 15-18 und zu den genannten Stellen. Der Abfassungsort der Klagelieder ist nicht sicher zu ermitteln, mit grundsätzlich verschiedenen Deutungen der Katastrophe von 587 unter den Exilierten und den im Land Verbliebenen ist nicht zu rechnen. Vgl. auch *E. Janssen*, FRLANT 69 (1956) S. 82-104.

Opfer im Tempelhof stattfanden[176], ändert nichts an der Erschütterung, die von der Eroberung Jerusalems ausgelöst wurde.

Die Zeit nach 587 ist sowohl im babylonischen Exil wie in Juda gekennzeichnet durch die Zerstörung des Tempels und das Ende des Königtums. Gegenüber diesen einschneidenden Veränderungen greift die Priesterschrift bewußt auf den Kult als eine Möglichkeit zurück, das Leben und das Volk in der Nähe Jahwes zu erhalten. Gegenüber dem Verlust der Volk und Staat tragenden Institutionen betont die Priesterschrift die entscheidende Rolle des Hohenpriesters und die Unverlierbarkeit des Heiligtums. Die neue Rolle des Hohenpriesters wird in der Stellung Aarons deutlich. Als erster Priester Israels hat Aaron »kultische Stellung und Ornat des Königs übernommen«[177] und damit den König auf dem Throne Davids zumindest in seiner kultischen Funktion ersetzt.[178] Das Heiligtum ist nicht mehr königliche Kultstätte und Reichstempel, sondern Offenbarungsstätte. Es wurde bereits am Sinai durch Jahwe vermittelt. Das Mose mitgeteilte Heiligtum bleibt unverlierbar der Mittelpunkt des Volkes, da es allein an das Wort gebunden ist.

Mit der Vermittlung des Heiligtums im Wort hat die Priesterschrift die Kultstätte spiritualisiert. Diese Spiritualisierung ist nicht nur erfolgt, um für den zerstörten Tempel einen Ersatz zu schaffen, indem an seine Stelle die Mitteilung des Heiligtums im Wort tritt. Vielmehr wird der Tempel im Wort gegenwärtig und hat eine worthafte Gestalt, die von seiner realen Verwirklichung unabhängig ist. Nicht die Beschreibung oder die Begründung eines neuen Tempels ist die eigentliche Absicht der Priesterschrift, sondern die Vergegenwärtigung der Kultstätte im Wort. Beim Lesen, Sprechen und Hören der priesterschriftlichen Sinaierzählung ersteht die Kultstätte jeweils aufs neue und bleibt so unzerstörbar der Mittelpunkt des Volkes. Diese Vergegenwärtigung des Heiligtums im Wort ist gleichzeitig die Versicherung der Gegenwart Jahwes. Bereits *Marie-Louise Henry* hat die Bedeutung dieser Spiritualisierung herausgestellt: »Während des Exils trat zum ersten Mal in der Geschichte an die Stelle des gegenständlichen Tempelkultes das Buch, in welchem das geistige Bild des Verlorenen so beschlos-

---

176 So *E. Janssen*, FRLANT 69 (1956) S. 102, dagegen *D. Jones*, Cessation of Sacrifice after 586 B. C., JThS 14 (1963) S. 12–31. Auf das Problem des Fortbestehens der Fremdkulte braucht hier nicht eingegangen zu werden.

177 *O. Kaiser*, Einleitung in das Alte Testament (1969) S. 95. Zur Zusammenstellung der Amtstracht des Hohenpriesters in Ex 28 aus Elementen der priesterlichen und königlichen Bekleidung vgl. *M. Noth*, ATD 5 (³1965) S. 179–185.

178 In frühnachexilischer Zeit steht dann auch nach der Auffassung der Bücher Haggai und Sacharja der Hohepriester Josua gleichberechtigt neben dem Statthalter Serubbabel, der als Enkel Jojachins ein Davidide ist. Vgl. dazu *K. Galling*, Serubbabel und der Hohepriester beim Wiederaufbau des Tempels in Jerusalem, Studien zur Geschichte Israels im persischen Zeitalter (1964) S. 127–148; *G. Sauer*, Serubbabel in der Sicht Haggais und Sacharjas, BZAW 105 (1967) S. 199–207; *P. R. Ackroyd*, Exile and Restauration (1968) S. 138–170. Erst nach der Wiederrichtung des Königstums in Juda durch die Hasmonäer hat der König das Amt des Hohenpriesters wieder übernommen.

sen war, daß es zur realen Vermittlung der Gewißheit göttlicher Gegenwart zu werden vermochte.«[178a]

Mit der Spiritualisierung des Heiligtums steht die Priesterschrift in einer Bewegung, die *Hans-Jürgen Hermisson* als Spiritualisierung der Kultbegriffe beschrieben hat[179]. Zwar läßt sich die Ablösung des Opfervollzugs durch die Übernahme in das Wort in vorexilischer Zeit nicht nachweisen, doch ist eine Entdinglichung des Opfers feststellbar. Möglicherweise hat bereits im Exil ein Ersatz des Opfers durch Verlesung des Opferrituals stattgefunden[180]. Jedenfalls hat *Hans-Jürgen Hermisson* an der Geschichte der תורה gezeigt, daß »auch das ›Wort‹ als ein Jahwe dargebrachtes Opfer verstanden werden« kann, der Sinn der »Entdinglichung« liegt für die Betroffenen in der »Möglichkeit, ihren Standort auch weiterhin im Kultus zu finden«[181].

Auch wenn die Priesterschrift nicht bewußt auf bereits erfolgte Spiritualisierung zurückgegriffen hat, so ist doch mit der Verlegung des Heiligtums und seiner Einrichtung in das Wort die größtmögliche Sicherung des Kultus erfolgt. Die kultischen Einrichtungen sind im Wort unvergänglich errichtet und zu einem dauernden Bestand erhoben. Die Beschreibung der Stiftung des Heiligtums am Sinai in der Priesterschrift hat den Sinn, Tempel und Kult inmitten Israels und als Mitte Israels unverlierbar zu erhalten.

Der Vorstellungshorizont der Priesterschrift weist auf einen Priester oder eine bestimmte Priesterschaft als Verfasser. Wegen der erkennbaren Konzeption stammt der Verfasser aber kaum aus der Priesterschaft in Jerusalem, wo seit Salomo die Zadokiden amtierten[182]. Vielmehr ist in der Prie-

---

178a   *M.-L. Henry*, ATh 3 (1960) S. 29.

179   *H.-J. Hermisson*, Sprache und Ritus im altisraelitischen Kult, WMANT 19 (1965). Eine Spiritualisierung des Tempels hat *Hermisson*, ebd., S. 106, jedoch ausdrücklich ausgeschlossen.

180   So *A. Menes*, Tempel und Synagoge, ZAW 50 (1932) S. 268–276, doch ist kein auch nur einigermaßen sicherer Nachweis zu führen; grundsätzlich hat *Menes* mit der Feststellung recht: »An die Stelle der Opfer tritt die Opferthora, die Rezitation der Opfervorschriften« (S. 274). Entsprechend seiner Auffassung von der Entstehung der Synagoge in der Exilszeit hält *Menes* das priesterschriftliche Zeltheiligtum für das Vorbild, nach dem die Synagogen errichtet werden sollen.

181   *H.-J. Hermisson*, WMANT 19 (1965) S. 60 und 63.

182   Bereits David hat Zadok neben dem aus Nob stammenden Ebjathar zum Priester gemacht 2. Sam 8,17; 20,25. Nach der Verbannung Ebjathars durch Salomo wurde Zadok alleiniger Priester an dem neu errichteten Tempel (1. Kön 2,35). Das Priesteramt geht auf dessen Sohn Asarjahu über (1. Kön 4,2). Die Nachkommen Zadoks waren dann bis zur Vertreibung des Hohenpriesters Onias die Inhaber des obersten Priesteramtes. Über die Herkunft Zadoks ist nichts bekannt, wahrscheinlich war Zadok ein jebusitischer Priester am vorisraelitischen Heiligtum in Jerusalem, der zur Jahweverehrung übergegangen ist, vgl. *H. H. Rowley*, Zadok and Nehushtan, JBL 58 (1939) S. 113–141. Weniger wahrscheinlich ist die Annahme, Zadok habe David bereits in Hebron gedient, so *Ch. E. Hauer*, Who was Zadok?, JBL 82 (1963) S. 89–94. Die These von *K. Budde*, Die Herkunft Ṣadoḳ's, ZAW 52 (1934) S. 42–50, daß Zadok ein Bruder des 2. Sam 6,36 erwähnten Ussa gewesen sei, ist aus chronologischen Gründen unhaltbar, wie *H. H. Rowley*, JBL 58 (1939) S. 121f und *A. H. J. Gunneweg*, FRLANT 89 (1965) S. 99f gezeigt haben. *A. Bentzen*, ZAW 51 (1933) S. 174 hält Zadok für den letzten

sterschrift Aaron zum Priester schlechthin erhoben[183]. Durch die alten Quellen ist eine solche Stellung Aarons nicht vorgegeben. Im jahwistischen Geschichtswerk tritt Aaron Ex 15,20 neben Mirjam und Ex 17,8–16 neben Mose, Josua und Hur auf. Beim Elohisten ist Aaron im Rahmen der Überlieferung vom Gottesberg Ex 18,12 genannt. Diese Erwähnungen deuten eine priesterliche Funktion Aarons allenfalls an[184]. An allen übrigen Stellen ist Aaron sekundär in den Text eingetragen, oder die Texte gehören nicht zum ursprünglichen Bestand der alten Quellen[185]. Aaron ist somit als eine selbständige Gestalt der Frühgeschichte Israels kaum greifbar[186], doch hat er bereits während der Königszeit eine größere Bedeutung erlangt.

Als Gegenspieler des Mose tritt Aaron in Ex 32 auf. Das Kapitel gehört nicht zum ursprünglichen Bestand des jahwistischen Geschichtswerkes, sondern ist »ein Fremdling innerhalb der Pentateucherzählung«[187]. Es steht in einem Zusammenhang mit der 1. Kön 12,27ff berichteten Erhebung Bethels zum Reichsheiligtum des Nordreiches unter Jerobeam I. In Ex 32 liegt eine Ablehnung des Stierkultes von Bethel vor. Wenngleich nicht mit der Umgestaltung einer älteren Tradition, die einmal den Stierkult von Bethel begründet hat, zu rechnen ist[188], so richtet sich die Polemik in Ex 32 doch nicht nur gegen das Stierbild, sondern auch gegen die an ihm amtierende Priesterschaft. Die Verbindung Aarons mit dem Stierkult in Bethel zeigt aber, »daß Aaron in Bethel zu Hause gewesen sein muß und daß sein Name hier Eponym einer Priesterschaft war«[189]. Nähere Einzelheiten über die Herkunft dieser Priesterschaft und die Geschichte ihrer Amtsausübungen lassen sich nicht mehr ermitteln. »Mit Sicherheit läßt sich aus Ex 32 in Verbindung mit 1. Reg 12 nur erschließen, daß es zur Zeit des Jerobeam in Bethel eine Priesterschaft gab, welche sich von Aaron ableitete.«[190]

Die Priesterschrift hat die Gestalt Aarons in der Überlieferung vorgefunden und zum Priester schlechthin ausgebaut. »Der nach P einzig legitime Prie-

---

Priesterkönig von Jerusalem vor David, doch ist diese Annahme nicht zu belegen. *E. Auerbach*, Die Herkunft der Sadokiden, ZAW 49 (1931) S. 327f rechnet damit, daß Zadok Priester in Gibeon gewesen sei, vgl. dagegen bereits *H. H .Rowley*, JBL 58 (1939) S. 119–121.

183   Vgl. dazu *A. H. J. Gunneweg*, FRLANT 89 (1965) S. 138–158, der jedoch die priesterschriftliche Grundschicht nicht streng von den sekundären Stücken trennt.

184   *G. Westphal*, Aaron und die Aaroniden, ZAW 26 (1906) S. 201–230 und *M. Noth*, Überlieferungsgeschichte des Pentateuch (²1960) S. 196–198 rechnen denn auch damit, daß Aaron ursprünglich ein Führer im Bereich der Südstämme gewesen ist.

185   Ex 4,13–16; 24,1.9–11; Num 12. Vgl. Ex 5,1.4.20; 6,13; 8,4.8.21; 9,27; 10,3.8.19; 12,3.

186   *A. H. J. Gunneweg*, FRLANT 89 (1965) S. 81–88.

187   So *M. Noth*, Überlieferungsgeschichte des Pentateuch (²1960) S. 160, vgl. jetzt *L. Perlitt*, WMANT 36 (1969) S. 203–216, der vor allem auf die Zusammenhänge mit der Theologie des deuteronomistischen Geschichtswerkes hingewiesen hat.

188   So *Th. J. Meek*, Aaronites and Zadokites, AJSL 45 (1928/29) S. 149–166; *W. Beyerlin*, Herkunft und Geschichte der ältesten Sinaitraditionen (1961) S. 147f.

189   *A. H. J. Gunneweg*, FRLANT 89 (1965) S. 90, so aber bereits *P. H. Kennett*, The Origin of the Aaronite Priesthood, JThS 6 (1904/5) S. 161–186, bes. S. 165f.

190   *A. H. J. Gunneweg*, FRLANT 89 (1965) S. 93.

ster *heißt* Aaron, weil nur Aaron am Sinai ansetzbar ist. Und dieser Name will primär die Legitimität der idealen Priesterschaft theologisch begründen.«[191] Diese Wahl Aarons bedeutet aber den Ausschluß der zadokidischen Priesterschaft von Jerusalem, die Priesterschrift geht darum kaum auf zadokidische Kreise zurück[192]. Der priesterschriftliche Verfasser ist dann aber unter der Priesterschaft außerhalb Jerusalems zu suchen. Dabei scheidet auch das Priestergeschlecht der Eliden aus Silo, das seit der Verbannung Ebjathars durch Salomo in Anatoth ansässig war[193], aus dem möglichen Kreis der Verfasser aus, da sich diese Priesterschaft nicht von Aaron abgeleitet hat[194].

Nun hat seit der Erhebung Bethels zum Reichsheiligtum durch Jerobeam I. eine Ablehnung des dortigen Tempels in prophetischen Kreisen bestanden[195]. Dennoch hat Bethel für das Nordreich eine große Bedeutung besessen[196]. Nach dem Elohisten wurde das Heiligtum von Jakob gegründet (Gen 28,18f; 31,7; 35,7.14). Wenngleich diese Traditionen eine spätere Legitimierung darstellen, so war Bethel doch eine altisraelitische Kultstätte, die im Vergleich zu Jerusalem auf alte Ansprüche verweisen konnte und notwendigerweise nach der Erhebung zum Reichstempel in Gegensatz zum Jerusalemer Tempel geraten mußte. Josia hat das Heiligtum von Bethel zwischen 628 und 622 zerstört (2. Kön 24,15) und damit »außer Konkurrenz gesetzt«[197]. Über den Verbleib des alten Priestergeschlechts der Aaroniden verlautet nichts. *Fritz Dumermuth* hat zwar angenommen, »daß Bethel auch in der Exilszeit unter aaronitischer Führung ein führendes Heiligtum blieb, ja, vielleicht überhaupt sich zum Kultzentrum des ganzen Landes aufschwang«[198], doch fehlt für diese Vermutung jeder Hinweis.

Der Ausbau der besonderen Stellung Aarons in der Priesterschrift steht somit im Gegensatz zu der Geschichte der Aaroniden als den Priestern von Bethel. Die Erhebung Aarons zum ersten Priester Israels schlechthin erklärt sich nur, wenn hinter der Priesterschrift eine solche Priesterschaft steht, die sich entweder von Aaron ableitete oder doch zumindest Aaron als *den* Priester der Frühzeit auffaßte. Damit weist die einzigartige Stellung Aarons auf

---

191   *A. H. J. Gunneweg,* FRLANT 89 (1965) S. 186.

192   Die Diskrepanz zwischen Anspruch und Wirklichkeit ist in nachexilischer Zeit dadurch überwunden worden, daß im chronistischen Geschichtswerk Zadok zum Aaroniden gemacht worden ist.

193   Demgegenüber hat *T. E. Fretheim,* VT 18 (1968) S. 317 die Verbindung der Aaroniden mit der Priesterschaft von Anatoth vorgeschlagen. Daß Anatoth in Jos 21,18 zu den Städten der Aaroniden gerechnet wird, reicht für die Postulierung eines solchen Zusammenhanges allerdings nicht aus.

194   Damit scheidet Silo als möglicher Haftpunkt für die priesterschriftliche Tradition aus, gegen *M. Haran,* Shiloh and Jerusalem, JBL 81 (1962) S. 14–24.

195   Vgl. Am 4,4; 5,5f; Hos 4,15; 5,8; 10,5; 12,5. In Am 3,14 ist die Nennung der Altäre Bethels sekundär.

196   Zur Geschichte von Bethel vgl. *K. Galling,* ZDPV 67 (1944/45) S. 26–43.

197   *H. W. Wolff,* Das Ende des Heiligtums in Bethel, in: Archäologie und Altes Testament (1970) S. 287–298, Zitat S. 289.

198   *F. Dumermuth,* ZAW 70 (1958) S. 97.

Kreise im Bereich der Priesterschaft von Bethel als Verfasser des priesterschriftlichen Werkes.

Wie sehr sich der Verfasser der Priesterschrift einer besonderen Stellung Bethels bewußt war zeigt die Erzählung Gen 35,9–13a.15 P. Während alle Offenbarungen an die Erzväter und die Nachrichten über Altarbauten und Opfer von der Priesterschrift konsequent unterdrückt worden sind, wird die Benennung des Ortes der Gottesoffenbarung und Verheißung an Jakob mit dem Namen Bethel ausdrücklich erzählt. Auch wenn das einzige und wahre Heiligtum erst am Sinai ergehen wird, so ist Bethel doch die Stätte der Erscheinung Jahwes vor Jakob. Dagegen ist Mamre von der Priesterschrift gerade nicht bei der Offenbarung an Abraham (Gen 17), sondern erst im Zusammenhang mit dem Kauf der Höhle Machpela (Gen 23) erwähnt. Auch in Gen 35,9–13a.15 kann somit ein Hinweis auf die Abfassung der Priesterschrift durch die Priesterschaft von Bethel liegen.

Warum gerade aaronitische Kreise zur Bewältigung der Krise von 587 einen neuen Geschichtsentwurf verfaßten, bleibt vorläufig rätselhaft. Der Entwurf einer neuen Theologie des Tempels, in dem Jahwe selber das Heiligtum gestiftet und damit legitimiert hat, behauptet auch die alleinige Rechtmäßigkeit des aaronitischen Priestertums und stellt somit möglicherweise einen Versuch dar, die Aaroniten als alleinige Priester in nachexilischer Zeit durchzusetzen.

Die Geschichte der Priesterschaft von Bethel legt es nahe, daß die Priesterschrift nicht zu lange nach den Ereignissen von 587 in Juda entstanden ist. Eine nähere Festlegung von Entstehungsort und -zeit ist vorläufig nicht möglich und verlangt weitere Untersuchung der theologischen Strömungen in exilischer Zeit[199].

6.4
Die Erweiterungen

Wie die Literarkritik von Ex 25–27 gezeigt hat, ist der Werdegang des Abschnitts außerordentlich verwickelt. Die priesterschriftliche Sinaierzählung ist verschiedentlich neu bearbeitet worden, ohne daß für die Schichten dieser Bearbeitung eine letzte Sicherheit zu erreichen war. Deutlich ist aber, daß der priesterschriftliche Grundbestand nicht nur durch Zusätze glossiert, sondern durch umfangreiche Einschübe erweitert worden ist. Mit dieser Bearbeitung ist der priesterschriftliche Entwurf planmäßig umgestaltet worden, so daß nach Plan und Absicht dieser Bearbeitung gefragt werden kann.

6.4.1
Die Einleitung Ex 25,2–5.8.9

In der Einleitung Ex 25,2–5.8.9 wird in den V. 2–5 dem Volk eine תרומה

---

199 Vgl. dazu *O. H. Steck*, Das Problem theologischer Strömungen in nachexilischer Zeit, EvTheol 28 (1968) S. 445–458; *L. Perlitt*, Anklage und Freispruch Gottes. Theologische Motive in der Zeit des Exils, ZThK 69 (1972) S. 290–303.

genannte Abgabe auferlegt, die den Bau des Heiligtums ermöglichen soll. In
V. 8.9 wird das ab 25,10 Mose befohlene Heiligtum als מקדש und תבנית interpretiert. Das Zeltheiligtum soll somit einerseits mit den vom Volk gelie-
ferten Materialien und zum anderen nach einem himmlischen Modell gebaut werden. Mit beiden Vorstellungen ist die eigentliche Absicht des priesterschriftlichen Entwurfs verlassen.

Mit תרומה wird eigentlich die freiwillige Abgabe an den Tempel oder den
Priester bezeichnet[200]. Nach den Stücken sekundär zu P stand dem Priester
aber auch eine תרומה als Anteil am Opfer zu[201]. Im sog. Verfassungsentwurf des Ezechiel bleibt ein besonderes Gebiet des Landes abgetrennt (Ez
48,8–20), diese תרומה ist der Landanteil der Priester und Leviten sowie der
Stadt Jerusalem[202]. Die תרומה ist ursprünglich eine Bestimmung im kultischen Bereich, um dem Priestertum Einkommen und Unterhalt zu sichern.
Wenngleich Deut 12,6.11.17 die ältesten Belege für diese Art der »Besteue-
rung« sind, so wird es sich doch um einen Brauch aus der Königszeit handeln, der zumindest am Tempel von Jerusalem wahrscheinlich aber in allen
Tempeln des Landes geübt wurde.

In dem sekundären Abschnitt Ex 30 wird V. 11–16 die Entrichtung einer
תרומה in Höhe eines halben Schekels vorgeschrieben. Mit diesem Geld soll
der Unterhalt des Zeltes bestritten werden. Hinter dieser Anweisung Ex
30,11–16 steht der Gedanke einer allgemeinen Tempelsteuer, die durch Zurückführung auf Mose legitimiert werden soll. Bereits in der Königszeit
wurde eine Abgabe in Geld für die Erhaltung des Tempels eingesammelt
(2. Kön 12,10–13; 22,3-7). Eine jährliche geldliche Zuwendung an den
Tempel in Höhe von einem Drittel Schekel für die Durchführung der Opfer
und »jegliche Arbeit am Haus unseres Gottes« ist Neh 10,33 für die nachexilische Zeit ausdrücklich belegt[203]. Mit dieser Tempelsteuer ist das Abga-
bewesen insofern grundlegend neu geregelt, als dem Tempel damit ein re-
gelmäßiges Einkommen gesichert worden ist. In Ex 25,2–5 ist die תרומה
zum Zeltbau in Form von Baumaterialien eine Abgabe an Jahwe. Der Gedanke ist in dem Ausführungsbericht Ex 35 und 36 weiter ausgeführt. Mit
der תרומה wird das Zeltheiligtum ein vom Volk erbrachtes Heiligtum und
verliert den Charakter der göttlichen Stiftung. Das Volk trägt mit seinen
Gaben entscheidend zum Bau bei. Der priesterschriftliche Entwurf wird
zum Programm, nach dem der Bau auszuführen ist.

Das Zeltheiligtum wird Ex 25,9 תבנית genannt. Mit תבנית ist 2. Kön 16,10
eine bildliche oder figürliche Darstellung in Form eines Plans oder eines
Modells bezeichnet. Sonst meint das Wort jede Art figürlicher Darstellung
von Mensch oder Tier[204]. Nach der Vorstellung des chronistischen Ge-

---

200 Vgl. Num 5,9; Deut 12,6.11.17; Ez 20,40; Mal 3,8; Neh 12,44.
201 Vgl. Ex 29,26–28; Lev 7,14.32.34; 10,14.15; 22,12; Num 6,19f.
202 Vgl. dazu G. *Ch. Macholz*, VT 19 (1969) S. 332–336.
203 Vgl. dazu W. *Rudolph*, HAT I,20 (1949) S. 177f, der auch auf die verschiedene Höhe der
Tempelsteuer eingeht.
204 Vgl. Deut 4,16–18; Jes 44,13; Ez 8,10; Ps 106,20.

schichtswerkes hatte bereits Salomo den Tempel nach einer תבנית gebaut,
die ihm David übergeben hatte (1. Chr 28,11–19), diese תבנית dient somit
der Legitimation für das Heiligtum. Ähnlich soll das Zeltheiligtum Ex 25ff
nach einem himmlischen Abbild gebaut werden[205], das seine Errichtung
nach dem Willen Jahwes verbürgt.
Ex 25,8 interpretiert dieses Heiligtum im Sinne eines festen Tempelbaus
mit einer massiven Wohnvorstellung. מקדש bezeichnet immer das aus
Steinen errichtete Tempelhaus – vor allem den Tempel in Jerusalem[206]. Das
Wort wird vorwiegend in der Kultsprache verwendet, im profanen Sprachgebrauch wird der Tempel mit היכל oder בית יהוה bezeichnet[207]. Nur in
Stücken sekundär zur Priesterschrift wird auch das Zeltheiligtum מקדש genannt[208], während die Priesterschrift die Bezeichnung אהל מועד durch-
hält[209]. Die mit dem Verbum שכן verbundene Wohnvorstellung ist der
Priesterschrift fremd, das Zelt ist die Stätte des Erscheinens Jahwes[210]. Dagegen ist der Tempel von Jerusalem von Anfang an mit der Vorstellung der
Wohnung Jahwes auf Erden verbunden, die bereits im Tempelweihspruch
1. Kön 8,12f zum Ausdruck kommt.
Die Einleitung Ex 25,2–5.8.9 erweist sich somit in allen Teilen von Vorstellungen aus dem Bereich des Jerusalemer Tempels geprägt. In ihr spiegelt
sich die nachexilische Situation des Wiederaufbaus[211]. Der Tempel soll als
Leistung des Volkes und getreues Abbild göttlicher Anordnung erscheinen.
Mit diesem Stück ist der Versuch gemacht, den priesterschriftlichen Entwurf als ein Programm für den nachexilischen Tempel zu deuten und diesen
als in Übereinstimmung mit den göttlichen Anordnungen an Mose hinzustellen. Dieser Versuch der Aktualisierung der priesterschriftlichen Sinaierzählung und der Legitimation des Tempels in nachexilischer Zeit hat
dann noch weitere Ergänzungen zur Priesterschrift nach sich gezogen.

---

205 Zur Frage des himmlischen Tempels in nachexilischer Zeit vgl. *R. G. Hamerton Kelly*,
The Temple and the Origins of Jewish Apocalyptic, VT 20 (1970) S. 1–15, der allerdings die in
Ex 25,9 zum Ausdruck gebrachte Vorstellung für priesterschriftlich hält.
206 Vgl. Jos 24,26; Jes 16,12; Am 7,9.13; Ez 28,18 und Ex 15,17; Lev 12,4; 21,12; Jes 8,14;
60,13; Jer 17,12; 51,51; Ps 68,36; 73,17; 96,6 u. ö.
207 Vgl. 1. Sam 1,9; 3,3; 2. Sam 22,7; 1. Kön 6,3.5.17.33; 7,21.50; 2. Kön 18,16; 23,4
u. ö. sowie Ri 19,18; 1. Sam 2,27; 3,15; 7,2; 2. Sam 12,20; 1. Kön 3,1; 6,37; 7,12.
40.45.48.51; 8,11.63.64; 9,1.10.15; 10,5 u. ö.
208 Num 3,38; 10,21; 18,1.29; 19,20.
209 Vgl. Ex 40,34a; Lev 8,3.4.31.33.35; 9,5.23; Num 1,1; 2,2; 4,3.35.37.39.41.43.47;
14,10; 16,2.18; 20,6.
210 Nur in Stücken sekundär zur Priesterschrift ist die Wohnvorstellung vereinzelt mit dem
Zeltheiligtum verbunden worden, vgl. Ex 25,8; 29,45; 40,35; Num 9,18. Nur *R. Schmitt*, Zelt
und Lade als Thema alttestamentlicher Wissenschaft (1972) S. 214-228 rechnet auch für die
Priesterschrift mit einer Theologie der dauernden Anwesenheit Jahwes am Heiligtum, dagegen
spricht aber, daß alle Belege der nachpriesterschriftlichen Bearbeitung entstammen.
211 Zur Geschichte des Tempelneubaus vgl. *K. Galling*, Serubbabel und der Hohepriester
beim Wiederaufbau des Tempels in Jerusalem, Studien zur Geschichte Israels im persischen
Zeitalter (1964) S. 127–148.

6.4.2
Der Leuchter

Die Beschreibung des Leuchters in Ex 25,31–37a läßt trotz ihrer Ausführlichkeit keine völlig sichere Rekonstruktion zu, da die genannten Einzelheiten und ihre genaue Position nicht zu ermitteln sind. Zu beiden Seiten eines Schaftes sollen je drei Arme (קנים) ausgehen. Der zentrale Schaft wird V. 34f מנרה genannt, während in V. 31 die allgemeine Bedeutung »Leuchter« für dieses Wort anzunehmen ist[212]. Mit ירכיה »ihre Schenkel« könnten die Standfüße des Schaftes gemeint sein, wie bereits *Martin Noth* vermutet hat[213]. Die Verzierung der Arme wie des Schaftes soll aus Schalen (גביעים) bestehen, die jeweils durch den Zusatz משקדים und die Begriffe »Kapitel und Blüte« (כפתור ופרח) näher bestimmt werden. Die Bedeutung von משקדים muß offen bleiben, während »Kapitel« und »Blüte« auf schalenförmige Erweiterungen weisen. Gemeint sind damit wohl Ausbuchtungen der Arme wie des Schaftes, deren genaue Form nicht bestimmt werden kann. Während für die sechs Arme jeweils drei solcher »Schalen« angegeben sind, besitzt der Schaft vier, wobei ihre Stellung über, zwischen und unter den drei Armen auf eine Funktion als Bindeglied hinweist. Bei diesen Ausbuchtungen handelt es sich somit nicht allein um eine dekorative Ausschmückung, sondern um konstruktionsbedingte Verbreiterungen, die für das Zusammenfügen der verschiedenen Teile des Leuchters notwendig waren[214]. Wenngleich darüber ausdrücklich nichts gesagt ist, so werden doch die Arme im Bogen nach oben gelaufen und auf gleicher Höhe mit dem Schaft zum Abschluß gekommen sein. Auf ihnen haben sieben Lampenschalen (נרת) gestanden, der Leuchter ist somit ein siebenarmiger Ständer für die Lampenschalen.

Im salomonischen Tempel haben nach 1. Kön 7,49 zehn goldene Leuchter gestanden, doch ist die Zehnzahl eine sekundäre Erweiterung, wie das singularische פרח zeigt, das auf nur einen Leuchter zu beziehen ist[215]. Für den Tempel in Jerusalem ist deshalb von Anfang an mit nur einem Leuchter zu rechnen. Dieser ist·nicht näher beschrieben, doch sind seine Bestandteile mit מנרה, פרח und נרת genannt. Dabei bezeichnet מנרה den Ständer für die Lampenschalen (נרת)[216]. Mit פרח muß somit ein Teil gemeint sein, der das Anbringen oder Abstellen mehrerer Lampenschalen auf einen Ständer ermöglichte. Das Wort legt die Annahme eines kelchförmigen Aufsatzes auf dem Ständer nahe. Die Zahl der Lampenschalen ist nicht genannt.

Einen ähnlichen Aufbau läßt der Leuchter erkennen, der im 5. Nachtgesicht

---

212   Sam liest in Ex 25,31b ירכיה קניה. Die Weiterführung der Aufzählung in diesem Halbvers legt die Pluralform als ursprüngliche Lesart nahe.

213   *M. Noth*, ATD 5 (³1965) S. 169.

214   Die Rekonstruktion durch *J. A. Scott*, The Pattern of the Tabernacle (Masch. Diss. Pennsylvania 1965) S. 209, Fig. 39 läßt diese Funktion durchaus erkennen.

215   So *M. Noth*, BK IX/1 (1968) S. 166.

216   Vgl. dazu *K. Möhlenbrink*, ZDPV 52 (1929) S. 262–276.

des Sacharja (Sach 4,2) beschrieben ist[217]. Auf einem Ständer (מנרה) sitzt
eine גלה, die wiederum sieben Lampenschalen (נרת) trägt. Jede dieser Lampen hat sieben »Schnauzen« (מוצקות). Für גלה hat *Martin Noth* analog zum
akkadischen Wort *gullu* die Grundbedeutung »Becken«, »Schale« angenommen[218]. In 1. Kön 7,41f bezeichnet גלת הכתרת das Säulenkapitel.
Demnach wird גלה einen beckenförmigen Aufsatz auf dem Ständer bezeichnen. Dabei entspricht die גלה als selbständiger Bestandteil des Leuchters seiner Lage nach dem פרח des Leuchters von 1. Kön 7,49. Beides »waren Aufsatzstücke auf den Lampenständern«[219]. Die Beschreibung Sach 4,2
ist wahrscheinlich an dem Leuchter im ersten Tempel orientiert, da die
Nachtgesichte Sacharjas vor die Einweihung des zweiten Tempels zu datieren sind.

Im Tempel von Jerusalem bestand bis zu seiner Zerstörung 587 der Leuchter
somit aus einem Ständer, einem Aufsatz und den Lampen. Zu Ständer und
Aufsatz bilden die in Taanak und Megiddo gefundenen Bronzeständer eine
Parallele, auch wenn sie nach Ausweis des Kontextes aus der Spätbronzezeit
stammen und sich ihre Verwendung als Lampenständer nicht nachweisen
läßt[220]. Die Lampen hatten wahrscheinlich die in der Eisenzeit gebräuchli-
che Form einer runden Schale mit Fuß und eingedrückter Schnauze, waren
aber möglicherweise ebenfalls aus Metall gefertigt.

Über den im zweiten Tempel aufgestellten Leuchter ist in persischer und
hellenistischer Zeit nichts bekannt. Diesen Leuchter hat Antiochus Epiphanes wie auch die sonstigen Tempelschätze gebrandschatzt (1. Makk 1,21).
Unter Judas Makkabäus wurde bei der Wiedereinweihung des Heiligtums
auch ein neuer Leuchter im Tempel aufgestellt (1. Makk 4,29f). Über das
Aussehen dieses Leuchters verlautet ebenfalls nichts, doch ist ein siebenarmiger Leuchter auf Münzen des Mattatias Antigonus abgebildet, bei dem es
sich wahrscheinlich um den Leuchter im Tempel von Jerusalem handelt[221].
Dieser Leuchter ist dann von Titus zusammen mit anderen Kultgegenstän-

---

217 Vgl. dazu *K. Möhlenbrink*, Der Leuchter im 5. Nachtgesicht des Propheten Sacharia,
ZDPV 52 (1929) S. 257–286. Die Verwendung des archäologischen Materials bleibt jedoch
problematisch, da besondere in Kultbauten verwendete Beleuchtungsgeräte bisher für die Eisenzeit nicht nachgewiesen sind.
218 *M. Noth*, BK IX/1 (1968) S. 163; vgl. *W. von Soden*, AHW I (1965) S. 297.
219 *K. Möhlenbrink*, ZDPV 52 (1929) S. 281. *Möhlenbrink* denkt jedoch für die Form in
Analogie zu den sog. Kernoi an eine Kombination »aus einem Blattornamentstück und einer
darauf befindlichen Schale zur Aufnahme der Lampen«. Die Kernoi sind jedoch keine Beleuchtungsgeräte gewesen.
220 Vgl. die fünf Bronzeständer bei *G. Schumacher*, Tell el-Mutesellim I (1908) S. 84f,
Abb. 117f. Das Beispiel M 2702 aus Megiddo (*H. G. May*, OIP XXVI [1935] S. 19 und
Pl. XVII) stammt aus einem Grab der Spätbronzezeit II und trug eine Schüssel. Ein weiteres
Beispiel stammt aus Beth Sean Stratum VI (12. Jh.), vgl. *F. James*, The Iron Age at Beth Shan
(1966) Fig. 103,1. Weitere Beispiele solcher Bronzeständer stammen aus Zypern und Ugarit,
vgl. *H. W. Catling*, Cypriot Bronzework in the Mycenaean World (1964) Pl. 37a.b, der sie jedoch als Opferständer bezeichnet.
221 Abbildung bei *B. Kanael*, BAR III (1970) Pl. 3, Nr. 14. Zur Begründung der Abbildung
der Tempelgeräte auf den Münzen vgl. *B. Kanael*, ebd., S. 289.

den aus dem Tempel geraubt worden, er ist in dem Relief des Titusbogens dargestellt[222] und durch Josephus beschrieben[223]. Aus dem Bild und der Beschreibung geht eindeutig hervor, daß dieser Leuchter siebenarmig gewesen ist. Aus dem mittleren Schaft zweigten an jeder Seite drei weitere Arme ab, auf denen wie auf dem Schaft die Lampen aus Metall standen. Er steht auf einem Fuß von zwei achteckigen Sockeln, deren Dekoration mit Tierdarstellungen noch teilweise erkennbar ist. Josephus hat ausdrücklich auf die Besonderheit dieses Leuchters hingewiesen[224], er unterscheidet sich wie bereits derjenige in der makkabäischen Epoche grundlegend von demjenigen im ersten Tempel, als jener aus Ständer, Zwischenträger und Lampen bestand. Spätestens im 2. Jh. v. Chr. wurde somit ein siebenarmiger Leuchter im Tempel von Jerusalem aufgestellt. Wie weit dieser Leuchter demjenigen des zweiten Tempels entsprochen hat, ist nicht feststellbar. Es muß somit offen bleiben, ob bei der Neuerrichtung des Tempels am Ende des 6. Jh.s bereits ein siebenarmiger Leuchter aufgestellt wurde. Die Herkunft dieses siebenarmigen Leuchters ist nicht bekannt, nach der Zerstörung des Tempels durch die Römer ist er zum Symbol für das Judentum geworden[225]. Der Vergleich der in Ex 25,31–37a gegebenen Beschreibung mit den Leuchtern des Tempels in Jerusalem in den verschiedenen Epochen zeigt eindeutig, daß der beschriebene Leuchter der siebenarmigen Form entspricht, wie sie zuerst auf der Münze des Mattatias Antigonus belegt ist. Dieser siebenarmige Leuchter scheint in nachexilischer Zeit den bis dahin üblichen Leuchter in Form eines Ständers mit schalenförmigem Aufsatz und darauf gesetzten Lampen abgelöst zu haben. Da der in Sach 4,2 beschriebene Leuchter noch demjenigen des ersten Tempels entspricht, kann die Einführung des siebenarmigen Leuchters erst beim Wiederaufbau des Tempels in frühnachexilischer Zeit erfolgt sein. Ex 25,31–37a spiegelt somit den Leuchter im zweiten Tempel[226]. Mit diesem Nachtrag wird ein Leuchter in der Form desjenigen im Tempel der nachexilischen Zeit in das Zeltheiligtum

---

222 Vgl. die Abbildung in BZNW 26 (1960) nach S. 70.

223 Josephus, Bell. V, § 216 und VII, § 148f. Vgl. dazu *M. Kon*, The Menorah of the Arch of Titus, PEQ 82 (1950) S. 25–30; *W. Eltester*, Der siebenarmige Leuchter auf dem Titusbogen, BZNW 26 (1960) S. 62–76.

224 Auf das Problem des Fußes und den Symbolgehalt des Leuchters braucht hier nicht eingegangen zu werden. *H. Strauss*, The History and Form of the Seven-Branchend Candlestick of the Hasmonean Kings, Journal of the Warburg and Courtauld Institutes 22 (1959) S. 6–16 hat die Authentizität der Darstellung auf dem Titusbogen bestritten und nimmt für den Leuchter in der Zeit der Makkabäer ebenfalls einen dreißigfüßigen Ständer an. Die Beweisführung für diese Folgerung ist jedoch nicht zwingend.

225 Vgl. die große Materialsammlung von *A. Negev*, The Chronology of the Sevenbranched Menorah, EI 8 (1967) S. 193–210 (Hebr.) und *A. M. Goldberg*, Der siebenarmige Leuchter, zur Entstehung eines jüdischen Bekenntnissymbols, ZDMG 117 (1967) S. 232–246. Die Abbildung eines siebenarmigen Leuchters aus herodianischer Zeit ist bei den Ausgrabungen im Bereich der Altstadt von Jerusalem gefunden worden, vgl. *N. Avigad*, IEJ 20 (1970) Abb. gegenüber S. 1. Ob es sich dabei um die Darstellung des Leuchters im Tempel handelt, ist vorläufig nicht feststellbar.

226 So bereits *J. Gutmann*, A Note on the Temple Menorah, ZNW 60 (1969) S. 289–291.

eingefügt. Die Aufstellung des Leuchters ist in Ex 26,35aβ nachgetragen, wodurch die Verrückung des Tisches an die Nordseite notwendig wurde, was 26,35b angemerkt ist.

6.4.3
Der משכן

Mit dem משכן soll Ex 26,15.16.18.20.22.23.24a.26–28.30 ein Holzbau geschaffen werden, der mit dem Zelt ursprünglich nichts zu tun hat und 26,1–6 noch einmal eine eigene Zeltabdeckung erhält. Die Holzkonstruktion ist nicht in allen Teilen durchsichtig und wohl deshalb auch an verschiedenen Stellen ergänzt. Eine solche Konstruktion aus Brettern ist in vorexilischer Zeit nicht bekannt, im salomonischen Tempel waren die Wände allerdings mit Holz verkleidet, und der Debir war ein Einbau aus Holz (1. Kön 6,15–20). Mit משכנות kann in der Kultsprache der Psalmen die irdische Wohnstatt Jahwes bezeichnet werden (Ps 26,8; 43,3; 46,5; 74,7; 78,60; 84,2; 132,5.7), der Ausdruck gehört somit in den Bereich der Jerusalemer Kulttradition[227]. In den Stücken sekundär zur Priesterschrift ist dann משכן weitgehend zur Bezeichnung des gesamten Zeltheiligtums geworden[228].

Die Größe des משכן ist aus den Angaben über die Bretter zu errechnen. Danach ergibt sich für die Länge bei 20 Brettern zu je eineinhalb Ellen die Größe von 30 Ellen. Die Höhe entspricht der Länge der Bretter und damit 10 Ellen. Nur für die Breite fehlt die genaue Angabe. Zwar ist die Rückwand aus 6 Brettern gebildet, doch ist nicht klar, ob die beiden Eckbretter zusätzlich hergestellt (so der Zusatz V. 25aα) oder nur zwei der sechs Bretter besonders bearbeitet werden sollen[229]. Meistens wird die Breite mit 10 Ellen angenommen, so daß die Maße des משכן als Halbierung der Maße des salomonischen Tempels unter Absehung der Vorhalle und bei Übernahme der Höhe des Debir erscheinen[230], eine solche Abrundung ist aber unzulässig, weil die ursprüngliche Verhältnisbestimmung nichts mit den Abmessungen des Jerusalemer Tempels zu tun gehabt hat.

Möglicherweise liegt in der Angabe von 20 Brettern Länge und 6 Brettern Breite für den משכן eine Übernahme aus der Bautradition außerhalb Jerusalems vor. *Yohanan Aharoni* hat darauf hingewiesen, daß das Verhältnis der Bretter mit 20 zu 6 dem Größenverhältnis von 20 zu 6 Ellen des Tempels von

---

227 Vgl. dazu *W. H. Schmidt*, משכן als Ausdruck Jerusalemer Kultsprache, ZAW 75 (1963) S. 91f. In den ugaritischen Texten, auf die *Schmidt* hinweist, bezeichnet dagegen *mšknt* gerade die himmlische Wohnstatt der Götter. Zum möglichen Vorkommen des Wortes *mškn'* in den Inschriften von Hatra in der Bedeutung »Tempel« vgl. *D. R. Hillers, Mškn' »Temple« in Inscriptions from Hatra*, BASOR 207 (1972) S. 54–56.
228 Vgl. Ex 35,15.18; 36,14.20.22 u. ö. In der Chronik ist dieser Sprachgebrauch aufgenommen worden, vgl. 1. Chr 6,17.33; 16,39; 17,5; 23,26; 2. Chr 1,5; 29,6.
229 Vgl. *H. Holzinger*, KHC II (1900) S. 128.
230 Vgl. *H. Holzinger*, KHC II (1900) S. 127; *K. Galling*, HAT I,3 (1939) S. 135; *M. Noth*, ATD 5 (³1965) S. 173.

Arad entspricht, deshalb rechnet er den priesterschriftlichen Entwurf wie den Tempel von Arad der altisraelitischen Tempelbautradition außerhalb Jerusalems zu[231]. Der משכן ist zwar ein am Tempel von Jerusalem orientierter Einbau, der erst sekundär in den priesterschriftlichen Entwurf des Zeltheiligtums eingeschaltet worden ist und der von vornherein als ein Langhaus konzipiert war, dennoch kann die Verhältnisbestimmung auf die altisraelitische Tempelbautradition zurückgehen, ohne daß der משכן als solcher und damit das Zeltheiligtum auf diese zurückzuführen ist. Daß die Bewahrung einer Kultbautradition außerhalb Jerusalems noch in nachexilischer Zeit möglich war, zeigt der Tempel von Lachisch, der das gleiche Verhältnis von Länge zu Breite wie der Tempel von Arad aufweist.

Mit der Angabe für die Größe der einzelnen Bretter wurde dann die Abmessung des משכן in eine Beziehung zum Jerusalemer Tempel gesetzt. Wenngleich die Breite nicht sicher zu bestimmen ist, so zeigt doch schon die Annäherung der Maße von Länge und Höhe auf die Hälfte der Maße des salomonischen Tempels[232], daß der משכן diesem nachgebildet ist. Mit dem Einbau des משכן soll das priesterschriftliche Zeltheiligtum somit den Gegebenheiten des Tempels angepaßt werden.

6.4.4
Der Vorhof

Der Ex 27,9–18a beschriebene Vorhof bildet ein Rechteck von 50 x 100 Ellen. Dabei ist nicht an einen vorgelagerten Hof gedacht, vielmehr umgibt der Hof das Zeltheiligtum an allen vier Seiten und schafft somit einen heiligen Bezirk. Dieser Hof ist eingegrenzt durch zwischen Pfosten gespannte Vorhänge. Obwohl mehrere Einzelheiten über die Zahl der Pfosten, ihre Verbindung und ihre Fußgestelle mitgeteilt werden, so reichen diese Angaben für eine genaue Rekonstruktion nicht aus. Der Eingang befindet sich an der Ostseite, entsprechend dem Hof wird auch das Zelt in Längsrichtung orientiert gewesen sein. Die durch den Hof eingeführte Orientierung entspricht derjenigen des Tempels von Jerusalem, die allerdings beim Tempel von Arad ihre Entsprechung hat[233]. Die Einzäunung durch Vorhänge schirmt das Heiligtum von jeder direkten Einsicht und dem unmittelbaren Zugang ab. Der Hof steht somit im Widerspruch zu der Auffassung der Priesterschrift, wo das Zelt als sichtbar und zugänglich vorausgesetzt ist[234]. Bereits dem salomonischen Tempel war ein Hof vorgelagert, welcher innerhalb des königlichen Palastes gelegen hat. Zwar läßt sich die Zuordnung von

---

231 Y. *Aharoni*, The Solomonic Temple, the Tabernacle and the Arad Sanctuary, in: Orient and Occident, AOAT 22 (1973) S. 1–8.
232 Das Problem der Innen- und Außenmaße bleibt dabei unberücksichtigt, wichtig sind die Zahlenverhältnisse als solche. Aus dem Ex 26,1–6 beschriebenen Überwurf des משכן ist dessen Breite nicht zu ermitteln.
233 Zur Frage der Orientierung vgl. oben Abschnitt 3.6.3.
234 Vgl. Ex 40,34a; Lev 8,3.4.31.33.35; 9;5.23; Num 1,1; 2,2; 4,3.33.37.39.41.43.47; 14,10; 16,2.18; 20,6.

Tempel und Palastanlage und der verschiedenen dazugehörigen Höfe nicht ermitteln, die Überlieferung unterscheidet aber eindeutig zwei Höfe vor dem Tempel (2. Kön 21,5; 23,12)[235]. Eine besondere Heiligkeit haben die Höfe nicht besessen, sie waren allen Israeliten zugänglich. In der deuteronomistischen Bemerkung 1. Kön 8,64 wird denn auch die besondere Vorkehrung zur Heiligung des Hofes beim Opfer Salomos ausdrücklich erwähnt. In diesem Hof hat der Bronzealtar gestanden, der dann von Ahas durch einen größeren Steinaltar ersetzt worden ist (2. Kön 16,10–16)[236]. Der Hof war der Ort des Altars und der Opfer. Diese Funktion hatte auch der dem Tempelgebäude vorgelagerte Hof in Arad.

In Ex 27,9–18a werden zwar die Zuordnung des Zeltes und die Lage des Altars nicht näher beschrieben, doch lassen die Maßangaben erkennen, daß der Hof nicht dem Zelt vorgelagert war, sondern das Zelt an allen vier Seiten umgeben hat[237]. Die Absicht dieser Beschreibung ist somit nicht, einen Vorhof zum Zelt zur Aufstellung des Altars zu schaffen, sondern einen heiligen Bezirk für das Zelt abzugrenzen. Die Abmessungen des Hofes von 100 x 50 Ellen entsprechen keinen bekannten Größen im Tempelbau, doch sind sie für das Libanonwaldhaus (1. Kön 7,2) belegt. Die Maßangaben haben in dem im sog. Verfassungsentwurf des Ezechiel erkennbaren Bestreben, alle Maße im Bereich des Tempels auf die Hälfte oder ein Vielfaches von 50 abzustimmen, eine Entsprechung[238]. Wie in nachexilischer Zeit die Heiligkeit des Tempels auf den Vorhof übergeht[239], so wird das priesterschriftliche Zeltheiligtum durch einen heiligen Bezirk ergänzt, der es von der profanen Welt abgrenzt und die kultische Reinheit sichert. Im Gegensatz zur priesterschriftlichen Auffassung, nach der das Zelt im Mittelpunkt des Lagers steht und somit das Zentrum des Gottesvolkes bildet, wird nun durch die Ergänzung eines Hofes entsprechend den nachexilischen Verhältnissen am Tempel das Zelt vom Volk abgeschirmt und bildet somit einen selbständigen Bereich.

6.4.5
Zusammenfassung

Die Nachträge zum Zeltheiligtum zeigen eindeutig die Tendenz, das Zelt und seine Einrichtung an den Jerusalemer Tempel anzupassen[240]. Leuchter,

---

235 Vgl. oben Abschnitt 2.1.
236 Vgl. oben Abschnitt 2.3.2.
237 Vgl. den Versuch der Aufstellung und Zuordnung von M. *Haran*, The Priestly Image of the Tabernacle, HUCA 36 (1965) S. 191–226.
238 Vgl. dazu W. *Zimmerli*, Das Gnadenjahr des Herrn, in: Archäologie und Altes Testament (1970) S. 321–332, der die Zahl 50 mit dem erwarteten Jahr der Freilassung aus dem Exil in Zusammenhang bringt.
239 Bereits 2. Chr 4,9 ist der innere Hof den Priestern vorbehalten, die Chronik spiegelt hier wahrscheinlich die nachexilischen Verhältnisse. Beim Tempel des Herodes galt bereits der zweite Vorhof als heilig, vgl. Josephus, Bell. V, § 194. Zur Frage der kultischen Reinheit der Vorhöfe des zweiten Tempels vgl. G. *Dalman*, PJB 5 (1909) S. 33f.
240 Vgl. bereits K. *Koch*, ZThK 55 (1958) S. 38.

מִשְׁכָּן und Vorhof, die im priesterschriftlichen Entwurf fehlen, sind nachträglich zur Vervollständigung im Sinne des zweiten Tempels ergänzt worden. Ebenso ist die Einleitung Ex 25,2–5.8.9 von Vorstellungen des Jerusalemer Tempelkultes geprägt. Zwar war bereits das Zeltheiligtum der Priesterschrift weitgehend am Tempel von Jerusalem orientiert, doch hatte diese den Tempel nicht einfach reproduziert, sondern im Hinblick auf ein reines Jahweheiligtum einen großen Teil der unter Salomo eingeführten kultischen Neuerungen unterdrückt. Entgegen der Intention des priesterschriftlichen Entwurfs wird mit den Erweiterungen das Zeltheiligtum an die Ausstattung des nachexilischen Tempels angepaßt[241]. Durch Überarbeitung sind weitere Einzelheiten zur Legitimation der bestehenden Verhältnisse des zweiten Tempels an den Sinai verlegt. Diese Anpassung des priesterschriftlichen Entwurfs an die Gegebenheiten des Tempels zeigt, daß das Zeltheiligtum vom Sinai in nachexilischer Zeit als Urbild und Abbild des Jerusalemer Tempels verstanden worden ist[242].

241 Dagegen scheinen die Nachträge von Räucheraltar Ex 30,1–10 und Wasserbecken Ex 30,17–21 eine an 1. Kön 6.7 orientierte literarische Erweiterung zu sein, doch kann die Möglichkeit nicht ausgeschlossen werden, daß auch der Anhang Ex 30.31 die Verhältnisse des zweiten Tempels im Auge hat.
242 Das Zeltheiligtum hat das antike Judentum auch nach der Zerstörung des herodianischen Tempels weiter beschäftigt, wie die Diskussion der Rabbinen zeigt, die jedoch weder in die Gemara noch in die Tosefta aufgenommen wurde. Die Baraita ist veröffentlicht durch *H. Flesch,* Die Barajtha von der Herstellung der Stiftshütte (Diss. Zürich o. J. [1892]).

7
Tempelbau und Kult

Das Volk Israel hat die Vorstellung von dem einen Gott, die Deut 6,4 zum Bekenntnis geworden ist, aus der nomadischen Vergangenheit der Stämme mitgebracht. Im Unterschied zu den zahlreichen Göttern der kanaanäischen Umwelt und der verschiedenen Nachbarvölker ist Gott in Israel einer und hat einen Namen. Dieser Gott ist vorstellbar aber nicht darstellbar. Jahwes Bildlosigkeit hat ihren Ursprung in der Wüste. Mit dem Übergang zur Seßhaftigkeit und zur Ackerbaukultur kommt Israel mit der kanaanäischen Kultur und den Kulturen der Nachbarn in Berührung, in denen das Götterbild die Anwesenheit des Gottes im Tempel und auf Erden manifestierte. Ob die bildhafte Darstellung für Jahwe übernommen worden ist, entzieht sich unserer Kenntnis, immerhin ist mit der Möglichkeit von Jahwebildern zu rechnen, wie die Erzählung vom Kultbild des Micha (Ri 17.18) zeigt. Einen gewissen Ersatz für das Kultbild boten die Gegenstände, mit denen die Gegenwart Jahwes in besonderer Weise verbunden war: die Lade im Tempel von Silo und die Keruben im Tempel von Jerusalem, die Massebe im Tempel von Arad. In Jahrhunderte während er Auseinandersetzung wurde die absolute Bildlosigkeit des Jahwekultes durchgesetzt, wie sie in den sog. Bilderverboten Ex 20,23b; 34,17 und 20,4 ihren Ausdruck gefunden hat. Diese Verbote der Herstellung von Götterbildern haben Jahwebilder eingeschlossen[1], obwohl diese nicht ausdrücklich erwähnt sind.

Wenngleich es somit wohl Jahwebilder gegeben hat, so ist doch der israelitische Tempel nicht von vornherein für ein Gottesbild gebaut. Über die Anfänge des Tempelbaus in Israel verlautet nichts. Diejenigen Erzählungen des Jahwisten und Elohisten, die den Erzvätern die Gründung von Heiligtümern zuschreiben, lassen zwar die Übernahme kanaanäischer Kultstätten durch die israelitischen Stämme erkennen, ob es dabei aber auch zur Übernahme der Kultbauten gekommen ist, bleibt ungewiß. Schon in vorstaatlicher Zeit waren die Tempel feste Bauten, wobei mit einer Vielzahl und dem Nebeneinander von Heiligtümern zu rechnen ist. Als erste und bis zum Tempelbau unter Salomo einzige kultische Einrichtung in der eroberten Stadt Jerusalem stellte David ein Zelt auf, in das die Lade eingebracht wurde (2. Sam 6,17). Als Kultbau überrascht das Zelt, seine Errichtung ist im Rückgriff auf die Zeltbauweise erfolgt, ohne daß daraus auf die Tradition eines Zeltheiligtums geschlossen werden konnte.

Für den Tempel von Arad konnte gezeigt werden, daß er baugeschichtlich

---

1 Vgl. G. *Beer*, HAT I,3 (1939) S. 99f; W. *Zimmerli*, Das zweite Gebot, ThB 19 (1963) S. 234–248; K. H. *Bernhardt*, ThA 2 (1956) S. 93–96.

dem Wohnbau entstammt. Analog zu dem israelitischen Wohnhaus hat der Tempel von Arad einen Breitraum mit vorgelagertem Hof. Erst die Aufstellung der Kultstele hat den Anbau der Nische bedingt. Der israelitische Breitraumtempel wurzelt in der Bauform des Hofhauses, dessen Ursprünge vielleicht bis in den Zeltbau der nomadischen Vergangenheit des Volkes zurückgehen. Die israelitische Tempelbautradition ist damit von den in der frühen Eisenzeit entwickelten Bauformen abhängig, aber den Kulturen der Umwelt gegenüber selbständig. Außerhalb Jerusalems hat der Typ des israelitischen Breitraumtempels ein großes Beharrungsvermögen gehabt, da er noch in hellenistischer Zeit beim Tempel von Lachisch erscheint, wenngleich die Nische vergrößert und stärker in den Bau integriert worden ist.

Gegenüber diesem israelitischen Tempeltyp stellt der Tempel von Jerusalem eine eigene Bauform dar, er ist ein Langhaus mit einer durch Anten gebildeten Vorhalle. Der salomonische Tempel entspricht dem Typ des Antentempels, der im 2. Jt. in Syrien weit verbreitet gewesen ist. Im Unterschied zum Tempel von Arad, der eindeutig die israelitische Tempelbautradition repräsentiert, entstammt der Tempel von Jerusalem außerisraelitischer Bautradition, seine Bauform wurde aus der Umwelt übernommen. Wieweit der Tempel von Jerusalem dann in der hellenistischen Epoche beispielhaft für die jüdischen Langhaustempel außerhalb Jerusalems geworden ist, kann nicht festgestellt werden, da bis auf *Qaṣr el-'Abd* diese Tempel nicht erhalten sind. Jedenfalls waren die beiden verschiedenen Bautraditionen des israelitischen Breitraumtempels und des außerisraelitischen Langraumtempels bis in die hellenistische Zeit wirksam und es haben Tempel dieser verschiedenen Konzeptionen gleichzeitig an verschiedenen Orten bestanden.
Im Tempel von Jerusalem stellte der Debir einen besonderen Einbau dar, in dem die Keruben aufgestellt waren. Auch wenn der Debir dem Hekal gegenüber nicht erhöht gewesen sein wird, so entspricht er doch dem von der Cella abgetrennten Adyton zur Aufstellung des Götterbildes. Wenngleich die Keruben die Gegenwart Jahwes nur repräsentieren, so zeigt die Anlage des Debir als eines besonderen Raumes die Übernahme der Vorstellung vom Tempel als einer Wohnung des Gottes.
Eine ähnliche Tendenz der Absonderung liegt mit der Nische beim Tempel von Arad vor, wenngleich sich eine Wohnvorstellung aus Mangel an Quellen nicht nachweisen läßt. Zwar ist die in der Nische aufgestellte Massebe nicht eigentlich ein Götterbild, aber doch eine bildlose Darstellung Jahwes. Zum Schutz der besonderen heiligen Qualität der Massebe wurde die Nische als ein weiterer Raum geschaffen, der in seiner Funktion dem Debir entspricht. Mit der Erweiterung des Breitraumes durch die Nische liegt eine Entwicklung innerhalb des israelitischen Tempelbaus vor, die auf die Einwirkung der mit dem Kult verbundenen Anschauung zurückgeht. Gegenüber dem ohnehin kultisch reinen und damit heiligen Bezirk des Tempels wurde nochmals ein Raum abgetrennt, da Jahwe in seiner besonderen Heiligkeit nur in einem solchen gegenwärtig sein konnte.

Obwohl der Tempel von Jerusalem einerseits und die Tempel in Arad und Lachisch andererseits in völlig verschiedenen Bautraditionen wurzeln, liegt ihrer baulichen Ausführung und baugeschichtlichen Entwicklung doch die gleiche Vorstellung von der außergewöhnlichen Heiligkeit Jahwes zugrunde. Auch wenn Massebe, Lade und Keruben keine Götterbilder gewesen sind, so ist doch der Tempelbau im alten Israel von der Notwendigkeit bestimmt, Jahwe einen besonderen Raum zu schaffen, in dem die kultische Reinheit in besonderer Weise garantiert und die Heiligkeit der göttlichen Sphäre geschützt war. Der Gegenstand, mit dem Jahwes Gegenwart in besonderer Weise verbunden war, bedurfte für seine Aufstellung eines eigenen Raumes. Der Tempelbau ist deutlich von der Vorstellung der Anwesenheit Jahwes im Tempel beeinflußt, seine Entwicklung ist durch Einbau oder Anbau eines Raumes für Jahwe bestimmt, während das übrige Tempelhaus den Kulthandlungen diente. Damit ist jeder israelitische Tempel ein Haus Jahwes[2]. Der Tempel schafft somit einen besonderen Raum für die Anwesenheit Jahwes und sichert seine Verehrung.

Wenngleich die Gegenwart Jahwes im Tempel durch Kultgegenstände verbürgt war, so hat der Kult allein Jahwe gegolten. Der Tempel von Arad gibt dabei einen Einblick in die Kultpraxis. Der Altar im Hof diente für das Brandopfer. Die Altäre auf der obersten Stufe zur Nische belegen das Räucheropfer als selbständige Opferart. Vegetarische Opfer wurden im Tempelgebäude abgestellt. Der Hof war wohl auch der Ort des Opfermahls. Auf Grund der 1. Kön 7 beschriebenen Ausstattung des Tempels von Jerusalem ist für diesen weitgehend die gleiche Opferpraxis anzunehmen. Der Brandopferaltar stand im Hof, während der Räucheropferaltar im Hekal aufgestellt war. Für den in Jerusalem stehenden Tisch hat sich in Arad keine Parallele gefunden, was dadurch bedingt sein kann, daß dieser aus Holz gewesen ist und sich dementsprechend nicht erhalten hat, doch machen die Abmessungen des Tempelraumes die Aufstellung eines Tisches unwahrscheinlich. Trotz der Unterschiede, die in der Anlage und Ausstattung zwischen beiden Tempeln bestanden haben, entsprechen sie sich weitgehend in der kultischen Einrichtung. Der Opferkult des salomonischen Tempels geht somit auf die altisraelitische Kultpraxis zurück. Selbst wenn der Tisch eine Neuerung im salomonischen Tempel gewesen sein sollte, die mit ihm verbundene Opfergabe der Schaubrote ist auch für das ältere israelitische Heiligtum in Nob bezeugt, vgl. 1. Sam 21,7.

Der Bau des Altars war ursprünglich nicht an ein Heiligtum gebunden. Zwar haben die Erzählungen von den Altarbauten durch die Erzväter die ätiologische Absicht der Legitimierung des jeweiligen Heiligtums, aber noch in vorstaatlicher Zeit konnten Opfer außerhalb des Tempels dargebracht werden. Noch Manoah, der Vater Simsons, opferte auf einem Felsen unter freiem Himmel (Ri 13,19f). Altarbauten ohne die Errichtung eines

---

2   Der Ausdruck בית יהוה findet sich als Bezeichnung des Tempels von Silo 1. Sam 1,7.24; 3,15 und desjenigen von Jerusalem 1. Kön 6,37; 7,12.40.45.48.51; 8,10.11.63.64; 9,1.10.15; 10,5 u. ö.

Heiligtums sind für Samuel (1. Sam 7,17) und Saul (1. Sam 14,35) belegt.
Dagegen ist der Bau eines Heiligtums ohne Opferstätte nicht denkbar. Bereits im Tempel von Silo hat ein Altar gestanden (1. Sam 2,28.33). Der
Tempel war der Ort des Altars und damit die Stätte des Opfers. Dabei zeigt
der Tempel von Arad, daß es zu einer Verbindung zwischen Kultbau und
Altar in der Weise gekommen ist, daß der Altar vor dem Tempelgebäude im
Hof zu stehen kam, der wiederum durch eine Mauer zu einem besonderen
Bezirk umschlossen war. Der Altar weist das Heiligtum als Opferstätte aus.
Der Kultbau ermöglichte die Darbringung der Opfergaben in einem kultisch
reinen und damit heiligen Bezirk.
Seit der Landnahme haben die verschiedenen israelitischen Heiligtümer nebeneinander bestanden und wurden von verschiedenen Priesterschaften
versorgt. Die besondere Stellung des Jerusalemer Tempels als Staatsheiligtum hat aber im Laufe der Zeit zu dem Anspruch der alleinigen Rechtmäßigkeit des Jerusalemer Kultes geführt, der Deut 12 seinen Ausdruck gefunden hat. Erst unter Josia ist die Vorrangstellung des Jerusalemer Tempels
durch Abschaffung der verschiedenen Kultstätten im Umkreis der Hauptstadt und durch die Zerstörung Bethels entscheidend gestärkt worden. Als
alleiniger Wohnort Jahwes mußte Jerusalem auch der alleinige Ort des Opfers werden. In Arad ist es denn auch vor der endgültigen Zerstörung der Festung zu einer Überbauung des Tempels im 7. Jh. gekommen. Das Fehlen
des Altars in Stratum VIII zeigt, daß im Tempel von Arad bereits vor seiner
Zerstörung keine Opfer mehr dargebracht wurden. Gegen Ende des 8. Jh.s
sind auch auf dem *Tell es-Seba^c* Tempel und Altar außer Funktion gesetzt
worden. Auch wenn es weiterhin Tempel im Lande gegeben hat, so ist doch
seit dem Ausgang des 8. Jh.s eine Beschränkung der Opferpraxis auf Jerusalem feststellbar.
Gerade wegen der Durchsetzung des Anspruchs des Jerusalemer Tempels
als der einzigen Kultstätte Jahwes bedeutete die Zerstörung des Tempels im
Jahre 587 durch die Babylonier eine Katastrophe. Mit der Eroberung Jerusalems fanden nicht nur das davidische Königtum und die staatliche Selbständigkeit ein Ende, die Vernichtung der Wohnstätte Jahwes und das Aufhören
des Opfers stürzten das Volk in eine Krise. Das im Kult gesicherte Verhältnis des Volkes zu Jahwe war zerbrochen. Die geschichtlichen Ereignisse
wurden als Strafgericht Jahwes gedeutet, und im babylonischen Exil war die
Darbringung von Opfern überhaupt ausgeschlossen. In dieser Situation hat
die Priesterschrift ihren Entwurf von dem Zeltheiligtum am Sinai verfaßt.
Kennzeichnend für dieses in den Anweisungen an Mose beschriebene Heiligtum ist die Kombination der verschiedenen Elemente. Das Heiligtum ist
als Zeltbau konzipiert, nach dem Vorbild des Jerusalemer Tempels ausgerichtet und als אהל מועד interpretiert. Seine Einrichtung ist eine Auswahl
verschiedener Kultgegenstände, die ebenfalls am Tempel von Jerusalem
orientiert ist, wobei die Keruben der Lade zugeordnet sind.
Die Priesterschrift hat den Anfang allen Kultes an den Sinai verlegt und den
Kultbau auf göttliche Anweisung zurückgeführt. Dieser theologische Neu-

ansatz bedingt einerseits die Unverfügbarkeit Jahwes, da jeder Wohngedanke ausgeschlossen ist, und begründet andererseits die kultische Reinheit und die Heiligkeit des Volkes, da mit dem Zeltheiligtum Jahwe der einzige Mittelpunkt des Volkes ist. Mit Jahwe in seiner Mitte ist Israel heiliges Volk. Zwar schließt die Vermittlung dieses Heiligtums im Wort die mögliche Ausrichtung auf den Tempelneubau nicht aus, doch ist gleichzeitig als Antwort auf die Zerstörung des Tempels die Wirklichkeit der Kultstätte im Wort festgehalten.

In der priesterschriftlichen Sinaierzählung ist an die Stelle der Theophanie die Mitteilung des Heiligtums getreten. Damit ist der Kult zu einem Geschehen geworden, das auch im Wort nachvollziehbar ist. Der Kultbau ist spiritualisiert, nicht nur im Tempel, sondern auch im Wort wird die Nähe Jahwes erfahren. Der priesterschriftliche Entwurf des Zeltheiligtums kennzeichnet somit den Abschluß der Tempelbautradition in Israel, als die Wirklichkeit der Kultstätte im Wort festgehalten ist.

Abkürzungsverzeichnis

IEJ	Israel Exploration Journal
JAOS	Journal of the American Oriental Society
JBL	Journal of Biblical Literature
JNES	The Journal of Near Eastern Studies
JPOS	Journal of the Palestine Oriental Society
JSS	The Journal of Semitic Studies
JThS	The Journal of Theological Studies
KAI	*H. Donner - W. Röllig,* Kanaanäische und aramäische Inschriften I (1962), II (1964), III (1964)
KAT	Kommentar zum Alten Testament
KeH	Kurzgefaßtes exegetisches Handbuch
KHC	Kurzer Hand-Commentar zum Alten Testament
KUB	Keilschrifturkunden aus Boghazköi
MDOG	Mitteilungen der Deutschen Orient-Gesellschaft
MIO	Mitteilungen des Instituts für Orientforschung
MUSJ	Mélanges de l'Université Saint-Joseph
NTT	Nederlands Theologisch Tijdschrift
OIP	The Oriental Institute Publications
OLZ	Orientalistische Literaturzeitung
OTS	Oudtestamentische Studien
PEQ	Palestine Exploration Quarterly
PJB	Palästina-Jahrbuch
QDAP	Quarterly of the Department of Antiquities in Palestine
RA	Reallexikon der Assyriologie und vorderasiatischen Archäologie
RB	Revue Biblique
RHPhR	Revue de l'Histoire et de Philosophie Religieuses
RQ	Revue de Qumran
RVV	Religionsgeschichtliche Versuche und Vorarbeiten
SBAW	Sitzungsberichte der Bayerischen Akademie der Wissenschaften
SBM	Stuttgarter Biblische Monographien
SBS	Stuttgarter Bibelstudien
SH	Scripta Hierosolymitana
SPAW	Sitzungsberichte der Preußischen Akademie der Wissenschaften
StANT	Studien zum Alten und Neuen Testament
SVT	Supplements to Vetus Testamentum
TGUOS	Transactions of the Glasgow University Oriental Society
ThA	Theologische Arbeiten
ThB	Theologische Bücherei
ThLZ	Theologische Literaturzeitung
ThSt	Theologische Studien
ThStKr	Theologische Studien und Kritiken
ThWAT	Theologisches Wörterbuch zum Alten Testament
ThZ	Theologische Zeitschrift
TThZ	Trierer Theologische Zeitschrift
UF	Ugaritforschungen
VT	Vetus Testamentum
WMANT	Wissenschaftliche Monographien zum Alten und Neuen Testament
WO	Welt des Orients
WUNT	Wissenschaftliche Untersuchungen zum Neuen Testament

WVDOG	Wissenschaftliche Veröffentlichungen der Deutschen Orientgesellschaft
ZA	Zeitschrift für Assyriologie und vorderasiatische Archäologie
ZÄS	Zeitschrift für ägyptische Sprache und Altertumskunde
ZAW	Zeitschrift für die alttestamentliche Wissenschaft
ZDMG	Zeitschrift der Deutschen Morgenländischen Gesellschaft
ZDPV	Zeitschrift des Deutschen Palästina-Vereins
ZKTh	Zeitschrift für Katholische Theologie
ZMR	Zeitschrift für Missionskunde und Religionswissenschaft
ZNW	Zeitschrift für die neutestamentliche Wissenschaft
ZThK	Zeitschrift für Theologie und Kirche

Literaturverzeichnis

1. Quellen

Biblia Hebraica ed. *Rudolf Kittel* textum masoreticum curavit *Paul Kahle*, Stuttgart o. J.[10]

Septuaginta ed. *Alfred Rahlfs*, I.II, Stuttgart 1935

Biblia Sacra. Juxta Vulgatam versionem, I.II, Stuttgart 1969

Macdonald, John, The Samaritan Chronicle No. II (or: Sepher Ha-Yamin) From Joseph to Nebukadnezzar, BZAW 107, Berlin 1969

Adler, Elkan N. – M. Séligsohn, Une nouvelle chronique Samaritaine, Revue des Études Juives 44 (1902) S. 188-222; 45 (1902) S. 70-98 und 223-254; 46 (1903) S. 123-146

Die Apokryphen und Pseudepigraphen des Alten Testaments ed. *Emil Kautzsch*, I.II, Nachdruck Darmstadt 1962

Josephus, Flavius, Contra Apionem, Josephus in Nine Volumes I, The Loeb Classical Library (1926) S. 126-411

Josephus, Flavius, Antiquitates I-XX, Josephus in Nine Volumes IV-IX, The Loeb Classical Library, London 1930-1963

Josephus, Flavius, De Bello Judaico – Der jüdische Krieg. Zweisprachige Ausgabe der sieben Bücher herausgegeben von *Otto Michel* und *Otto Bauernfeind*, I-III, Darmstadt 1959-1969

Diodorus Sicilius in Twelve Volumes, Books XIX, 66-110 and XX, The Loeb Classical Library, London 1954

Mischnajot. Die sechs Ordnungen der Mischnah ed. *A. Samter* u. a., Basel 1968[3]

Middot (Von den Maßen des Tempels). Text, Übersetzung und Erklärung von *Oscar Holtzmann*, Die Mischnah V. Seder, Qodaschim. 10. Traktat. Middot, Gießen 1913

Flesch, H., Die Barajtha von der Herstellung der Stiftshütte, Diss. Zürich o. J. 1892

Galling, Kurt, Textbuch zur Geschichte Israels, Tübingen 1968[2]

Aharoni, Yohanan, Hebrew Ostraca from Tel Arad, IEJ 16 (1966) S. 1–7

– Three Hebrew Ostraca from Arad, BASOR 197 (1970) S. 16-42

Cowley, A., Aramaic Papyri of the Fifth Century B. C., Oxford 1923

Kraeling, Emil G., The Brooklyn Museum Aramaic Papyri. New Documents ot the Fifth Century B. C. from the Jewish Colony at Elephantine, New Haven 1953

Ingholt, Harald, Inscriptions and Sculptures from Palmyra, Berytus 3 (1936) S. 83-127

Borger, Riekele, Das Tempelbau-Ritual K 48+, ZA 61 (1971) S. 72-80

– Die Inschriften Asarhaddons Königs von Assyrien, AfO Beiheft 9, Graz 1956

Kronasser, H., Die Umsiedlung der schwarzen Gottheit. Das hethitische Ritual KUB XXIX 4 (des Ulippi), Wien 1963

Für ANET und KAI s. das Abkürzungsverzeichnis

2. Ausgrabungsberichte

Aharoni, Yohanan, Excavations at Tel Arad. Preliminary Report on the Second Season, 1963, IEJ 17 (1967) S. 233-249

– Arad: Its Inscriptions and Temple, BA 31 (1968) S. 2–32

– The Israelite Sanctuary at Arad, in: New Directions in Biblical Archaeology (1969) S. 25-39

- Trial Excavation in the ›Solar Shrine‹ at Lachish, IEJ 18 (1968) S. 157–169
- Beer-Sheba I. Excavations at Tel Beer-Sheba. 1969–1971 Season, Tel Aviv 1973
- Investigations at Lachish. The Sanctuary and the Residency (Lachish V), Tel Aviv 1975
- Excavations at Tell Beer-sheba, Preliminary Report of the Fifth and Sixth Seasons, 1973–1974, Tel Aviv 2 (1975) S. 146–168
- The Horned Altar of Beer-sheba, BA 37 (1974) S. 2–6

Aharoni, Yohanan – Ruth Amiran, Excavations at Tel Arad. Preliminary Report on the First Season, 1962, IEJ 14 (1964) S. 131–147

Aharoni, Yohanan – Volkmar Fritz – Aharon Kempinski, Vorbericht über die Ausgrabungen auf der Ḥirbet el-Mšāš (Tēl Māśōś), 1. Kampagne 1972, ZDPV 89 (1973) S. 197–210

Albright, William Foxwell, The Excavation of Tell Beit Mirsim III. The Iron Age, AASOR XXI–XXII, New Haven 1943

Amiran, Ruth, The Tumuli West of Jerusalem, IEJ 8 (1958) S. 206–227

Amiran, Ruth – Yohanan Aharoni, Arad – A Biblical City in Southern Palestine, Archaeology 17 (1964) S. 43–53

- Ancient Arad, The Israel Museum, Jerusalem, Catalogue 32, Jerusalem 1967

Andrae, Walter, Die Stelenreihen in Assur, WVDOG 24, Berlin 1913

- Der Anu-Adad-Tempel in Assur, WVDOG 10, Berlin 1909

Avigad, Nahum, Excavations in the Jewish Quarter of the Old City of Jerusalem, 1969/70 (Preliminary Report), IEJ 20 (1970) S. 1–8

Ben-Dor, Immanuel, A Middle Bronze-Age Temple at Nahariya, QDAP 14 (1950) S. 1–41

Bliss, F. Jones – R. A. St. Macalister, Excavations in Palestine During the Years 1898–1900, London 1902

Buhl, Marie-Louise and *Svend Holm-Nielsen*, Shiloh, Copenhagen 1969

Bull, Robert, A Preliminary Excavation of an Hadrianic Temple at Tell er-Ras on Mount Garizim, AJA 71 (1967) S. 387–393

- The Excavation of Tell er-Ras on Mt. Garizim, BA 31 (1968) S. 58–72

Bull, J. Robert and *Edward F. Campbell*, The Sixth Campaign at Balâṭah (Shechem), BASOR 190 (1968) S. 2–41

Butler, H. C., Syria, Publications of the Princeton University Archaeological Expedition to Syria 1904–5 and 1909, IIA (1919) S. 1–25

Callaway, J. A., The Early Bronze Age Sanctuary at Ai (et-Tell) I, London 1972

- The 1968–1969 ᶜAi (et-Tell) Excavations, BASOR 198 (1970) S. 7–31

Callaway, J. A. and *R. E. Cooley*, A Salvage Excavation at Raddana, in Bireh, BASOR 201 (1971) S. 9–19

Cleveland, Ray L., An Ancient South Arabian Necropolis, Baltimore 1955

Condor, C. R., The Survey of Eastern Palestine I, London 1889

Crowfoot, J. W. and *Grace M. Crowfoot*, Samaria-Sebaste II. Early Ivories from Samaria, London 1938

Dever, William G. u. a., Further Excavations at Gezer, 1967–1971, BA 34 (1971) S. 94–132

Dothan, Moshe, The Excavations at Nahariyah. Preliminary Report (Seasons 1954/55), IEJ 6 (1956) S. 14–25

Dunand, M. – N. Saliby, Le sanctuaire d'Amrit, AAS 11/12 (1961/62) S. 3–12

Flinders Petrie, W. M., Hyksos and Israelite Cities, London 1906

Fritz, Volkmar und *Aharon Kempinski*. Vorbericht über die Ausgrabungen auf der Ḥirbet el-Mšāš (Tēl Māśōś), 3. Kampagne 1975, ZDPV 92 (1976) S. 83–104

Garstang, John and *J. B. E.*, The Story of Jericho, London 1948²

Heinrich, Ernst et alii, Vierter vorläufiger Bericht über die von der Deutschen Orient-Gesellschaft mit Mitteln der Stiftung Volkswagenwerk in Habuba Kabira (Hububa Kabira, Herbstkampagnen 1971 und 1972 sowie Testgrabung Frühjahr 1973) und in Mumbaqat (Tall Munbaqa, Herbstkampagne 1971) unternommenen archäologischen Untersuchungen, erstattet von Mitgliedern der Mission (Fortsetzung), MDOG 106 (1974) S. 5–52

Haines, Richard C., Excavations in the Plain of Antioch II. The Structural Remains of the Later Phases, OIP CXV, Chicago 1971

Kenyon, Kathleen, Digging up Jericho, London 1957

Kirkbride, Diana, Ancient Arabian Ancestor Idols, Archaeology 22 (1969) S. 116–121 und 188–195

Kochavi, Moshe, Excavations at Tell Esdar, Atiqot Hebrew Series 5 (1969) S. 14–48, engl. Zusammenfassung S. 2*–5*

Krencker, Daniel – Willy Zschietzschmann, Römische Tempel in Syrien, Denkmäler antiker Architektur V, Berlin 1938

Kraeling, E. G., Gerasa. City of Decapolis, New Haven 1938

Kuschke, Arnulf und *Martin Metzger*, Kumidi und die Ausgrabungen auf Tell Kamīd el-Lōz, SVT 22 (1972) S. 143–173

Lapp, Paul W., Soundings at ʿArāq el-Emīr (Jordan), BASOR 165 (1962) S. 16–34

– The Second and Third Campaigns at ʿArāq el-Emīr, BASOR 171 (1963) S. 8–9

– The 1963 Excavations at Taʿannek, BASOR 173 (1964) S. 4–44

Loud, Gordon, Megiddo II. Seasons of 1935–39. Text, OIP LXII, Chicago 1948

Macalister, R. A. St., Gezer II, London 1912

Margueron, M. Jean, Les fouilles Françaises de Meskéné-Émar (Syrie), Academie des Inscriptions & Belles-Lettres. Comptes Rendus 1975, S. 201–213

Marquet, Krause, J., Les fouilles de ʾAy (et-Tell), I.II, Paris 1949

May, Herbert G., Material Remains of the Megiddo Cult, OIP XXVI, Chicago 1935

Mazar, A., Excavations at Tell Qasile, 1971–72, IEJ 23 (1973) S. 65–71

– A Philistine Temple at Tell Qasile, BA 36 (1973) S. 42–48

McCown, C. C., Tell en-Naṣbeh I, New Haven 1947

du Mesnil du Buisson, Robert Comte, Le site archéologique de Mishrifé-Qaṭna, Paris 1935

Missione Archeologica Italiana in Siria. Rapporto preliminare della Campagna 1965 (Tell Mardikh), Rom 1966

– Rapporto preliminare della Campagna 1966 (Tell Mardikh), Rom 1967

Moortgart, Anton, Tell Chuēra in Nordost-Syrien, Vorläufiger Bericht über die Grabung 1958, Opladen 1960

– Vorläufiger Bericht über die dritte Grabungskampagne 1960, Opladen 1962

– Vorläufiger Bericht über die fünfte Grabungskampagne 1964, Wiesbaden 1967

Opitz, Dietrich, Die Darstellung der Araberkämpfe Aššurbânaplis aus dem Palaste zu Ninive, AfO 7 (1931/32) S. 7–13

Orthmann, Winfried / Kühne, Hartmut, Mumbaqat 1973 – Vorläufiger Bericht über die von der Deutschen Orient-Gesellschaft mit Mitteln der Stiftung Volkswagenwerk unternommenen Ausgrabungen, MDOG 106 (1974) S. 53–97

Paterson, Archibald, Palace of Sinacherib, The Hague 1925

Rothenberg, Beno, Timna 1973

Rowe, Allan, The Four Canaanite Temples of Beth-Shan I. The Temples and Cult Objects, Philadelphia 1940

de Saulcy, F., Voyage en Terre Sainte I, Paris 1865

– Mémoire sur les monuments d Aáraq-el-Emyr, Mémoires de l'Académie des Inscriptions et Belles Lettres de l'Institut de France 26 (Paris 1867) S. 83–117

Schumacher, G., Tell el-Mutesellim I, Leipzig 1908

Sellin, Ernst, Die Ausgrabungen von Sichem, ZDPV 49 (1926) S. 304–320 und 50 (1927) S. 205–211 und 265–274

– Die Masseben des El-Berit in Sichem, ZDPV 51 (1928) S. 119–123

Sellin, Ernst und *H. Steckeweh*, Kurzer vorläufiger Bericht über die Ausgrabungen von *balāṭa* (Sichem) im Herbst 1934, ZDPV 64 (1941) S. 1–20

Seyrig, Henry, Antiquites Syriennes 17.–Bas-reliefs monumentaux du temple de Bêl à Palmyre, Syria 15 (1934) S. 155-186

Stern, Ephraim, Excavations at Tel Qadesh (Tell Abu Qudeis), Qadmoniot 2 (1969) S. 95-97 (Hebr.)

Tufnell, O., Ch. H. Inge, L. Harding, Lachish II. The Fosse Temple, London 1940

Tufnell, O., Lachish III. The Iron Age, Oxford 1953

de Vaux, Roland, La quatrième campagne des fouilles a Tell el-Farᶜah, RB 59 (1952) S. 551–583

– Les fouilles de Tell el-Farᶜah. Sixième campagne, RB 64 (1957) S. 552–580

Woolley, C. L., Alalakh. An Account of the Excavations at Tell Atchana in the Hatay 1937–1949, Oxford 1955

Wright, G. Ernest, Shechem. A Biography of a Biblical City, New York 1965

Yadin, Yigael u. a., Hazor I, Jerusalem 1958

– Hazor II, Jerusalem 1960

– Hazor, London 1972

3. Sekundärliteratur

Aharoni, Yohanan,The Negeb of Judah, IEJ 8 (1958) S. 26-38

– Forerunners of the Limes: Iron Age Fortresses in the Negev, IEJ 17 (1967) S. 1–17

– The Negeb, in: Archaeology and Old Testament Study (Oxford 1967) S. 385-401

– Israelite Temples in the Period of the Monarchy, in: Proceedings of the Fifth World Congress of Jewish Studies (Jerusalem o. J.) S. 69-74

– The Stratification of Israelite Megiddo, JNES 31 (1972) S. 302–311

– The Solomonic Temple, the Tabernacle and the Arad Sanctuary, in: Orient and Occident, AOAT 22 (1973) S. 1–8

Ahlström, Gösta, W., Aspects of Syncretism in Israelite Religion, Lund 1963

– Der Prophet Nathan und der Tempelbau, VT 11 (1961) S. 113-127

Akroyd, Peter R., Exile and Restauration. A Study of Hebrew Thought of the Sixth Century B. C., London 1968.

Albright, William F., Two Cressets from Marisa and the Pillars of Jachin and Boas, BASOR 85 (1942) S. 18-27

– The High Place in Ancient Palestine, SVT 4 (1957) S. 242–258

Alt, Albrecht, Der Gott der Väter, Kleine Schriften zur Geschichte des Volkes Israel I (1953) S. 1–78

– Die Wallfahrt von Sichem nach Bethel, ebd., S. 79-88

– Erwägungen über die Landnahme der Israeliten in Palästina, ebd., S. 126-175

– Josua, ebd., S. 176-192

– Verbreitung und Herkunft des syrischen Tempeltypus, Kleine Schriften II (1953) S. 100-115

– Die Rolle Samarias bei der Entstehung des Judentums, ebd., S. 316-337

– Zur Geschichte der Grenze zwischen Judäa und Samaria, ebd., S. 346-362

– Zelte und Hütten, Kleine Schriften zur Geschichte des Volkes Israel III (1959) S. 233-242

Amy, Robert, Temples à escaliers, Syria 27 (1950) S. 82–136

Andrae, Walter, Das Gotteshaus und die Urformen des Bauens im Alten Orient, Studien zur Bauforschung 2, Berlin 1930

Arnold, William R., Ephod and Ark. A Study in the Records and Religion of the Ancient Hebrews, Harvard Theological Studies III, Cambridge 1917

Atchley, E. G. Cuthbert F., A History of the Use of Incense in Divine Worship, London 1909

Auerbach, Elias, Die Herkunft der Zadokiden, ZAW 49 (1931) S. 327f

– Der Aufstieg der Priesterschaft zur Macht im alten Israel, SVT 9 (1963) S. 236-249

Bächli, Otto, Zur Lage des alten Gilgal, ZDPV 83 (1967) S. 64-71

Baentsch, Bruno, Exodus-Leviticus-Numeri, HK I,2, Göttingen 1900

Bardtke, Hans, Elephantine und die jüdische Gemeinde der Perserzeit, Das Altertum 6 (1960) S. 13-31

Barnett, R. D., The Gods of Zinjirli, in: Compte rendu de l'onzième rencontre Assyriologique internationale (Leiden 1964) S. 57-87

Barrick, W. Boyd, The Funerary Character of »High-Places«, VT 25 (1975) S. 565-595

Barth, Christoph, Bundschließung und neuer Anfang am dritten Tage, EvTheol 28 (1968) S. 521-533

Baudissin, Wolf Wilhelm von, Der gerechte Gott in altsemitischer Religion, Festgabe A. von Harnack (1921) S. 1–23

Beebe, H. K., Ancient Palestinian Dwellings, BA 31 (1968) S. 38-58

Beer, Georg, Steinverehrung bei den Israeliten. Ein Beitrag zur semitischen und allgemeinen Religionsgeschichte, Berlin 1921

Beer, Georg und Kurt Galling, Exodus, HAT I,3, Tübingen 1939

Bennett, Boyce M., The Search for Israelite Gilgal, PEQ 104 (1972) S. 111–122

Bentzen, Aage, Die josianische Reform und ihre Voraussetzungen, Kopenhagen 1926

– Priesterschaft und Laien in der jüdischen Gemeinde des fünften Jahrhunderts, AfO 6 (1930/31) S. 280-286

– Zur Geschichte der Ṣadokiden, ZAW 51 (1933) S. 173-176

– The Cultic Use of the Story of the Ark in Samuel, JBL 67 (1948) S. 37–53

Ben-Tor, Amnon, Plans of Dwellings and Temples in Early Bronze Age Palestine, EI 11 (1973) S. 92–98 (Hebr.)

Bernhardt, Karl Heinz, Gott und Bild, ThA 2, Berlin 1956

– Nomadentum und Ackerbaukultur in der frühstaatlichen Zeit Altisraels, in: Das Verhältnis von Bodenbauern und Viehzüchtern in historischer Sicht (1968) S. 31–40

Bertholet, Alfred, Zum Verständnis des alttestamentlichen Opfergedankens, JBL 49 (1930) S. 218–233

Beyerlin, Walter, Herkunft und Geschichte der ältesten Sinaitraditionen, Tübingen 1961

Blenkinsopp, Joseph, Kiriath-Jearim and the Ark, JBL 88 (1969) S. 143-156

Blome, Friedrich, Die Opfermaterie in Babylonien und Israel I, Rom 1934

de Boer, P. A. H., An Aspect of Sacrifice, SVT 23 (1972) S. 27-47

Bonnet, Hans, Die Bedeutung der Räucherungen im ägyptischen Kult, ZÄS 67 (1931) S. 20-28

Borchert, Rudolf, Stil und Aufbau der priesterlichen Erzählung, Masch. Diss. Heidelberg 1956

van den Born, A., Zum Tempelweihspruch (1 Kg VIII 12f), OTS 14 (1965) S. 235-244

Bowman, John, Ezekiel and the Zadokite Priesthood, TGUOS 16 (1955/56 [1957]) S. 1–14

Brett, Michael JB., The Qaṣr el-ᶜAbd: A Proposed Reconstruction, BASOR 171 (1963) S. 39-45

Brongers, H. A., Einige Aspekte der gegenwärtigen Lage der Lade-Forschung, NTT 25 (1971) S. 6-27

Brueggemann, Walter, The Kerygma of the Priestly Writers, ZAW 84 (1972) S. 397-413

Bruno, Arvid, Gibeon, Leipzig 1923

Budde, Karl, Das Buch der Richter, KHC VII, Tübingen 1897

– Die Bücher Samuel, KHC VIII, Tübingen 1902

– Die ursprüngliche Bedeutung der Lade Jahwe's, ZAW 21 (1901) S. 193-197

– War die Lade ein leerer Thron?, ThStKr 79 (1906) S. 488-507

- Das Deuteronomium und die Reform König Josias, ZAW 44 (1926) S. 177–224
- Die Herkunft Ṣadoḳ's, ZAW 52 (1934) S. 42–50

Busink, Th. A., Der Tempel von Jerusalem von Salomo bis Herodes I. Der Tempel Salomos, Leiden 1970

van den Bussche, H., Le texte de la prophétie de Nathan sur la dynastie Davidique (II Sam., VII – I Chron., XVII), EThL 24 (1948) S. 354–394

Carroll, R. P., The Elijah- Elisha Sagas: Some Remarks on Prophetic Succession in Ancient Israel, VT 19 (1969) S. 400–415

Caspari, Wilhelm, Die Bundeslade unter David, Theologische Studien Theodor Zahn (1908) S. 23–46

Catling, H. W., Cypriot Bronzework in the Mycenaean World, Oxford 1964

Cazelles, Henri, David's Monarchy and the Gibeonite Claim (II Sam XXI, 1–14) PEQ 86 (1955) S. 165–175

Clements, R. H., God and Temple, Oxford 1965
- Temple and Land: A Significant Aspect of Israel's Worship, TGUOS 19 (1961/62) S. 16–28
- Deuteronomy and the Jerusalem Cult-Tradition, VT 15 (1965) S. 300–312

Clifford, Richard J., The Tent of El and the Israelite Tent of Meeting, CBQ 33 (1971) S. 221–227

Cohen, Martin A., The Role of the Shilonite Priesthood in the United Monarchy of Ancient Israel, HUCA 36 (1965) S. 59–98

Conrad, Diethelm, Studien zum Altargesetz Ex 20:24-26, Masch. Diss. Theol. Marburg 1968

Couroyer, B., Le temple de Yaho et l'orientation dans le papyrus Araméens d'Éléphantine, RB 68 (1961) S. 525–540

Cross, Frank M., The Priestly Tabernacle, BA 10 (1947) S. 45–68 = BAR I (1961) S. 201–227
- Aspects of Samaritan and Jewish History in Late Persian and Hellenistic Times, HThR 59 (1966) S. 201–211

Dalman, Gustaf, Arbeit und Sitte in Palästina VI, Nachdruck Hildesheim 1964
- Der zweite Tempel zu Jerusalem, PJB 5 (1909) S. 29–57

Davies, Henton, The Ark of the Covenant, ASTI 5 (1967) S. 30–47

Debus, Jörg, Die Sünde Jerobeams, FRLANT 93, Göttingen 1967

Delcor, M., Le temple d'Onias en Égypte, RB 75 (1968) S. 188–203

Dessene, A., Le Sphinx. Etude iconographique I, Paris 1957

Dhorme, Edouard, Les Chérubins I. Le Nom, RB 35 (1926) S. 328–399 = Recueil Edouard Dhorme (Paris 1951)· S. 671–683

Dibelius, Martin, Die Lade Jahwes, FRLANT 7, Göttingen 1906

Diebner, Bernd, Die Orientierung des Jerusalemer Tempels und die »Sacred Direction« der frühchristlichen Kirchen, ZDPV 87 (1971) S. 153–166

Drerup, Heinrich, Griechische Baukunst in geometrischer Zeit, Archaeologia Homerica, Band II, Kapitel O, Göttingen 1969

Driver, G. R., Three Technical Terms in the Pentateuch, JSS 1 (1956) S. 97–105

Dürr, Lorenz, Ursprung und Bedeutung der Bundeslade, BZThS 1 (1924) S. 17–24

Dumermuth, Fritz, Zur deuteronomischen Kulttheologie und ihren Voraussetzungen, ZAW 70 (1958) S. 59–98
- Josua in Ex 33, 7-11, ThZ 19 (1963) S. 161–168

Dunayevsky, I. and Aharon Kempinski, The Megiddo Temples, ZDPV 89 (1973) S. 161–187

Dunand, M., Byblos, Sidon, Jerusalem. Monuments apparentés des temps Achémenides, SVT 17 (1969) S. 64–70

Dus, Jan, Gibeon – eine Kultstätte des Šmš und die Stadt des benjaminitischen Schicksals, VT 10 (1960) S. 353–374
- Die Analyse zweier Ladeerzählungen des Josuabuches, ZAW 72 (1960) S. 107–134

- Der Brauch der Ladewanderung im alten Israel, ThZ 17 (1961) S. 1–16
- Noch einmal zum Brauch der »Ladewanderung«, VT 13 (1963) S. 126–132
- Die Thron- und Bundeslade, ThZ 20 (1964) S. 241–251
- The Dreros Bilingual and the Tabernacle of Ancient Israelites, JSS 10 (1965) S. 54-57

Ebach, Jürgen H., PGR = (Toten-)Opfer?, UF 3 (1971) S. 365–368

Eberharter, Andreas, Das Weihrauchopfer im Alten Testament, ZKTh 50 (1926) S. 89-105

Eerdmans, Bernardus D., Sojourn in the Tent of Jahu, OTS 1 (1942) S. 1–16

Eichrodt, Walther, Der neue Tempel in der Heilshoffnung Hesekiels, in: Das ferne und das nahe Wort, BZAW 105 (1967) S. 37-48

Eißfeldt, Otto, Einleitung in das Alte Testament, Tübingen 1964³
- Tempel und Kulte syrischer Städte in hellenistischer Zeit, AO 40 (1941)
- Der Gott Bethel, Kleine Schriften I (1962) S. 206–233
- Der geschichtliche Hintergrund der Erzählung von Gibeas Schandtat (Richter 19–21), Kleine Schriften II (1963) S. 64-80
- Lade und Stierbild, ebd., S. 282–305
- Jahwe Zebaoth, Kleine Schriften III (1966) S. 103–123
- El und Jahwe, ebd., S. 386-397
- Silo und Jerusalem, ebd., S. 417-425
- Biblos geneseos, ebd., S. 458-470
- Psalm 132, ebd., S. 481-485
- Lade und Gesetzestafeln, ebd., S. 526-529
- Toledot, Kleine Schriften IV (1968) S. 1–7
- ʾähᵉyäh ʾᵃšär ʾähᵉyäh und ʾĒl ʿōläm, ebd., S. 193-198
- Die Lade Jahwes in Geschichtsschreibung, Sage und Lied, Kleine Schriften V (1973) S. 77–93
- Kultzelt und Tempel, in: Wort und Geschichte, AOAT 18 (1973) S. 51–55

Eitz, Andreas, Studien zum Verhältnis von Priesterschrift und Deuterojesaja, Diss. theol. Heidelberg 1969

Elliger, Karl, Leviticus, HAT I,4, Tübingen 1966
- Chammanim = Masseben?, ZAW 57 (1939) S. 256-265
- Der Sinn des Wortes *chammān*, ZDPV 66 (1943) S. 129-139
- Ephod und Choschen, VT 8 (1958) S. 19-35
- Sinn und Ursprung der priesterlichen Geschichtserzählung, Kleine Schriften zum Alten Testament, ThB 32 (1965) S. 174-198

Eltester, Walther, Der siebenarmige Leuchter und der Titusbogen, in: Judentum, Urchristentum und Kirche, BZNW 26 (1960) S. 62–76

Epstein, Claire, An Interpretation of the Megiddo Sacred Area During Middle Bronze II, IEJ 15 (1965) S. 204-221
- The Sacred Area at Megiddo in Stratum XIX, EI 11 (1973) S. 54-57 (Hebr.)

Feilberg, C. G., La tente noire, Contribution ethnographique à l'histoire culturelle des nomades, Kopenhagen 1944

Fensham, F. Charles, Did a Treaty between the Israelites and the Kenites exist?, BASOR 175 (1964) S. 51-54
- The Treaty between Israel and the Gibeonites, BA 27 (1964) S. 96-100

Fohrer, Georg, Altes Testament – »Amphiktyonie« und »Bund«, Studien zur alttestamentlichen Theologie und Geschichte (1949–1966), BZAW 115 (1969) S. 84-119
— Zion-Jerusalem im Alten Testament, ebd., S. 195–241
- Kritik an Tempel, Kultus und Kultausübung in nachexilischer Zeit, in: Archäologie und Altes Testament (1970) S. 101–116

Fretheim, Terence E., Psalm 132: A Form-Critical Study, JBL 86 (1967) S. 289-300
- The Priestly Document: Antitemple?, VT 18 (1968) S. 313-329

– The Ark in Deuteronomy, CBQ 30 (1968) S. 1–14

Friedrich, Thomas, Die Holz-Tektonik Vorder-Asiens im Altertum und der Hekal mat Hatti, Innsbruck 1891

Fritz, Volkmar, Israel in der Wüste, Traditionsgeschichtliche Untersuchung der Wüstenüberlieferung des Jahwisten, Marburger Theologische Studien 7, Marburg 1970
– Arad in der biblischen Überlieferung und in der Liste Schoschenks I., ZDPV 82 (1966) S. 331–342
– Erwägungen zu dem spätbronzezeitlichen Quadratbau bei Amman, ZDPV 87 (1971) S. 140–152
– Zur Erwähnung des Tempels in einem Ostrakon von Arad, WO 7 (1973) S. 137–140
– Die Bedeutung des Wortes ḥammān/ḥmn', in: Wort und Wirklichkeit, Festschrift E. Rapp (1976) S. 41–50

Furtwängler, A., Über ein auf Cypern gefundenes Bronzegerät. Ein Beitrag zur Erklärung des salomonischen Tempels, SBAW 1899/II (1900) S. 411–433

Fuß, Werner, II Samuel 24, ZAW 74 (1962) S. 145–164

Gärtner, B., The Temple and the Community in Qumran and the New Testament, Oxford 1965

von Gall, August, Altisraelitische Kultstätten, BZAW 3, Gießen 1898

Galling, Kurt, Der Altar in den Kulturen des alten Orients, Berlin 1925
– Das Allerheiligste in Salomos Tempel, JPOS 12 (1932) S. 43–46
– Biblisches Reallexikon, HAT I,1 (1937)
– Bethel und Gilgal, ZDPV 66 (1943) S. 140–155 und 67 (1944/45) S. 21–43
– Erwägungen zum Stelenheiligtum von Hazor, ZDPV 755 (1959) S. 1–13
– Serubbabel und der Wiederaufbau des Tempels in Jerusalem, in: Verbannung und Heimkehr (1961) S. 67–96
– Serubbabel und der Hohepriester beim Wiederaufbau des Tempels in Jerusalem, Studien zur Geschichte Israels im persischen Zeitalter (1964) S. 127–148
– Bagoas und Esra, ebd., S. 149–184
– Baᶜal Ḥammon in Kition und die Ḥammanîm, in: Wort und Geschichte, AOAT 18 (1973) S. 65–70

Gammie, John G., Loci of the Melchizedek Tradition of Genesis 14:18–20, JBL 90 (1971) S. 385–396

Gese, Hartmut, Der Davidsbund und die Zionserwählung, ZThK 61 (1964) S. 10–26
– Bemerkungen zur Sinaitradition, ZAW 79 (1967) S. 137–154
– Τὸ δὲ Ἀγὰϱ Σινὰ ὄϱος ἐστὶν ἐν τῇ Ἀϱαβίᾳ (Gal 4,25), in: Das ferne und das nahe Wort, BZAW 105 (1967) S. 81–94

Görg, Manfred, Das Zelt der Begegnung. Untersuchung der sakralen Zelttraditionen Altisraels, BBB 27, Bonn 1967

Goldberg, Arnold M., Der siebenarmige Leuchter, zur Entstehung eines jüdischen Bekenntnissymbols, ZDMG 117 (1967) S. 232–246

Gooding, D. W., The Account of the Tabernacle. Translation and Textual Problems of the Greek Exodus, Cambridge 1959
– Temple Specifications: A Dispute in Logical Arrangement between the MT and the LXX, VT 17 (1967) S. 143–172.

Gordon, Cyrus H., The Origin of the Jews in Elephantine, JNES 14 (1955) S. 56–58

Graesser, Carl F., Standing Stones in Ancient Palestine, BA 35 (1972) S. 34–63

Gray, G. B., Sacrifice in the Old Testament, Oxford 1925

Gray, John, The Goren at the City Gate: Justice and the Royal Office in the Ugaritic Text ᶜAqht, PEQ 85 (1953) S. 118–123

Grdseloff, B., Das ägyptische Reinigungszelt, Kairo 1941

Greßmann, Hugo, Mose und seine Zeit, FRLANT 18, Göttingen 1913
– Die Lade Jahves und das Allerheiligste des salomonischen Tempels, BWAT II,1, Berlin 1920
– Dolmen, Masseben und Napflöcher, ZAW 29 (1909) S. 113-128
– Die ammonitischen Tobiaden, SPAW (1921) S. 663-671
– Josia und das Deuteronomium, ZAW 42 (1924) S. 313-337
Grintz, Jehoshua M., The Treaty of Joshua with the Gibeonites, JAOS 86 (1966) S. 113-126
Groot, Johannes de, Die Altäre des salomonischen Tempels, BWANT II,6, Stuttgart 1924
Gunkel, Hermann, Die Lade Jahves ein Thronsitz, ZMR 21 (1906) S. 33-42
Gunneweg, A. H. J., Leviten und Priester. Hauptlinien der Traditionsbildung und Geschichte
des israelitisch-jüdischen Kultpersonals, FRLANT 89, Göttingen 1965
– Mose in Midian, ZThK 61 (1964) S. 1–9
Gutmann, Joseph, The »Second Commandment« and the Image in Judaism, HUCA 32 (1961)
S. 161–174
– A Note on the Temple Menorah, ZNW 60 (1969) S. 289-291
– The History of the Ark, ZAW 83 (1971) S. 22–30
Haag, Herbert, Gad und Nathan, in: Archäologie und Altes Testament (1970) S. 135-143
Hamerton-Kelly, R. G., The Temple and the Origins of Jewish Apocalyptic, VT 20 (1970)
S. 1–15
Haran, Menahem, The Ark and the Cherubim; their Symbolic Significance in Biblical Ritual,
IEJ 9 (1959) S. 30-38 und 89-94
– The Nature of the »Ohel Moᶜedh« in Pentateuchal Sources, JSS 5 (1960) S. 50-65
– The Uses of Incense in the Ancient Israelite Ritual, VT 10 (1960) S. 113-129
– The Gibeonites, the Nethinim and the Sons of Solomon's Servants, VT 11 (1961) S. 159-169
– The Complex of Ritual Acts Performed inside the Tabernacle, SH 8 (1961) S. 272-302
– Shiloh and Jerusalem: The Origin of the Priestly Tradition in the Pentateuch, JBL 81 (1962)
S. 14-24
– The Disappearance of the Ark, IEJ 13 (1963) S. 46-58
– The Priestly Image of the Tabernacle, HUCA 36 (1965) S. 191-226
– The Divine Presence in the Israelite Cult and the Institutions, Biblica 50 (1969) S. 251-267
Hartmann, Richard, Zelt und Lade, ZAW 37 (1917/18) S. 209-244
Hauer, Christian E., Who was Zadok?, JBL 82 (1963) S. 89-94
Heinrich, Ernst, Bauwerke in der altsumerischen Bildkunst, Wiesbaden 1957
– Die Stellung der Uruktempel in der Baugeschichte, ZA 49 (1950) S. 21-44
– Art. »Haus«, RA IV,2/3 (1973) S. 176-220
Hengel, Martin, Judentum und Hellenismus. Studien zu ihrer Begegnung unter besonderer
Berücksichtigung Palästinas bis zur Mitte des 2. Jh. v. Chr., WUNT 10, Tübingen 1969
Henninger, Joseph, Über Lebensraum und Lebensformen der Frühsemiten, Opladen 1968
Henry, Marie-Louise, Jahwist und Priesterschrift, ATh 3, Stuttgart 1960
Hermisson, Hans-Jürgen, Sprache und Ritus im altisraelitischen Kult, WMANT 19, Neukir-
chen 1965
Herrmann, Siegfried, Die Königsnovelle in Ägypten und Israel, Wissenschaftliche Zeitschrift
der Karl Marx Universität Leipzig 3 (1953/54) S. 33ff
– Autonome Entwicklungen in den Königreichen Israel und Juda, SVT 17 (1969) S. 139-158
Herrmann, Wolfram, Götterspeise und Göttertrank in Ugarit und Israel, ZAW 72 (1960)
S. 205-216
Hertzberg, Hans Wilhelm, Die Samuelbücher, ATD 10, Göttingen 1968⁴
– Mizpa, ZAW 47 (1929) S. 161-196
– Die Melchisedek-Traditionen, Beiträge zur Traditionsgeschichte und Theologie des Alten Te-
staments (1962) S. 36-44
Heyde, Henning, Kain, der erste Jahwe-Verehrer, ATh I,23, Stuttgart 1965

Hillers, D. R., Ritual Procession of the Ark and Psalm 132, CBQ 30 (1968) S. 48–55

– *Mškn'* »Temple« in Inscriptions from Hatra, BASOR 206 (1972) S. 54-56

Hoftijzer, Jacob, Das sogenannte Feueropfer? SVT 16 (1967) S. 114-120

Holzinger, Heinrich, Exodus, KHC II, Tübingen 1900

– Numeri, KHC IV, Tübingen 1903

– Das Buch Josua, KHC VI, Tübingen 1901

– Der Schaubrottisch des Titusbogens, ZAW 21 (1901) S. 341f

Horst, Friedrich, Die Kultusreform des Königs Josia (II. Rg. 22–23), ZDMG 77 (1923) S. 220-238

– Die Notiz vom Anfang des Jahwekultes in Genesis 4,26, in: Libertas Christiana, BEvTh 26 (1957) S. 68-74

Hrouda, Barthel, Die »Megaron«-Bauten in Vorderasien, Anatolia 14 (1970 [1972]) S. 1–14

Humbert, Paul, Die literarische Zweiheit des Priester-Codex in der Genesis, ZAW 58 (1940/41) S. 30-57

Hurvitz, Avi, The Usage of šš and bwṣ in the Bible and its Implication for the Date of P, HThR 60 (1967) S. 117-121

Hyatt, J. Ph., The Deity Bethel and the Old Testament, JAOS 59 (1939) S. 81–98

Irwin, W. H., Le sanctuaire central israélite avant l'établissement de la monarchie, RB 72 (1965) S. 161–184

Jacoby, Adolf, Zur Erklärung der Kerube, ARW 22 (1923/24) S. 257–265

Janssen, Enno, Juda in der Exilszeit, FRLANT 69, Göttingen 1956

Jaritz, Kurt, Mesopotamische Megara als kassitischer Import, Zeitschrift für Ethnologie 83 (1958) S. 110-117

Jepsen, Alfred, Die Reform des Josia, Festschrift Friedrich Baumgärtel (1959) S. 97–109

Jeremias, Joachim, Hesekieltempel und Serubbabeltempel, ZAW 52 (1934) S. 109-112

Jeremias, Jörg, Lade und Zion. Zur Entstehung der Zionstradition, in: Probleme biblischer Theologie (1971) S. 183-198

– Theophanie, WMANT 10, Neukirchen 1967

Jirku, Anton, Wo lag Gibeᶜon, JPOS 8 (1928) S. 187–190

Joines, Karen Randolph, The Bronze Serpent in the Israelite Cult, JBL 87 (1968) S. 245–256

Jones, Douglas, Cessation of Sacrifice after 586 B. C., JThS 14 (1963) S. 12–31

Judge, H. G., Aaron, Zadok, and Abiathar, JThS 7 (1956) S. 70–74

Kaiser, Otto, Einleitung in das Alte Testament, Gütersloh 1969

Kanael, Baruch, Ancient Jewish Coins and their Historical Importance, BA 26 (1963) S. 38–62 = BAR III (1970) S. 279–303

Kapelrud, Arvid S., Baal in the Ras Shamra Texts, Kopenhagen 1952

– The Gates of Hell and the Guardian Angels of Paradise, JAOS 70 (1950) S. 151–156

– King and Fertility. A Discussion of II Sam 21: 1–14, Interpretationes ad Vetus Testamentum pertinentes Sigmundo Mowinckel septuagenario missae (1955) S. 113–122

– Temple Building, a Task for Gods and Kings, Orientalia 32 (1962) S. 56–62

– The Date of the Priestley Code (P), ASTI 3 (1964) S. 58–64

Katzenstein, H. J., Some Remarks on the Lists of the Chief Priests of the Temple of Solomon, JBL 81 (1962) S. 377–384

Keel, Othmar, Kanaanäische Sühneriten auf ägyptischen Tempelreliefs, VT 25 (1975) S. 413–469

Kegel, Martin, Die Kultus-Reformation des Josia, Leipzig 1919

Keller, Carl A., Über einige alttestamentliche Heiligtumslegenden I, ZAW 67 (1955) S. 141–168 und II, ZAW 68 (1956) S. 85–97

Kellermann, Dieter, Die Priesterschrift von Numeri 1₁ bis 10₁₀ literarkritisch und traditionsgeschichtlich untersucht, BZAW 120, Berlin 1970

Kellermann, Ulrich, Die Listen in Nehemia 11 eine Dokumentation aus den letzten Jahren des Reiches Juda?, ZDPV 82 (1966) S. 209-227

Kempinski, Aharon, The Sin Temple at Khafaje and the En-Gedi Temple, IEJ 22 (1972) S. 10-15

Kennett, Robert Hatch, The Origin of the Aaronite Priesthood, JThS 6 (1905) S. 161–186

Kenyon, Kathleen M., Archäologie im Heiligen Land, Neukirchen 1967
– Some Notes on the Early and Middle Bronze Age Strata of Megiddo, EI 5 (1958) S. 51-60

Kearney, Peter J., The Role of the Gibeonites in the Deuteronomic History, CBQ 35 (1973) S. 1–19

Kilian, Rudolf, Isaaks Opferung, SBS 44, Stuttgart 1970
– Die Hoffnung auf Heimkehr in der Priesterschrift, BL 7 (1966) S. 39–51
– Die Priesterschrift. Hoffnung auf Heimkehr, in: Wort und Botschaft (1967) S. 226–243

Kippenberg, Hans Gerhard, Garizim und Synagoge, RVV 30, Berlin 1971

Kittel, Rudolf, Die Bücher der Könige, HK I,5 Göttingen 1900
– Studien zur hebräischen Archäologie und Religionsgeschichte, BWAT 1, Leipzig 1908

Klamroth, Erich, Die jüdischen Exulanten in Babylonien, BWAT 10, Leipzig 1912
– Lade und Tempel, o. J.

Klengel, Horst, Zwischen Zelt und Palast, Wien 1972

Knieriem, Rolf, Exodus 18 und die Neuordnung der mosaischen Gerichtsbarkeit, ZAW 73 (1961) S. 146–171

Koch, Klaus, Die Priesterschrift von Exodus 25 bis Leviticus 16. Eine überlieferungsgeschichtliche und literarkritische Untersuchung, FRLANT 71, Göttingen 1959
– Die Eigenart der priesterschriftlichen Sinaigesetzgebung, ZThK 55 (1958) S. 36–51
– Sühne und Sündenvergebung um die Wende von der exilischen zur nachexilischen Zeit, Ev Theol 26 (1966) S. 217–239
– Art. אהל, ThWAT I (1973) Sp. 128–141

Köcher, Franz, Der babylonische Göttertypentext, MIO 1 (1953) S. 57–107

Kon, Maximilian, The Menorah of the Arch of Titus, PEQ 82 (1950) S. 25–30

Kornfeld, Walter, Der Symbolismus der Tempelsäulen, ZAW 74 (1962) S. 50–57

Kraus, Hans-Joachim, Gottesdienst in Israel, München 1962²
– Psalmen, BK XV, Neukirchen 1966³
– Gilgal. Ein Beitrag zur Kultusgeschichte Israels, VT 1 (1951) S. 188–199

Kübel, Paul, Epiphanie und Altarbau, ZAW 83 (1971) S. 225–230

Kuschke, Arnulf, Die Lagervorstellung der priesterschriftlichen Erzählung, ZAW 63 (1951) S. 74–105
– Der Tempel Salomos und der »syrische Tempeltypus«, in: Das ferne und das nahe Wort, BZAW 105 (1967) S. 124–132

Kutsch, Ernst, Gideons Berufung und Altarbau Jdc 6,11–24, ThLZ 81 (1956) Sp. 75–84
– Die Dynastie von Gottes Gnaden. Probleme der Nathanweissagung in 2. Sam 7, ZThK 58 (1961) S. 137–153

Lamb, Winifred, Some Early Anatolian Shrines, AS 6 (1956) S. 87–94

Lammens, H., Le culte des bétyles et les processions religieuses chez les Arabes préislamites, L'Arabie Occidentale avant l'Hégire (1928) S. 101–179

Lehming, Sigo, Erwägungen zur Zelttradition, in: Gottes Wort und Gottes Land (1965) S. 110–132

Lenzen, H. J., Mesopotamische Tempelanlagen von der Frühzeit bis zum II. Jahrtausend, ZA 55 (1955) S. 1–36

Levine, B. A., The Descriptive Tabernacle Texts of the Pentateuch, JAOS 85 (1965) S. 307–318

Levy, Julius, The Šulman Temple in Jerusalem, JBL 59 (1940) S. 519–522

Lindblom, Johannes, Erwägungen zur Herkunft der Josianischen Tempelurkunde, Lund 1971

Liver, J., The Literary History of Joshua IX, JSS 8 (1963) S. 237–243

Löhr, Max, Das Räucheropfer im Alten Testament, Halle 1927

Löw, Immanuel, Die Flora der Juden I-V, Nachdruck Hildesheim 1967

Lohfink, Norbert, Die Bundesurkunde des Königs Josias, Biblica 44 (1963) S. 261–288 und 461–498

– Die Ursünden in der priesterlichen Geschichtserzählung, in: Die Zeit Jesu (1970) S. 38–57

Maag, Victor, Erwägungen zur deuteronomischen Kultzentralisation, VT 6 (1956) S. 10–18

Macholz, Georg Christian, Israel und das Land, Habil. theol. Heidelberg 1969

– Noch einmal: Planungen für den Wiederaufbau nach der Katastrophe von 587. Erwägungen zum Schlußteil des sog. »Verfassungsentwurfs des Hesekiel«, VT 19 (1969) S. 322–352

Mackay, Cameron, Salem, PEQ 80 (1948) S. 121–130

Maclaurin, E. C. B., Date of the Foundation of the Jewish Colony at Elephantine, JNES 27 (1968) S. 89–96

Maier, Johann, Vom Kultus zur Gnosis, Studien zur Vor- und Frühgeschichte der »jüdischen Gnosis«, Salzburg 1964

– Das altisraelitische Ladeheiligtum, BZAW 93, Berlin 1965

Maisler, B., Das vordavidische Jerusalem, JPOS 10 (1930) S. 181–191

– Arad and the Family of Hobab the Kenite, JNES 24 (1965) S. 297–303

– The Philistines and the Rise of Israel and Tyre, The Israel Academy of Sciences and Humanities. Proceedings I,7, Jerusalem 1964

Marget, Arthur IV., גורן נכון in 2. Sam 6₆, JBL 39 (1920) S. 70–76

Martiny, Günter, Die Gegensätze im babylonischen und assyrischen Tempelbau, Abhandlungen für die Kunde des Morgenlandes XXI, 3 (1936)

Matthiae, Paolo, Unité et développement du temple dans la Syrie du Bronze Moyen, in: Le temple et le cult (1975) S. 43–72

May, Herbert Gordon, The Ark – A Miniature Temple?, AJSL 52 (1936) S. 215–234

– Some Aspects of Solar Worship at Jerusalem, ZAW 55 (1937) S. 269–281

– The two Pillars before the Temple of Solomon, BASOR 88 (1942) S. 19–27

Mayes, A. D. H., Israel in the Pre-Monarchy Period, VT 23 (1973) S. 151–170

Mazar, Benjamin, The Tobiats, IEJ 7 (1957) S. 137–145 und 229–238

McCarthy, Dennis J., II Samuel 7 and the Structure of the Deuteronomic History, JBL 84 (1965) S. 131–138

McCown, C. C., Hebrew High Places and Cult Remains, JBL 69 (1950) S. 205–219

McEvenue, Sean E., The Narrative Style of the Priestly Writer, AnBib 50, Rom 1971

– The Style of Building Instruction, Semitics 4 (1974) S. 1–9

McKane, William, A Note on 2 Kings 12₁₀ (Evv 12₉), ZAW 71 (1959) S. 260–265

McKenzie, John L., The Dynastic Oracle: II Samuel 7, Theological Studies 8 (1948) S. 187–218

Meek, Theophile James, Aaronites and Zadokites, AJSL 45 (1928/29) S. 149–166

Meinhold, Johannes, Die »Lade Jahves«, 1900

– Zur Frage der Kultzentralisation, BZAW 27 (1914) S. 301–315

Menes, A., Tempel und Synagoge, ZAW 50 (1932) S. 268–276

Metzger, Martin, Himmlische und irdische Wohnstatt Jahwes, UF 2 (1970) S. 139–158

– Der spätbronzezeitliche Tempel von Tell Kāmid el-Lōz, in: Le temple et le cult (1975) S. 10–20

Milgrom, Jacob, The Shared Custody of the Tabernacle and a Hittite Analogy, JAOS 90 (1970) S. 204–209

Miller, J. Maxwell, The Korahites of Southern Judah, CBQ 32 (1970) S. 58–68

Mittmann, Siegfried, Zenon im Ostjordanland, in: Archäologie und Altes Testament (1970) S. 199–210

Mittwoch, Eugen, Der Wiederaufbau des jüdischen Tempels in Elephantine – ein Kompromiß zwischen Juden und Samaritanern, in: Judaica, Festschrift Hermann Cohen (1912) S. 227–233

Möhlenbrink, Kurt, Der Tempel Salomos. Eine Untersuchung seiner Stellung in der Sakralarchitektur des alten Orients, BWANT IV,7, Stuttgart 1932

– Der Leuchter im 5. Nachtgesicht des Propheten Sacharia, ZDPV 52 (1929) S. 267–286

Morgenstern, Julian, The Tent of Meeting, JAOS 38 (1918) S. 125–139

– The Ark, The Ephod, and the Tent of Meeting, HUCA 17 (1942/43) S. 153–266 und 18 (1943/44) S. 1–52

Mowinkel, Sigmund, Wann wurde der Jahwäkultus in Jerusalem offiziell bildlos?, AcOr 8 (1929/30) S. 257–279

– Drive and/or Ride, VT 12 (1962) S. 278–299

Müller, Uwe, Kritische Bemerkungen zu den Straten XIII-IX in Megiddo, ZDPV 86 (1970) S. 50–86

Müller, Valentin, Types of Mesopotamian Houses, JAOS 60 (1940) S. 151–180

– Development of the »Megaron« in Prehistoric Greece, AJA 48 (1944) S. 342–348

Muilenburg, James, The Site of Ancient Gilgal, BASOR 140 (1955) S. 11–26

Muus, Rudolf, Der Jahwetempel in Elephantine, ZAW 36 (1916) S. 81–107

Naumann, Rudolf, Architektur Kleinasiens von ihren Anfängen bis zum Ende der hethitischen Zeit, Tübingen 1971²

Negev, Abraham, The Chronology of the Sevenbranched Menorah, EI 8 (1967) S. 193–210 (hebr.)

Neiman, David, PGR: A Canaanite Cult-Object in the Old Testament, JBL 67 (1948) S. 55–60

Nicholson, E. W., Deuteronomy and Tradition, Oxford 1967

– The Centralisation of the Cult in Deuteronomy, VT 13 (1963) S. 380–389

Nielsen, Eduard, Some Reflexions on the History of the Ark, SVT 7 (1960) S. 61–74

Noth, Martin, Das System der zwölf Stämme Israel, BWANT IV,1, Stuttgart 1930 = Nachdruck Darmstadt 1966

– Das Buch Josua, HAT I,7 Tübingen 1953²

– Überlieferungsgeschichtliche Studien, Darmstadt 1957²

– Überlieferungsgeschichte des Pentateuch, Darmstadt 1960²

– Das zweite Buch Mose. Exodus, ATD 5, Göttingen 1965³

– Das dritte Buch Mose. Leviticus, ATD 6, Göttingen 1962

– Das vierte Buch Mose. Numeri, ATD 7, Göttingen 1966

– Könige, BK IX/1, Neukirchen 1968

– David und Israel in 2. Sam 7, Gesammelte Studien zum Alten Testament, ThB 6 (1965³) S. 334–345

– Der Hintergrund von Ri 17–18, Aufsätze zur biblischen Landes- und Altertumskunde I (1971) S. 133–147

– Samuel und Silo, ebd., S. 148–156

Nowack, Wilhelm, Richter Ruth, HK I,4, Göttingen 1902

Obbink, H. Th., Jahwebilder, ZAW 47 (1927) S. 264–274

Oelmann, Franz, Haus und Hof im Altertum. Untersuchungen zur Geschichte des antiken Wohnhauses I. Die Grundformen des Hausbaus, Berlin 1927

Oesterly W. O. E., Sacrifices in Ancient Israel, New York o. J. [1937]

Oestreicher, Th., Reichstempel und Ortsheiligtümer in Israel, Gütersloh 1930

Otto, Eckart, Silo und Jerusalem, ThZ 32 (1976) S. 65–77

Ouelette, Jean, Le deuxième commandement et le rôle de l'image dans la symbolique religieuse de l'Ancien Testament. Essai d'interpretation, RB 74 (1967) S. 504–516

– La vestibule du temple de Salomon était-il un bit ḫilani?, RB 76 (1969) S. 365–378

– The Solomonic d*ᵉbir* according to the Hebrew Text of I Kings 6, JBL 89 (1970) S. 338–343

Parr, Peter, J., Le »Conway High Place« à Petra. Une nouvelle interprétation, RB 69 (1962) S. 64–79

Perlitt, Lothar, Bundestheologie im Alten Testament, WMANT 36, Neukirchen 1969

– Mose als Prophet, Ev Theol 31 (1971) S. 588–608

– Anklage und Freispruch Gottes. Theologische Motive in der Zeit des Exils, ZThK 69 (1972) S. 290–303

Pfeiffer, R. H., Images of Yahweh, JBL 45 (1955) S. 70–81

Plöger, Otto, Hyrkan im Ostjordanland, ZDPV 71 (1955) S. 70–81

Porten, Bezalel, Archives from Elephantine, London 1968

– The Structure and Orientation of the Jewish Temple at Elephantine, JAOS 81 (1961) S. 38–42

Porteous, Norman W., Jerusalem – Zion: The Growth of a Symbol, in: Verbannung und Heimkehr (1961) S. 235–252

Porter, J. R., The Interpretation of 2 Samuel VI and Psalm CXXXII, JThS 5 (1954) S. 161–173

Poulssen, Niek, König und Tempel im Glaubenszeugnis des Alten Testaments, SBM 3, Stuttgart 1967

Pritchard, James B., Gibeons History in the Light of Excavation, SVT 7 (1960) S. 1–12

– The Megiddo Stables. A Reassessment, in: Essays in Honor of Nelson Glueck (1970) S. 268–276

Procksch, Otto, König Josia, Festgabe für Theodor Zahn (1928) S. 19–53

Rabe, Virgil W., The Identity of the Priestly Tabernacle, JNES 25 (1966) S. 132–134

– Israelite Opposition to the Temple, CBQ 29 (1967) S. 228–233

Rackow, Ernst und *Werner Caskel,* Das Beduinenzelt, nordafrikanische und arabische Zelttypen mit besonderer Berücksichtigung des zentralalgerischen Zeltes, Baessler Archiv 21 (1938) S. 151–184

von Rad, Gerhard, Die Priesterschrift im Hexateuch, BWANT IV, 13, Stuttgart 1934

– Theologie des Alten Testaments I. Die Theologie der geschichtlichen Überlieferungen Israels, München 1958²

– Zelt und Lade, Gesammelte Studien zum Alten Testament, ThB 8 (1965³) S. 109–129

Reimpel, Walter, Der Ursprung der Lade Jahwes, OLZ 19 (1916) Sp. 326–331

Rendtorff, Rolf, Studien zur Geschichte des Opfers im alten Israel, WMANT 24, Neukirchen 1967

– Der Kultus im alten Israel, Jahrbuch für Liturgik und Hymnologie 2 (1956) S. 1–21

Richter, Georg, Die Kesselwagen des salomonischen Tempels. Eine exegetische Studie, ZDPV 41 (1918) S. 1–34

Richter, Gisela M. A., Ancient Furniture. A. History of Greek, Etruscan and Roman Furniture, Oxford 1926

Roberts, J. J. M., The Davidic Origin of the Zion Tradition, JBL 92 (1973) S. 329–344

Rößler, Otto, Die Praefixkonjugation Qal der Verba Iᵃᵉ Nun im Althebräischen und das Problem der sogenannten Tempora, ZAW 74 (1962) S. 125–141

Rost, Leonhard, Die Vorstufen von Kirche und Synagoge im Alten Testament, Darmstadt 1967²

– Die Überlieferung von der Thronnachfolge Davids, BWANT III,6, Stuttgart 1926 = Das kleine Credo und andere Studien zum Alten Testament (1965) S. 119–253

– Zu den Festopfervorschriften von Num 28 und 29, ThLZ 83 (1958) Sp. 329–334

– Die Wohnstätte des Zeugnisses, Festschrift Friedrich Baumgärtel (1959) S. 158–165

Rowley, H. H., Zadok and Nehushtan, JBL 58 (1939) S. 113–141

– Melchizedek and Zadok, Festschrift Alfred Bertholet (1950) S. 461–472

– The Meaning of Sacrifice in the Old Testament, From Moses to Qumran (1963) S. 67–107

- Hezekiah's Reform and Rebellion, Men of God (1963) S. 98–132
- Sanballat and the Samaritan Temple, Men of God (1963) S. 246–276

Rudolph, Wilhelm, Esra und Nehemia samt 3. Esra, HAT I,20, Tübingen 1949
- Chronikbücher, HAT I, 21, Tübingen 1955

Rupprecht, Konrad, Nachrichten von Erweiterung und Renovierung des Tempels in 1. Könige 6, ZDPV 88 (1972) S. 38–52

Ruprecht, Eberhard, Stellung und Bedeutung der Erzählung vom Mannawunder (Ex 16) im Aufbau der Priesterschrift. ZAW 86 (1974) S. 269–306

Salonen, Armas, Die Möbel des alten Mesopotamien nach sumerisch-akkadischen Quellen, Helsinki 1963

Sarna, N. M., The Chirotonic Motif on the Lachish Altar, in: Y. Aharoni, Lachish V (1975) S. 44–46

Schmid, Herbert, Jahwe und die Kulttraditionen von Jerusalem, ZAW 67 (1955) S. 168–197
- Melchisedek und Abraham, Zadok und David, Kairos 7 (1965) S. 148–151
- Der Tempelbau Salomos in religionsgeschichtlicher Sicht, in: Archäologie und Altes Testament (1970) S. 241–250

Schmidt, Hans, Der heilige Fels in Jerusalem, Tübingen, 1933
- Kerubenthron und Lade, FRLANT 36,1 (1923) S. 120–144

Schmidt, Werner H., Die Schöpfungsgeschichte der Priesterschrift, WMANT 17, Neukirchen 1967²
- Königtum Gottes in Ugarit und Israel, BZAW 80, Berlin 1966²
- משכן als Ausdruck Jerusalemer Kultsprache, ZAW 75 (1963) S. 91f

Schmitt, Hans-Christoph, Elisa. Traditionsgeschichtliche Untersuchungen zur vorklassischen nord-israelitischen Prophetie, Gütersloh 1972

Schmitt, Rainer, Zelt und Lade als Thema alttestamentlicher Wissenschaft, Gütersloh 1972

Schreiner, Josef, Sion – Jerusalem. Jahwes Königssitz, StANT 7, München 1963

Schult, Hermann, Der Debir im salomonischen Tempel, ZDPV 80 (1964) S. 46–54

Schunck, K. D., Zentralheiligtum, Grenzheiligtum und ›Höhenheiligtum‹ in Israel, Numen 18 (1971) S. 132–140
- Art. במה, ThWAT I (1973) Sp. 662–667

Schweitzer, Bernhard, Megaron und Hofhaus in der Ägäis des 3.–2. Jahrtausends v. Chr., ABSA 46 (1951) S. 160–167

Scott, John A., The Pattern of the Tabernacle, Masch. Diss. Pennsylvania 1969

Scott, Nora, Our Egyptian Furniture, The Metropolitan Museum of Art, Bulletin XXIV/4 (1965) S. 129–150

Scott, R. B. Y., The Pillars Jachin and Boaz, JBL 58 (1939) S. 143–149
- The Hebrew Cubit, JBL 77 (1958) S. 205–214

Sellin, Ernst, Das Zelt Jahwes, in: Alttestamentliche Studien R. Kittel dargebracht, BWAT 13 (1913) S. 168–192

Seton-Williams, M. V., Palestinian Temples, Iraq 11 (1949) S. 77–89

Shiloh, Yigal, The Four-Room House. Its Situation and Function in the Israelite City, IEJ 20 (1970) S. 180–190
- The Four-Room House – The Israelite Type-House, EI 11 (1973) S. 277–285 (Hebr.)

Simon, Marcel, La prophétie de Nathan et le Temple, RHPhR 32 (1952) S. 41–58

Sinos, Stefan, Die vorklassischen Hausformen in der Ägäis, 1971

Smend, Rudolf, Jahwekrieg und Stämmebund, FRLANT 84, Göttingen 1966²
- Zur Frage der altisraelitischen Amphiktyonie, EvTheol 31 (1971) S. 623–630

Smith, E. Baldwin, The Megaron and its Roof, AJA 46 (1942) S. 99–118

Smith, Robert Houston, Abram and Melchizedek, ZAW 77 (1965) S. 129–152

Smith, Sidney, The Threshing Floor at the City Gate, PEQ 78 (1946) S. 5–14 *von Soden, Wolfram*, Akkadisches Handwörterbuch I.II, Wiesbaden 1965 und 1972 (zitiert als AHW)

Soggin, J. Alberto, Der offiziell geförderte Synkretismus in Israel während des 10. Jahrhunderts, ZAW 78 (1966) S. 179–203

Stade, Bernhard, Die Kesselwagen des salomonischen Tempels, ZAW 21 (1901) S. 145–190

Stähelin, Felix, Elephantine und Leontopolis, ZAW 28 (1908) S. 180–182

Steck, Odil Hannes, Überlieferung und Zeitgeschichte in den Elia-Erzählungen, WMANT 26, Neukirchen 1968

– Das Problem theologischer Strömungen in nachexilischer Zeit, EvTheol 28 (1968) S. 445–458

Steckoll, S. H., The Qumran Sect in Relation to the Temple of Leontopolis, RQ 6 (1967/69) S. 55–59

Steuernagel, Carl, Deuteronomium und Josua, HK I,3, Göttingen 1923²

– Die jüdisch-aramäischen Papyri und Ostraka aus Elephantine und ihre Bedeutung für die Kenntnis palästinensischer Verhältnisse, ZDPV 25 (1912) S. 85–104

Stockton, Eugene, Stones at Worship, AJBA 1 (1970) S. 58–81

Stolz, Fritz, Strukturen und Figuren im Kult von Jerusalem, BZAW 118, Berlin 1970

Strauss, H., The History and Form of the Seven-Branched Candlestick of the Hasmonean Kings, Journal of the Warburg and Courtauld Institutes 22 (1959) S. 73–86

Thiersch, H., Ein altmediterraner Tempeltyp, ZAW 50 (1932) S. 73–86

Thompson, Robert John, Penitence and Sacrifice in Early Israel outside the Levitical Law, Leiden 1963

Thompson, Th. L., The Dating of the Megiddo Temples in Strata XV–XIV, ZDPV 86 (1970) S. 38–49

Timm, Hermann, Die Ladeerzählung (1. Sam. 4–6; 2. Sam. 6) und das Kerygma des deuteronomistischen Geschichtswerkes, EvTheol 26 (1966) S. 509–526

Torczyner, Harry, Die Bundeslade und die Anfänge der Religion, Berlin 1930²

Tscherikover, Victor, Hellenistic Civilisation and the Jews, Philadelphia 1966³

Ussishkin, David, Building IV in Hamath and the Temples of Solomon and Tell Tayanat, IEJ 16 (1966) S. 104–110

– King Solomon's Palace and the Building 1723 in Megiddo, IEJ 16 (1966) S. 174–186

– The »Ghassulian« Temple in Ein Gedi and the Origin of the Hoard from Nahal Mishmar, BA 34 (1971) S. 22–39

Vaughan, Patrick H., The Meaning of ›bāmâ‹, Cambridge 1974

de Vaux, Roland, Das Alte Testament und seine Lebensordnungen II, Freiburg 1966²

– Les chérubins et l'arche d'alliance les sphinx gardiens et les trones divins dans l'ancient orient, MUSJ 37 (1960/61) S. 91–124

– Arche d'alliance et tente de réunion, in: A la rencontre de Dieu, Mémorial Albert Gelin (1961) S. 55–70

– Sur l'origine Kénite ou Madianite du Yahvisme, EI 9 (1969) S. 28–32

– La thèse de l'»Amphictyonie Israélite«, HThR 64 (1971) S. 415–436

Vincent, L. H., La Palestine dans les papyrus ptolémaiques de Gerza, RB 29 (1920) S. 161–202

– Les chérubins II. Le concept plastique, RB 35 (1926) S. 340–358 und 481–495

– Le caractère du temple salomonien, in: Mélanges Bibliques A. Robert (1957) S. 137–148

Vink, J. G., The Date and Origin of the Priestly Code in the Old Testament, OTS 15 (1969) S. 1–144

Vischer, Wilhelm, Jahwe der Gott Kains, München 1929

Vogt, E., Die Erzählung vom Jordanübergang Josue 3–4, Biblica 46 (1965) S. 125–148

– Vom Tempel zum Felsendom, Biblica 55 (1974) S. 23–64

Voigt, Edwin E., The Site of Nob, JPOS 3 (1923) S. 79–87

de Vogüé, Melchior, Le Temple de Jérusalem, Paris 1864

Volkwein, Bruno, Masoretisches ʿēdūt, ʿēdwōt, ʿēdōt – »Zeugnis« oder »Bundesbestimmungen«?, BZ 13 (1969) S. 18–40

Walkenhorst, Karl-Heinz, Der Sinai im liturgischen Verständnis der deuteronomistischen Tradition, BBB 33, Bonn 1969

Watermann, L., Some Repercussions from Late Levitical Genealogical Accretions in P and the Chronicler, AJSL 58 (1941) S. 49–56

Watzinger, Carl, Denkmäler Palästinas, I.II, Leipzig 1933 und 1935

Weber, Max, Gesammelte Aufsätze zur Religionssoziologie III. Das antike Judentum, Tübingen 1971⁵

Wein, Erwin J. – Ruth Opificius, 7 000 Jahre Byblos, Nürnberg 1963

Weinfeld, Moshe, Cult Centralisation in Israel in the Light of a Neo-Babylonian Analogy, JNES 23 (1964) S. 202–212

Weippert, Helga, Das geographische System der Stämme Israels, VT 23 (1973) S. 76–89

Weippert, Manfred, Die Landnahme der israelitischen Stämme in der neueren wissenschaftlichen Diskussion, FRLANT 92, Göttingen 1967

Weiser, Artur, Das Deborahlied, ZAW 71 (1959) S. 67–97

– Die Tempelbaukrise unter David, ZAW 77 (1965) S. 153–168

Wellhausen, Julius, Prolegomena zur Geschichte Israels, Berlin 1905⁶

– Die Composition des Hexateuchs, Berlin 1963⁴

Welten, Peter, Kulthöhe und Jahwetempel, ZDPV 88 (1972) S. 19–37

Westermann, Claus, Genesis, BK I/1, Neukirchen 1974

– Die Herrlichkeit Gottes in der Priesterschrift, in: Wort-Gebet-Glaube, AThANT 59 (1970) S. 227–249

Westphal, Gustav, Jahwes Wohnstätten, BZAW 15, Gießen 1908

– Aaron und die Aaroniden, ZAW 26 (1906) S. 201–230

Wiener, Harold M., The Altars of the Old Testament, Beigabe zur OLZ 30 (1927)

Wigand, Karl, Thymiateria, Bonner Jahrbücher 122 (1912) S. 1–97

Wilson, John A., The Assembly of a Phoenician City, JNES 4 (1945) S. 245

Wolf, C. Umhau, Traces of Primitve Democracy in Ancient Israel, JNES 6 (1947) S. 98–108

Wolff, Hans Walter, Das Ende des Heiligtums in Bethel, in: Archäologie und Altes Testament (1970) S. 287–298

Wreszinski, W., Atlas zur altägyptischen Kulturgeschichte I.II, Leipzig 1923–1935

Wright, G. Ernest, The Significance of Ai in the Third Millenium B. C., Archäologie und Altes Testament (1970) S. 299–319

Wright, G. R. H., Structure of the Qasr Bint Farʿun: A Preliminary Report, PEQ 93 (1961) S. 8–37

– Pre-Israelite Temples in the Land of Canaan, PEQ 103 (1971) S. 17–32

Yadin, Yigael, A Note on the Stratigraphy of Arad, IEJ 15 (1965) S. 180

– Symbols of Deities at Zinjirli, Carthage and Hazor, in: Near Eastern Archaeology in the Twentieth Century, Eassays in Honor of Nelson Glueck (1970) S. 199–231

– Beer-sheba: The High Place Destroyed by King Josiah, BASOR 222 (1967) S. 5–17

Yeivin, Shemuel, The High Place at Gibeon, Revue de l'histoire juive en Egypte 1 (1947) S. 143–147

– Social, Religious and Cultural Trends in Jerusalem under the Davidic Dynasty, VT 3 (1953) S. 149–166

– Jachin and Boaz, PEQ 91 (1959) S. 6–22

– Temples that were not, EI 11 (1973) S. 163–175 (Hebr.)

Zenger, Erich, Die Sinaitheophanie. Untersuchungen zum jahwistischen und elohistischen Geschichtswerk, Würzburg 1971

Zimmerli, Walther, Geschichte und Tradition von Beerseba im alten Testament, Diss. theol.
  Göttingen 1932
– Ezechiel, BK XIII, Neukirchen 1969
– Das zweite Gebot, ThB 19 (1963) S. 234–248
– Ezechieltcmpel und Salomostadt, SVT 16 (1967) S. 389–414
– Planungen für den Wiederaufbau nach der Katastrophe von 587, VT 18 (1968) S. 229–255
– Das Bilderverbot in der Geschichte des alten Israel, in: Schalom, ATh I, 46 (1971) S. 86–96

4. Nachtrag

Aharoni, Yohanan, Nothing Early and Nothing Late: Re-Writing Israel's Conquest, BA 39
  (1976) S. 55–76
van Buren, E. Douglas, Places of Sacrifice (›Opferstätten‹), Iraq 14 (1952) S. 76–92
Margueron, Jean, Quatre campagnes de fouilles à Emar (1972–1974): un bilan provisoire, Syria 52 (1975) S. 53–85

Stellenregister

Mehrfaches Vorkommen auf einer Seite einschließlich der Anmerkungen ist nur einmal notiert. Belege, die nur in Anmerkungen genannt werden, sind durch hinzugefügtes »A« gekennzeichnet.

Register der Ortsnamen